DU MÊME AUTEUR

Du monde entier

SAUL BELLOW

RAVELSTEIN

Traduit de l'anglais (États-Unis)
par Rémy Lambrechts

GALLIMARD

Je voudrais remercier mon éditrice,
Beena Kamlani,
pour son talent et sa clairvoyance.
— *S.B.*

Titre original :

RAVELSTEIN

A la bella donna della mia mente.
À Janis,
L'étoile sans laquelle je ne saurais m'orienter.
Et à la véritable Rosie.

Étrange que les bienfaiteurs de l'humanité soient des gens amusants. En Amérique du moins, c'est souvent le cas. Celui qui veut gouverner le pays doit d'abord le divertir. Durant la guerre de Sécession, les gens se plaignaient des histoires drôles de Lincoln. Peut-être sentait-il que le sérieux était bien plus dangereux que n'importe quelle blague. Mais les critiques le disaient puéril et son propre secrétaire à la Guerre le traitait de singe.

Parmi les blagueurs iconoclastes qui formèrent l'esprit et les goûts de ma génération, H. L. Mencken fut le plus éminent. Mes amis du lycée, lecteurs de l'*American Mercury*, étaient accros aux papiers de Mencken sur le procès Scopes[1]. Mencken n'y allait pas de main morte avec William Jennings Bryan, le fondamentalisme, et le *nigaudus americanus.* Clarence Darrow, qui défendait Scopes, représentait la science, la modernité et le progrès. Pour

---

1. Le procès Scopes est aussi célèbre aux États-Unis que l'affaire Dreyfus l'est en France. Quelques précisions s'imposent sans doute. John T. Scopes : jeune professeur de sciences naturelles du Tennessee, traîné au tribunal par W. J. Bryan en 1925 pour avoir expliqué le darwinisme à ses élèves, en contradiction avec la loi de l'État, qui proscrivait tout enseignement contraire à la Bible. W. J. Bryan : homme politique, plusieurs fois candidat à l'élection présidentielle (en 1896, 1900 et 1908). Clarence Darrow : ténor du barreau de Chicago et ardent défenseur des bonnes causes. *(N.d.T.)*

Darrow et Mencken, Bryan le créationniste était une sinistre absurdité péquenaude. Dans le langage de la théorie de l'évolution, Bryan était une branche morte de l'arbre de la vie. Sa libre frappe des dollars en argent était une plaisanterie. De même que son éloquence de parlementaire à l'ancienne mode. De même que les roboratifs dîners de fermier du Nebraska qu'il engouffrait. Ses repas auraient sa peau, disait Mencken. Ses idées sur la Création spéciale furent abondamment ridiculisées lors du procès, et Bryan prit la voie du ptérodactyle — l'ébauche maladroite d'une idée qui réussirait plus tard —, les reptiles planeurs devenant des oiseaux à sang chaud qui volent et chantent.

J'avais rempli un cahier de brouillon de citations de Mencken, auxquelles j'avais ajouté plus tard des emprunts à des satiristes ou des histrions tels que W. C. Fields ou Charlie Chaplin, Mae West, Huey Long et le sénateur Dirksen. Il y avait même une page sur le sens de l'humour de Machiavel. Mais je ne vais pas vous entraîner dans mes spéculations sur l'esprit et l'autodérision dans les sociétés démocratiques. Aucun souci à se faire. Je suis heureux que ce vieux cahier ait disparu. Je n'ai aucun désir de le revoir. Il réapparaît brièvement comme une longue note de bas de page.

J'ai toujours eu une faiblesse pour les notes. Pour moi, plus d'un texte a été sauvé par une note astucieuse ou insidieuse. Et je vois que je suis maintenant en train d'utiliser une longue note pour entamer un sujet sérieux — passant en un preste mouvement à Paris, à une suite de l'Hôtel Crillon. Début juin. À l'heure du petit déjeuner. L'hôte est mon cher ami le professeur Ravelstein. Abe Ravelstein. Ma femme est moi séjournons aussi au Crillon, à l'étage inférieur, le sixième. Elle dort encore. L'étage entier au-dessous du nôtre (ceci n'est pas totalement pertinent, mais, sans savoir pourquoi, je ne peux m'empêcher de le mentionner) est présentement occupé par Michael Jackson et sa suite. Il se produit chaque soir dans quelque vaste auditorium parisien. D'un moment à l'autre, ses fans vont débarquer et une foule de visages se lèveront pour crier à l'unisson *Maï-keul Djack-sonne.* Des barrières mobiles retiennent les fans. À l'intérieur de l'hôtel, quand on plonge le regard dans la cage d'escalier de marbre depuis le sixième étage, on voit les gardes du corps de Michael. L'un d'eux fait les mots croisés du *Paris Herald.*

«Formidable, non, tout ce bastringue?» dit Ravelstein. Le professeur était de très bonne humeur ce matin-là. Il avait fait pression sur la direction pour obtenir cette suite convoitée. Être à Paris — au Crillon. Être ici avec plein d'argent. Fini les piaules pouilleuses au Dragon Volant, si c'était bien le nom, rue du Dragon, ou à l'Hôtel de l'Académie, rue des Saints-Pères, en face de la faculté de médecine. En matière d'hôtel, on ne fait pas plus chic ni plus luxueux que le Crillon, où l'on avait stationné les huiles américaines durant les négociations de paix à l'issue de la Première Guerre mondiale.

«Formidable, non?» fit Ravelstein avec l'un de ses gestes vifs.

Je confirmai que ça l'était. Le centre de Paris s'étendait à nos pieds — la place de la Concorde avec l'obélisque, l'Orangerie, la Chambre des députés, la Seine, avec ses ponts tarabiscotés, des palais, des jardins. Bien sûr, c'était un spectacle formidable, mais il l'était bien plus encore aujourd'hui d'être montré depuis cette suite par Ravelstein, qui, l'année dernière encore, avait cent mille dollars de dettes. Peut-être plus. Il plaisantait toujours avec moi au sujet de son «capital flottant».

Il me disait : «Tant qu'il continue de flotter, ça va. Vous savez ce que l'expression désigne dans les milieux financiers, Chick?

13

— Le capital flottant ? J'ai une vague idée. »

Avant qu'il ne touche le gros lot, personne n'avait jamais contesté le besoin qui tenaillait Ravelstein de costumes Armani ou de bagages Vuitton, de cigares cubains, impossibles à trouver aux États-Unis, d'accessoires Dunhill, de stylos Mont-Blanc en or massif ou de verres en cristal de Baccarat ou de chez Lalique pour y servir son vin — ou le faire servir. Ravelstein était un de ces hommes imposants — imposants, pas corpulents — dont les mains tremblent quand il s'agit d'effectuer des tâches mineures. La cause ne résidait pas dans la faiblesse, mais dans un débordement d'énergie qui le secouait quand elle était libérée.

Voilà, ses amis, ses collègues, ses élèves et ses admirateurs n'avaient plus à casquer pour ses habitudes de luxe. Dieu merci, il pouvait à présent s'en sortir sans les complexes trafics en argenterie de Jensen, céramiques de Spode ou faïences de Quimper avec ses collègues et amis. Tout cela appartenait au passé. Il était devenu très riche. Il avait livré ses idées au grand public. Il avait écrit un livre — difficile mais bien accueilli —, un livre belliqueux, spirituel et intelligent, et ce livre s'était vendu et continuait de se vendre dans les deux mondes et de part et d'autre de l'équateur. La chose avait été pondue rapidement, mais avec le plus grand sérieux : pas de concessions faciles, pas de vulgarisation, pas de combines intellectuelles, pas d'*apologétique*, pas d'airs supérieurs. Il avait parfaitement le droit d'avoir l'air qu'il avait présentement, tandis que le garçon disposait notre petit déjeuner. Son intellect avait fait de lui un millionnaire. Ce n'est pas rien de devenir riche et célèbre en disant exactement ce qu'on pense — en le disant dans ses propres termes, sans faire de compromis.

Ce matin-là, Ravelstein portait un kimono bleu et blanc.

Il lui avait été offert au Japon, où il avait fait une tournée de conférences l'année précédente. On lui avait demandé ce qui lui ferait particulièrement plaisir et il avait répondu qu'il aimerait un kimono. Celui-ci, digne d'un shogun, avait dû être une commande spéciale. Ravelstein était très grand. Il n'était pas particulièrement élégant. Le vaste vêtement était mal ajusté et plus qu'à demi ouvert. Ses jambes étaient inhabituellement longues, peu avenantes. Son caleçon pendouillait.

« Le garçon me dit que Michael Jackson refuse la nourriture du Crillon. Son cuisinier personnel l'accompagne partout dans son jet privé. Enfin, le chef du Crillon en est tout froissé. Sa cuisine est assez bonne pour Richard Nixon et Henry Kissinger, dit-il, et toute une flopée de shahs, de rois, de généraux et de premiers ministres. Mais ce petit singe à paillettes n'en veut pas. Il n'y a pas une histoire, dans la Bible, de rois invalides vivant sous la table de leur conquérant et se nourrissant de ce qui tombe au sol ?

— Il me semble bien. Je me souviens qu'on leur avait coupé les pouces. Mais quel est le rapport avec le Crillon ou Michael Jackson ? »

Abe éclata de rire et dit qu'il ne savait pas trop. Ça lui était seulement passé par la tête. Sur notre terrasse, les voix fluettes des fans, des adolescents parisiens — garçons et filles criant à l'unisson —, venaient s'ajouter aux bruits de la circulation.

Cette manifestation historique était notre toile de fond. Nous passions un agréable moment en prenant notre café. Ravelstein était très enjoué. Nous parlions néanmoins à voix basse parce que Nikki, le compagnon d'Abe, dormait encore. Quand il était aux États-Unis, Nikki avait l'habitude de regarder des films de kung-fu de son Singapour natal jusqu'à quatre heures du matin. Ici aussi, il restait debout la moitié de la nuit. Le garçon d'étage avait fermé la porte coulissante afin que le sommeil de Nikki ne soit pas dérangé. Je jetais de temps à autre des coups d'œil par la fenêtre vers ses bras potelés et les longues nappes chatoyantes de cheveux noirs qui tombaient sur ses épaules luisantes. À un peu plus de trente ans, le beau Nikki restait juvénile.

Le garçon avait apporté des fraises des bois, des brioches, des pots de confiture, et un assortiment de ce qu'on m'avait appris à appeler de l'«argenterie d'hôtel». Ravelstein griffonna sauvagement son nom sur la note tout en portant un petit pain à sa bouche. J'avais de meilleures manières de table. Ravelstein, quand il mangeait en parlant, donnait l'impression d'un processus biologique — qu'il alimentait sa chaudière et nourrissait ses idées.

Ce matin-là, il me pressait une nouvelle fois de me tourner vers le grand public, de sortir de ma vie privée, de m'intéresser «à la vie de la cité, à la politique», pour reprendre ses propres termes. Il voulait que je m'essaie à la biographie, et j'avais accepté de le faire. À sa demande, j'avais rédigé un exposé de la recension par J. M. Keynes des querelles sur les réparations allemandes et la levée du blocus allié en 1919. Ravelstein était content de ce que j'avais fait, mais pas entièrement satisfait. Il pensait que j'avais un problème de rhétorique. Je disais que trop d'attention aux faits eux-mêmes diminuait l'intérêt général de l'entreprise.

Je peux bien lâcher le morceau : j'ai eu au lycée un professeur d'anglais du nom de Morford («Morford le dingue», comme nous l'appelions), qui nous faisait lire l'essai de Macaulay sur la *Vie de Samuel Johnson* de Boswell. Je ne saurais dire si c'était une lubie de Morford ou un article du programme fixé par le Conseil d'Université. L'essai de Macaulay, commande de l'*Encyclopedia Britannica* au xixᵉ siècle, était publié dans une édition scolaire américaine par Riverside Press. Cette lecture me mettait en transe. Macaulay me grisait avec *sa* version de la *Vie*, avec l'«anfractuosité» de l'esprit de Johnson. J'ai lu depuis de nombreuses critiques pondérées des excès victoriens de Macaulay. Mais je n'ai jamais été guéri — je n'ai jamais voulu être guéri de ma faiblesse pour Macaulay. Grâce à lui, je vois toujours ce pauvre Johnson convulsif effleurant tous les réverbères de la rue et mangeant de la viande avariée et des puddings rances.

Mon problème : comment m'y prendre pour écrire une biographie. Il y avait l'exemple de Johnson lui-même, dans la notice sur son ami Richard Savage. Il y avait Plutarque, bien sûr. Quand je mentionnai Plutarque à un helléniste, il le ravala au rang de «simple littérateur». Mais, sans Plutarque, Shakespeare aurait-il pu écrire *Antoine et Cléopâtre?*

Je considérai ensuite les *Vies brèves* d'Aubrey.

Mais je ne vais pas énumérer toute la liste.

J'avais essayé de décrire Morford à Ravelstein : Morford le dingue n'était jamais carrément ivre en cours, mais il biberonnait manifestement — il avait le visage cramoisi d'un ivrogne. Il portait tous les jours le même costume de fin de série. Il ne voulait pas vous connaître, il ne voulait pas que vous le connaissiez. Son œil cafardeux, vague et alcoolique, ne se posait jamais sur quiconque. Sous ses sourcils broussailleux, il ne dirigeait son regard que vers les murs, à travers la fenêtre, ou sur les livres qu'il lisait. Le *Johnson* de Macaulay et le *Hamlet* de Shakespeare furent les deux œuvres que nous étudiâmes avec lui ce trimestre-là. Johnson, en dépit de sa scrofule, de ses haillons, de son hydropisie, avait ses amitiés, écrivait ses livres, tout comme Morford s'acquittait de ses cours, nous écoutait tandis que nous récitions de mémoire les vers «Combien fades, vains et infructueux me paraissent tous les usages de ce monde ». Sa tête rase et sévère, son visage enflammé, ses mains nouées dans le dos. Parfaitement vain et infructueux.

Ravelstein ne fut pas très intéressé par ma description de lui. Pourquoi l'invitais-je à voir le Morford de mes souvenirs ? Mais Abe eut raison de m'atteler à l'essai sur Keynes. Keynes, le puissant économiste et homme d'État que tout le monde connaît pour *Les conséquences économiques de la paix*, envoyait des lettres et des mémorandums à ses amis de Bloomsbury pour leur raconter ses aventures dans l'après-guerre, en particulier les débats sur les réparations entre les Allemands vaincus et les dirigeants alliés — Clemenceau, Lloyd George et les Américains. Ravelstein, homme qui n'était pas prodigue en louanges, dit que cette fois j'avais écrit une remarquable recension des notes de Keynes à ses amis. Ravelstein plaçait Hayek au-dessus de Keynes en tant qu'économiste. Keynes, disait-il, avait exagéré la dureté des Alliés et fait le jeu des généraux allemands et, par-delà, des nazis. Le traité de Versailles était bien moins sévère qu'il n'aurait dû l'être. Les buts de guerre de Hitler en 1939 n'étaient pas différents de ceux du Kaiser en 1914. Mais, hormis cette grave erreur, Keynes était un homme très attirant à de nombreux égards. Éduqué à Eton et Cambridge, il avait été peaufiné socialement et culturellement par le groupe de Bloomsbury. La Grande Politique de son temps l'avait développé et parfait. J'imagine que dans sa vie privée il se considérait comme un Uranien — euphémisme britannique pour *homosexuel*. Ravelstein me rapporta que Keynes avait épousé une ballerine russe. Il m'expliqua aussi qu'Uranus avait engendré Aphrodite, mais que celle-ci n'avait pas de mère. Elle avait été conçue par l'écume. Il ne disait pas ce genre de choses parce qu'il m'en croyait ignorant, mais parce qu'il estimait nécessaire, à un moment donné, d'attirer mon attention sur elles. Il me rappela donc que, lorsque Uranus avait été tué par le titan Cronos, sa semence s'était répandue dans la mer. Et cela avait d'une certaine manière à voir avec les réparations, ou avec le fait que les Allemands, toujours soumis au blocus, mouraient de faim à ce moment-là.

Ravelstein, qui, pour des raisons lui appartenant, m'avait attelé aux papiers de Keynes, se souvenait tout particulièrement des passages racontant l'incapacité des banquiers allemands à faire face aux demandes de la France et de l'Angleterre. Les Français lorgnaient sur les réserves d'or du Kaiser ; ils affirmaient que l'or devait être remis immédiatement. Les Anglais disaient qu'ils se contenteraient de devises fortes. L'un des négociateurs allemands était juif. Lloyd George, perdant patience, s'en prit à lui : il lui fit un étonnant numéro de youpin, se voûtant, inclinant la tête, boitant, crachant, zézayant, ondulant du postérieur, se livrant à une parodie dandinante de démarche de Juif. Tout cela fut décrit par Keynes à ses amis de Bloomsbury. Ravelstein n'avait pas grande estime pour les intellectuels de Bloomsbury. Il n'aimait pas leur affectation, il détestait le cirque pédé et ce qu'il appelait le «comportement de tapettes». Il ne pouvait leur reprocher leurs commérages, et ne le faisait pas. Lui-même adorait trop les ragots pour cela. Mais il disait que ce n'étaient pas des penseurs, mais des snobs, et que leur influence était pernicieuse. Les espions recrutés plus tard en Angleterre par la Guépéou, puis par le NKVD dans les années 30, avaient été nourris par Bloomsbury.

«Mais vous vous en êtes très bien sorti, Chick, avec cette méchante caricature de *youpin**[1] de Lloyd George.

— Merci, dis-je.

---

1. Les expressions en italique suivies d'un astérisque sont en français dans le texte original. *(N.d.T.)*

— Loin de moi l'idée d'interférer, dit Ravelstein. Mais vous conviendrez, je pense, que je travaille à votre bien. »

Je comprenais, bien sûr, sa motivation. Il voulait que j'écrive sa biographie, en même temps qu'il voulait me sauver de mes habitudes pernicieuses. Il trouvait que j'étais embourbé dans la solitude et devais être rendu à la communauté. « Trop d'années de repli sur soi ! » me lançait-il. J'avais un besoin pressant de contact avec la politique — non pas la politique locale ou la politique partisane, ni même la politique nationale, mais la politique telle qu'Aristote ou Platon entendaient le terme, enracinée dans notre nature. On ne peut tourner le dos à sa nature. Je concédai à Ravelstein que lire ces documents de Keynes et écrire cet essai avaient été comme des vacances. Des retrouvailles avec le genre humain, un bain d'humanité. Il y a des fois où j'ai besoin de prendre le métro à l'heure de pointe ou de m'asseoir dans une salle de cinéma bondée — c'est cela que j'appelle un bain d'humanité. Comme le bétail a besoin de sel à lécher, j'ai parfois soif de contacts physiques.

« J'ai quelques idées générales sur Keynes et la Banque mondiale, ses accords de Bretton Woods, et aussi ses attaques contre le traité de Versailles. J'en sais tout juste assez sur Keynes pour placer son nom sur une grille de mots croisés, dis-je. Je suis heureux que vous ayez attiré mon attention sur ses mémorandums privés. Ses amis de Bloomsbury devaient être impatients d'entendre ses impressions de la Conférence de paix. Grâce à lui, ils étaient aux premières loges de l'histoire mondiale. Et j'imagine que Lytton Strachey et Virginia Woolf n'auraient pas supporté de ne pas avoir des tuyaux de première main. Ils représentaient les plus hauts intérêts de la société britannique. Ils avaient le devoir de savoir — le devoir d'un artiste.

— Et le côté juif de la chose ? demanda Ravelstein.

— Keynes ne l'aimait pas trop. Vous vous souviendrez sans doute que la seule amitié qu'il noua lors de la Conférence de paix fut avec un membre juif de la délégation allemande.

— Non, ils ne pouvaient pas avoir grand-chose à faire d'un type aussi commun que Lloyd George, ces Bloomsburies. »

Mais Ravelstein n'ignorait pas la valeur d'une coterie. Il avait la sienne. Ses membres étaient les étudiants qu'il avait instruits en philosophie politique et des amis de longue date. La plupart d'entre eux avaient été formés, comme Ravelstein lui-même, par le professeur Davarr et employaient son vocabulaire ésotérique. Certains des plus anciens élèves de Ravelstein exerçaient à présent de hautes fonctions dans la presse nationale. Bon nombre travaillaient au Département d'État. Quelques-uns donnaient des cours à l'École de guerre ou appartenaient aux services du Conseil de sécurité nationale. L'un d'eux était un protégé de Paul Nitze. Un autre, un original, tenait une chronique dans le *Washington Times*. Certains avaient de l'influence, tous étaient bien informés ; ils formaient un groupe solidaire, une communauté. Ils tenaient régulièrement Ravelstein au courant et, quand il était chez lui, il passait des heures au téléphone avec ses disciples. Tant bien que mal, il gardait leurs secrets. Du moins, il ne les citait pas nommément. Aujourd'hui encore, dans la suite du Crillon, le téléphone portable était coincé entre ses genoux dénudés. Le kimono japonais découvrait des jambes plus blanches que du lait. Il avait les mollets d'un sédentaire — le tibia long et le muscle abrupt, sans rondeur. Il y avait de cela quelques années, après sa crise cardiaque, les médecins lui avaient ordonné de faire de l'exercice ; il s'était donc acheté un survêtement de marque et d'élégantes chaussures de sport. Il avait traîné les pieds sur la

21

cendrée pendant quelques jours, puis il avait renoncé. La forme n'était pas sa tasse de thé. Il traitait son corps comme un véhicule — une motocyclette qu'il faisait filer plein gaz sur la corniche du Grand Canyon.

«Je ne suis pas trop surpris de Lloyd George, dit Ravelstein. C'était un petit connard chamailleur. Il avait rendu visite à Hitler dans les années 30 et en était revenu avec une haute opinion de lui. Hitler était le rêve des dirigeants politiques. Tout ce qu'il ordonnait était fait, et fissa. Pas de complications, pas de discussions. Très différent du régime parlementaire.» C'était un plaisir que d'entendre Ravelstein parler de qu'il appelait la Grande Politique. Il spéculait souvent sur Roosevelt et Churchill. Il avait un grand respect pour de Gaulle. De temps à autre, il s'emballait. Ce jour-là, par exemple, il parla de la «mordacité» de Lloyd George.

« "Mordacité", dites-vous.

— En matière de langage, les Britishs nous ont complètement enfoncés. Tout particulièrement quand ils ont commencé à se vider de leur sève et que le langage est devenu une de leurs principales ressources.

— Comme la putain de Hamlet, qui devait alléger son cœur de mots.»

Ravelstein, avec sa puissante tête chauve, était à l'aise avec les déclarations tonitruantes, les grandes idées et les hommes célèbres, avec les décennies, les ères, les siècles. Il était, cependant, tout aussi familier des amuseurs comme Mel Brooks que des classiques et pouvait passer des immenses tragédies de Thucydide à Moïse interprété par Brooks. «Il descend du Sinaï avec les Commandements. Dieu lui en a donné vingt, mais dix lui tombent des bras quand il voit les enfants d'Israël s'empailler autour du Veau d'Or.» Ravelstein adorait ces histoires juives; il avait un don naturel pour les raconter.

Il était ravi de mon étude sur Keynes. Il se souvenait que Churchill avait dit de Keynes qu'il était un homme à l'intelligence clairvoyante — Abe adorait Churchill. En tant qu'économiste, Milton Friedman l'emportait sur la plupart des autres, mais Friedman était un zélote de la loi du marché qui n'avait rien à faire de la culture, tandis que Keynes était un esprit cultivé. Il était cependant dans le faux quant au traité de Versailles, et lacunaire en politique, sujet dont Ravelstein avait une intelligence toute particulière.

Les « gens » d'Abe à Washington lui téléphonaient si fréquemment que je lui dis qu'il devait être en train de constituer un cabinet fantôme. Il accepta cela en souriant comme si la bizarrerie était de mon fait, et non du sien. Il dit : « Tous ces étudiants que j'ai formés au cours des trente dernières années me consultent toujours, et le téléphone rend possible une sorte de séminaire perpétuel où les questions politiques qu'ils traitent au quotidien à Washington sont mises en perspective avec le Platon qu'ils ont étudié il y a dix ou vingt ans, ou Locke, ou Rousseau, ou même Nietzsche. »

Il était très agréable d'emporter l'adhésion de Ravelstein, et ses étudiants ne cessaient de revenir vers lui — des hommes à présent dans la force de l'âge, dont certains avaient joué un rôle de premier plan dans la conduite de la guerre du Golfe, l'appelaient des heures durant. « Ces relations spéciales sont importantes pour moi — prioritaires. » Il était aussi naturel que Ravelstein veuille savoir ce qui se passait à Downing Street ou au Kremlin qu'il l'avait été pour Virginia Woolf de lire les rapports privés de Keynes sur les réparations allemandes. Peut-être les avis ou les idées de Ravelstein influaient-elles parfois sur les décisions politiques, mais ce n'était pas là le plus important. Le plus important était qu'il restât dans une certaine mesure responsable de la formation politique permanente de ses anciens élèves. À Paris aussi, il avait ses disciples. Ceux qui avaient suivi son séminaire à l'École des hautes études, au retour d'une mission à Moscou, l'appelaient, eux aussi.

Il y avait en outre des amitiés sexuelles et des confidences intimes. À côté de l'imposant canapé en cuir noir d'où il prenait les appels chez lui se trouvait un panneau électronique dont il usait en expert. Je n'aurais su le faire fonctionner. Je n'avais aucune qualité psychotechnique. Mais Ravelstein, malgré ses mains maladroites, contrôlait ses instruments tel un Prospero.

En tout cas, il n'avait maintenant plus de souci à se faire pour ses notes de téléphone.

Mais nous sommes toujours au sommet de l'hôtel Crillon.

«Vous avez de bons instincts, Chick, dit-il. Dommage que vous n'ayez pas reçu plus de nihilisme dans votre tempérament. Vous auriez dû être plus proche de Céline et de sa comédie noire, de son grotesque. La femme négligée disant à son petit ami, Robinson : "Pourquoi tu peux pas dire : 'Je t'aime'? Qu'est-ce que t'as de si spécial? Tu bandes comme tout le monde. *Quoi! Tu bandes pas** ?" Elle confond la trique et l'amour. Mais Robinson le nihiliste n'est arc-bouté que sur un seul principe : ne pas mentir sur les très, très rares choses qui importent réellement. Il se livrera à toutes sortes d'obscénités, mais il finit par fixer une limite, et cette traînée, profondément mortifiée, le tue parce qu'il refuse de lui dire : "Je t'aime."

— Céline veut-il signifier par là son authenticité?

— Cela signifie que les écrivains sont censés nous faire rire et pleurer. C'est ce que demande l'humanité. La situation de ce Robinson est une réplique des mystères du Moyen Âge, où les criminels les plus abominables reviennent à la Vierge Marie. Mais il n'y a pas de désac-

24

cord ici. Je veux que vous me dépeigniez comme vous avez dépeint Keynes, mais à plus grande échelle. Et puis vous avez été gentil avec lui. Je ne veux pas de ça. Soyez aussi dur avec moi que vous le voulez. Vous n'êtes pas la poupée angélique que vous paraissez être, et, en me décrivant, vous pourrez peut-être vous émanciper.

— De quoi, exactement ?

— De quoi que ce soit qui vous contrôle — quelque épée de Damoclès qui plane sur vous.

— Non, dis-je. C'est l'épée de Pataclès. »

Si elle s'était déroulée dans un restaurant, la conversation aurait pu faire penser aux autres dîneurs que nous échangions des blagues salaces en nous tenant les côtes. « Pataclès » était le genre d'humour de Ravelstein, et il rit comme le cheval blessé de Picasso dans *Guernica*, à gorge déployée.

Le legs que me faisait Ravelstein était un sujet — il pensait qu'il me donnait un sujet, peut-être le meilleur que j'aie jamais eu, peut-être le seul qui fût réellement important. Mais la signification d'un tel legs était qu'il mourrait avant moi. Si je devais le précéder, il n'allait certainement pas rédiger une notice sur mon compte. Au-delà d'une simple page à lire lors d'un service funèbre, ce serait impensable. Pourtant, nous étions des amis proches, autant qu'on peut l'être. Ce dont nous riions était la mort, et, bien sûr, la mort aiguise le sens de l'humour. Mais le fait que nous riions ensemble ne signifiait pas que nous riions pour les mêmes raisons. Que, fourrées dans son livre, les idées les plus sérieuses de Ravelstein en aient fait un millionnaire était certainement drôle. Il fallait le génie du capitalisme pour faire une marchandise commercialisable d'idées, d'avis, d'*enseignements*. Gardez à l'esprit que Ravelstein était un enseignant. Ce n'était pas un de ces conservateurs qui idolâtrent le marché. Il avait des opinions bien à lui sur les questions politiques et morales. Mais je ne suis pas là pour présenter ses idées. Plus que toute autre chose, en cet instant, je veux les éviter. Je veux être bref, ici. C'était un éducateur. Rassemblées dans un livre, ses idées l'avaient rendu absurdement riche. Il dépensait les dollars presque aussi vite qu'ils arrivaient. En ce moment même, il étudiait un contrat pour un nouveau livre à cinq millions de dollars. Il pouvait aussi prétendre à de gros cachets sur le circuit des conférences. Et c'était un homme savant, après tout. Personne n'en disconvenait. Il fallait être savant pour capter la modernité dans toute sa complexité et en évaluer le coût humain. Il pouvait se comporter bizarrement dans les réceptions, mais, une fois perché sur l'estrade, il étalait des arguments imparables. Ce dont il parlait ne devenait que trop clair. Le public voyait l'instruction supérieure comme un droit. La Maison-Blanche l'affirmait. Les étudiants étaient comme « les mers bondées de harengs ». Trente mille dollars était le montant moyen d'une inscription universitaire. Mais qu'apprenaient les étudiants ? Les universités étaient permissives, laxistes. Le puritanisme d'autrefois était passé. Le relativisme soutenait que ce qui était juste à Saint-Domingue était faux à Pago Pago et que les normes morales étaient donc tout sauf absolues.

Cela étant, Ravelstein n'était pas ennemi des plaisirs, ni opposé à l'amour. Au contraire, il voyait en l'amour peut-être la plus grande bénédiction de l'humanité. Une âme humaine dépourvue de désir était une âme déformée, privée de son bien le plus précieux, mortellement malade. On nous offrait un modèle biologique qui congédiait l'âme et insistait sur l'importance du soulagement orgiaque de la tension (la biostatique et la biodynamique). Je n'entends pas expliquer ici les enseignements érotiques d'Aristophane et de Socrate ou de la Bible. Pour cela, vous devez vous adresser à Ravelstein lui-même. Pour lui, Jérusalem et Athènes étaient les sources jumelles de la civilisation. Jérusalem et Athènes ne sont pas ma tasse de thé. Je vous souhaite bien du plaisir avec elles. Mais j'étais trop âgé pour devenir le disciple de Ravelstein. Tout ce que j'ai à dire présentement, c'est qu'il était pris très au sérieux jusqu'à la Maison-Blanche et à Downing Street. Il avait été l'invité de Mme Thatcher pour un week-end à Chequers. Et le Président ne le négligeait pas non plus. Reagan l'invita à dîner, et Ravelstein dépensa une fortune en tenue de gala, ceinture turban, boutons de col en diamant et souliers de cuir verni. Un chroniqueur du *Daily News* disait que pour Ravelstein l'argent était un truc qu'on jetait par la fenêtre d'un express filant à toute allure. Ravelstein me montra la coupure en hurlant de rire. Et je n'avais, bien sûr, pas les mêmes motifs de gaieté. Les puissantes forces hydrauliques du pays ne m'avaient pas repêché comme lui.

Bien que je fusse l'aîné de Ravelstein d'un paquet d'années, nous étions des amis proches. Il y avait des côtés prétentieux dans mon caractère comme il y en avait dans le sien, et ceux-ci aplanissaient le terrain et égalisaient les choses. Un homme qui me connaissait bien disait que j'étais plus candide qu'il n'était permis à un adulte de l'être. Comme si j'avais choisi d'être ingénu. D'ailleurs, même les gens les plus ingénus connaissent leurs propres intérêts. Des femmes très sottes comprennent quand il est temps de tirer un trait sur un mari difficile — de siphonner l'argent du compte commun. Je n'étais pas particulièrement attentif à ma propre préservation. Mais, heureusement — ou peut-être pas trop heureusement —, nous sommes à l'ère de l'abondance, du trop-plein parmi toutes les nations civilisées. Jamais, du côté matériel, d'immenses populations n'ont mieux été protégées de la faim

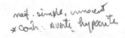

et la maladie. Et cette délivrance partielle de la lutte pour la survie rend les gens ingénus. Par là, je veux dire que leurs fantasmes s'expriment sans retenue. On se met, selon un accord implicite, à accepter les termes, invariablement falsifiés, sous lesquels les autres se présentent. On anéantit sa puissance critique. On étouffe son astuce. Avant même de s'en rendre compte, on paie une pension alimentaire colossale à une femme qui a plus d'une fois déclaré qu'elle était une innocente qui n'entendait rien aux questions d'argent.

Pour approcher un homme tel que Ravelstein, procéder au coup par coup est peut-être la meilleure méthode.

En cette matinée de juin parisienne, j'étais monté dans sa luxueuse suite avec terrasse à Paris non pas tant pour discuter de l'essai biographique que j'allais rédiger que pour rassembler quelques données sur ses parents et ses jeunes années. Je ne souhaitais pas avoir plus de détails que je ne pourrais en utiliser et j'étais à présent familier des grandes lignes de l'histoire de sa vie. Les Ravelstein étaient une famille de Dayton, dans l'Ohio. Sa mère, un vrai bulldozer, avait fait ses études à Johns Hopkins. Son père, un raté, était le représentant local d'une importante organisation nationale, exilé à Dayton. Un petit homme névrotique, un père hystérique, un féru de discipline. Le jeune Abe, quand il était puni, devait se dénuder et était alors fouetté avec la ceinture qui retenait le pantalon de son père. Abe admirait sa mère, haïssait son père, méprisait sa sœur. Mais Keynes, pour revenir encore une fois brièvement à lui, n'avait guère de choses à raconter sur l'histoire familiale de Clemenceau. Clemenceau était un cynique aguerri ; il haïssait les Allemands et s'en défiait ; il portait des gants de chevreau gris à la table des négociations. Mais nous oublierons les gants — ce que je veux dire, c'est que nous ne faisons pas de la psychobiographie ici.

Ce matin-là, de toute manière, Ravelstein n'était pas d'humeur à récapituler son enfance.

La place de la Concorde perdait sa prime fraîcheur. La circulation avait faibli en contrebas, mais la chaleur du mois de juin épaississait, s'élevait. Au soleil, nos pouls étaient quelque peu ralentis. Après la première vague des émotions, le puissant tic-tac au cœur d'une vie sanctionnée par une victoire incomplète sur de nombreuses absurdités, tout s'était lié pour placer Abe Ravelstein, un universitaire, un malheureux professeur de philosophie politique, au sommet de Paris, parmi les rois du pétrole du Crillon, ou les P-DG du Ritz, ou les play-boys du Meurice. Sous le soleil, notre conversation s'effilochant, il s'interrompit ou s'affaissa un moment ; ses sourcils hémisphériques étaient haussés. Ses lèvres, armées pour en dire plus, ne disaient rien pour l'instant. Sur son crâne chauve, vous sentiez que ce que vous regardiez était les traces des doigts de son façonneur. Lui-même était momentanément ailleurs ; il était sujet à ces intermittences. Bien que ses yeux fussent ouverts, il était possible qu'il ne vous vît pas. Comme il passait rarement une nuit de sommeil ininterrompu, il n'était pas inhabituel, surtout quand il faisait chaud, qu'il s'oublie, qu'il somnole, qu'il se retire, deux longs bras pendant de part et d'autre des accoudoirs de son fauteuil et des formes étranges de ses pieds dépareillés. L'un d'eux faisait trois pointures de plus que l'autre. Et ce n'était pas seulement le sommeil haché, c'était l'excitation, la frénésie, la tension de ses plaisirs, de sa vie intellectuelle.

Sa lassitude ce matin-là provenait peut-être du grand dîner qu'il avait donné pour nous la veille au soir, une extraordinaire fiesta chez Lucas-Carton, place de la Madeleine. Digérer tous ces mets ne pouvait que vous épuiser. Le plat principal avait été du poulet badigeonné de miel et cuit dans de l'argile. Cette recette grecque classique avait récemment été retrouvée par des archéologues lors de fouilles en mer Égée. Nous savourâmes ce plat délicieux qui nous fut servi par pas moins de quatre garçons. Le *sommelier**, portant l'insigne de son office sur une chaîne de clés, supervisait le remplissage des verres. À chaque plat était associé un vin différent, tandis que d'autres serveurs, travaillant comme des acrobates, rajustaient la porcelaine et l'argenterie. Ravelstein avait un air de bonheur sauvage, riant et bégayant comme toujours quand il était en virée — entamant chaque proposition de ses longues phrases par des «Leuh... leuh... leuh... c'est la cuisine la plus raffinée d'Europe. Leuh... leuh... Chick est un grand sceptique dès qu'il s'agit des Français. Il, leuh... pense que c'est tout ce qu'il leur reste à montrer depuis la honte de leuh-leuh... 1940, quand Hitler a dansé sa gigue de la victoire. Chick voit *la France pourrie** chez Sartre, dans la haine des États-Unis, leuh... et l'adoration du stalinisme et dans la philosophie et la linguistique. Leuh... l'herméneutique — il dit que l'*harmo*neutique est un petit sandwich mangé par les musiciens à l'entracte. Mais il faut bien reconnaître que vous ne trouverez jamais pareil repas ailleurs. Voyez comme Rosamund resplendit. Voilà une femme qui goûte les mets raffinés et leuh... leuh... leuh... la gratification du restaurateur. Nikki aussi, quelqu'un qui est capable de juger une cuisine — vous ne pouvez le nier, Chick».

Non, je ne pouvais pas. Nikki faisait une école hôtelière en Suisse. Je ne peux pas en dire plus parce que je ne suis pas la personne idéale pour se souvenir des moindres détails, mais Nikki était un maître d'hôtel breveté. Il était prêt à éclater de rire quand il nous présenta l'habit de sa charge, à Ravelstein et à moi, en revêtant sa dignité professionnelle.

Bien, le dîner de ce soir-là avait été donné en mon honneur. C'était la manière dont Ravelstein remerciait son ami Chick pour le soutien qu'il lui avait apporté dans l'écriture de son best-seller. L'idée même du projet, disait-il, me revenait depuis le départ. La chose n'aurait jamais existé si je ne l'avais pressé de l'écrire. Abe ne manquait jamais de me faire élégamment ce crédit — « C'est Chick qui m'a attelé à la tâche. »

Il y a un parallèle entre les phénomènes des centres-villes et le désarroi mental des États-Unis, vainqueurs de la Guerre froide et seule superpuissance restante. C'est une façon de résumer. Voilà ce que les livres et les articles de Ravelstein avaient à nous dire. Il vous promenait de l'Antiquité aux Lumières, puis — en passant par Locke, Montesquieu et Rousseau pour pousser jusqu'à Nietzsche et Heidegger — au présent, à l'Amérique high-tech des grandes sociétés, à sa culture et ses divertissements, à sa presse, à son système éducatif, à ses *think tanks*, à sa politique. Il vous dressait un tableau de cette démocratie de masse et de son — affligeant — produit humain. Dans sa salle de cours, et celle-ci était toujours bondée, il toussait, bégayait, fumait, braillait, riait, il faisait lever ses étudiants et débattait avec eux, les provoquait en combat singulier, les examinait et les éreintait. Il ne demandait pas : « Où passerez-vous l'éternité ? », comme le faisaient les vigiles de l'apocalypse, mais plutôt : « Comment, en cette démocratie moderne, allez-vous satisfaire aux nécessités de votre âme ? »

Ce grand gaillard en costume à rayures, fines ou larges, avec son crâne chauve (on avait toujours l'impression qu'il y avait quelque chose de dangereux dans sa blancheur, sa

31

luisance, ses bosselures) ne montait pas sur l'estrade pour vous abrutir avec le bon ordre des époques (l'âge de la Foi, l'âge de la Raison, la Révolution romantique), pas plus qu'il ne se présentait comme un universitaire, ou un rebelle de campus encourageant les comportements révolutionnaires. Les grèves et les occupations de campus des années 60 avaient fait reculer significativement le pays, disait-il. Il ne courtisait pas les étudiants en jouant le bras de fer, ni en essayant de les scandaliser — de les divertir, en fait, comme le font les cabotins — en proférant des «Merde!» et des «Bordel!». Il n'y avait rien chez lui du sauvage. Ses fragilités étaient visibles. Il savait de manière obsessionnelle ce que c'est que d'être coulé par ses fautes ou ses erreurs. Mais, avant de plonger, il vous décrirait la caverne de Platon. Il vous parlerait de votre âme, déjà maigre, et dépérissant vite — de plus en plus vite.

Il attirait les étudiants doués. Ses cours étaient toujours pleins. Il me vint donc à l'esprit qu'il n'avait qu'à coucher par écrit ce qu'il faisait *viva voce*. Ce serait la chose la plus facile du monde pour Ravelstein que d'écrire un livre à succès.

Qui plus est, pour être parfaitement honnête, j'en avais assez de l'entendre parler de son salaire insatisfaisant, de ses emprunts byzantins, et des trafics et arrangements qu'il faisait en mettant au clou ses trésors, sa théière Jensen ou ses Quimper de la haute époque. Après avoir suivi avec plus d'exaspération que d'intérêt l'histoire de sa théière Jensen restée cinq ans aux mains de Cecil Moers, l'un de ses élèves, donnée en gage d'un prêt de 5 000 dollars (et finalement vendue par ce même élève à un marchand pour une dizaine de milliers de dollars), je lui dis: «Combien de temps espérez-vous que je vais supporter ce litige navrant, cette théière navrante, et tous vos autres navrants objets de luxe? Écoutez, Abe, si vous vivez au-dessus de vos moyens, en aristocrate tirant le diable par la queue, tyrannisé par son besoin de beaux objets, pourquoi n'accroissez-vous pas ces moyens?»

Entendant cela, je me souviens, Ravelstein plaqua ses deux mains contre ses oreilles. Les mains étaient déliées, les oreilles, grossières. «Quoi — voulez-vous que je fasse le gigolo?

— Eh bien, vous n'êtes pas un fameux danseur. Vous pourriez vous louer comme causeur à la table du dîner. Disons une plaque la soirée... Non, ce à quoi je pensais, c'était un livre. Vous pourriez tirer de vos cours un livre pour le grand public.

— Ouaip, fit-il. Comme le pauvre révérend Adams de Fielding, qui va faire imprimer ses sermons à Londres. Le révérend avait besoin d'argent et il n'avait rien d'autre à vendre que ses sermons. Il les avait mis au propre. Je n'ai même pas de notes. Le conseil que vous me donnez, Chick, est celui d'un auteur abondamment publié. Vous me faites penser à Dwight Macdonald. Il disait à Venetsky, un de ses amis qui était sans le sou — désespérément en quête d'argent —: "Si tu es si coincé, pourquoi tu ne vends pas quelques titres? Il y a toujours cette solution." Il ne lui serait jamais venu à l'idée que Venetsky *n'avait pas* de titres. Les Macdonald en avaient. Pas les Venetsky.

— C'est Macdonald en Marie-Antoinette.

— Exactement! hurla Ravelstein, avec un éclat de rire. Leuh... la vieille plaisanterie de la Dépression à propos d'un clochard qui sort son couplet à une riche vieille dame et lui dit : "Madame, je n'ai pas avalé une bouchée de pain depuis trois jours. — Oh! mon pauvre, qu'elle lui répond. Mais il faut vous forcer!"

— Je ne vois pas comment vous pourriez rater votre coup, dis-je à Ravelstein. Au minimum, vous toucherez une petite avance. Ça ne peut pas être moins de deux mille cinq cents dollars. Je dirais plutôt cinq mille. Même si vous n'écrivez jamais un mot de ce livre, vous rembourserez quelques dettes et rétablirez votre capacité d'emprunt. Qu'est-ce que vous avez à y perdre ? »

L'argument fit mouche. Filouter un éditeur de quelques milliers de billets verts tout en restaurant sa crédibilité de combinard était une perspective immensément séduisante. Dans ses attitudes, il était tout sauf mesquin. Mais il ne s'attendait pas que ma réflexion utopique débouchât sur quoi que ce soit. Il s'était accoutumé au théâtre des intrigues à la petite semaine, où il pouvait, ironiquement, satiriquement, dramatiser et affirmer sa stature et sa hauteur de vue exceptionnelles. Un canevas fut préparé et envoyé, un contrat signé, et l'avance payée. L'inestimable théière Jensen était perdue à tout jamais, mais la ligne de crédit de Ravelstein fut rouverte. Il câbla de l'argent à Genève, à Nikki, qui acheta une nouvelle tenue chez Gianfranco Ferré. Nikki avait les instincts d'un prince et s'habillait comme tel — en Nikki, Ravelstein voyait un brillant jeune homme qui avait parfaitement le droit de s'affirmer. Ce n'était pas une question de style ou d'image de soi. Nous parlons ici de la nature d'un jeune homme, non de ses stratégies.

À sa propre surprise, Abe Ravelstein se mit alors à écrire le livre qu'il s'était engagé à faire. La même surprise fut générale parmi ses amis et les trois ou quatre générations d'étudiants qu'il avait formés. Certains de ces derniers désapprouvèrent. Ils s'opposaient à ce qu'ils tenaient pour la vulgarisation, ou le bradage, de ses idées. Mais enseigner, même si l'on enseigne Platon, Lucrèce, Machiavel, Bacon ou Hobbes, est une forme de vulgarisation. Les produits de leurs hautes intelligences sont imprimés depuis des siècles et accessibles à un vaste public incapable d'en saisir la signification ésotérique. Car tous les grands textes

possèdent une signification ésotérique, pensait-il et ensei-
gnait-il. Cela, me semble-t-il, doit être mentionné, mais
sans plus. Le plus simple des êtres humains est, d'ailleurs,
ésotérique et radicalement mystérieux.

Une autre bizarrerie de cette soirée chez Lucas-Carton.
Elle se termina par un vin d'après-dîner. Nous étions arri-
vés à l'estuaire de la fête et faisions de nouveau face au
golfe du régime ordinaire. Ravelstein sortit son carnet
de chèques français. Jamais auparavant, il n'avait eu de
compte bancaire à Paris. De longues années durant, il
avait été un touriste, un honnête adorateur de la civilisation française — mais à l'ombre d'un nuage budgétaire —,
rêvant de rouler carrosse, mais sans le sou. De notre
propre côté de l'Atlantique, il y avait un parallèle fantôme
à cela. En tant que juif, vous êtes aussi un Américain,
mais, d'une certaine manière, vous n'en êtes pas un non
plus. Imaginez, cependant, plonger la main dans votre
poche afin de laisser un pourboire royal et ne trouver
guère plus que des peluches le long de la couture. Mais
Ravelstein, de sa main tremblante, remplit le chèque de
ce soir-là dans un état d'extase. Or, le garçon avait
apporté une assiette de truffes au chocolat en même
temps que l'addition, et Ravelstein fut plié en deux de
voir Rosamund ouvrir son sac et emballer les petits chocolats pointus couvert de poudre de cacao. «Prenez-les!
Embarquez tout!» lança Ravelstein le comique juif. Il
haussa sa voix cassée de noceur. «Ce sont des souvenirs
comestibles. Chaque fois que vous en mangerez un, il
vous rappellera cette fête. Vous pouvez l'écrire dans votre
journal et vous souvenir combien vous avez été hardie et
effrontée de précipiter ces truffes dans votre sac.»

Ravelstein ne vous en appréciait que plus de sortir du
rang. Par la suite, il lui arriverait de lancer à Rosamund :
«Ne me faites pas ces mines de jeune-femme-bien-élevée à

napperon-en-papier-gaufré. Je vous ai vue rafler ces chocolats chez Lucas-Carton. » Le fait est qu'il aimait les petits crimes et délits. Il y avait toujours des idées à trouver juste sous la surface de ses préférences. En l'occurrence, l'idée était que la bonne conduite en toutes circonstances était un très mauvais signe. Ravelstein lui-même, qui plus est, avait un faible pour ce qu'il appelait les *friandises**. Rentrant de son bureau, il s'arrêtait souvent à l'épicerie pour s'acheter un sachet de sucreries. Il se bourrait de gélatines de fruits, avec une préférence pour les demi-lunes parfumées au citron vert.

Ce qui rendait le ramassage des truffes par Rosamund particulièrement émouvant était qu'elle fût une très jolie jeune femme, polie, intelligente et bien élevée. Cela lui plaisait qu'elle fût tombée amoureuse d'un vieux bonhomme comme moi. « Il y a une catégorie de femmes qui a naturellement le béguin pour les vieux messieurs », disait-il. Comme je l'ai déjà indiqué, il était attiré par les comportements déviants. En particulier quand l'amour y présidait. Il plaçait très haut le désir. En cherchant l'amour, en tombant amoureux, vous quêtiez la moitié que vous aviez perdu, comme l'avait dit Aristophane. Sauf que ce n'était pas du tout Aristophane, mais Platon, dans un discours attribué à Aristophane. Au commencement, les hommes et les femmes étaient ronds comme le soleil et la lune, ils étaient à la fois mâles et femelles et possédaient deux ensembles d'organes sexuels. Dans certains cas, les deux organes étaient mâles. Ainsi allait le mythe. C'étaient des créatures fières et indépendantes. Elles défièrent les dieux de l'Olympe, qui les punirent en les coupant en deux. Telle est la mutilation subie par l'humanité. Si bien que, génération après génération, nous cherchons la moitié manquante, aspirant à retrouver l'unité.

Je n'avais rien d'un érudit. Comme tous les étudiants de

ma génération, ou la plupart d'entre eux, j'avais lu *Le Banquet* de Platon. Merveilleux divertissement, avais-je trouvé. J'y fus renvoyé par Ravelstein. Pas littéralement *envoyé*. Mais si vous étiez continuellement en sa compagnie, vous deviez revenir régulièrement au *Banquet*. Être humain, c'était être séparé, mutilé. L'homme est incomplet. Zeus est un tyran. L'Olympe est une tyrannie. Le travail de l'humanité séparée était de rechercher sa moitié manquante. Et, après tant de générations, il était tout simplement impossible de trouver son véritable complément. Éros est une compensation accordée par Zeus — pour des raisons, sans doute politiques, à lui. Et la quête de sa moitié perdue est sans espoir. L'étreinte sexuelle offre un abandon temporaire, mais la douloureuse conscience de la mutilation est permanente.

Enfin, il était un peu plus de minuit quand nous nous levâmes. Sur le trottoir opposé, il y avait un splendide étalage d'orchidées. Nous fûmes attirés par les lumières et les couleurs du fleuriste et traversâmes la rue déserte. Il y avait une ouverture verticale dans la vitrine — deux liserés de cuivre — pour permettre aux fleurs de parfumer le monoxyde de carbone de la place de la Madeleine. Encore la séduction française. Les tapineuses avaient l'habitude de se rassembler devant la grande église où se tiennent toutes les funérailles d'État. Ravelstein me le rappela.

Tel était votre Ravelstein. Si vous ne saviez pas ça de lui, vous ignoriez tout de lui. Sans ses aspirations, votre âme n'était qu'un tube intérieur usagé, à peine bon pour un été à la plage, sans plus. Les hommes et les femmes dotés d'allant, les jeunes par-dessus tout, se consacraient à la quête de l'amour. À l'opposé, le bourgeois était régi par la hantise de la mort violente. Voilà, sous la forme la plus compacte possible, une esquisse de préoccupations essentielles de Ravelstein.

J'ai le sentiment d'être injuste avec lui en m'exprimant de façon aussi simpliste. C'était un homme très complexe. Partageait-il réellement l'opinion (attribuée par Socrate à Aristophane) que nous étions en quête de l'autre qui est une part de soi-même ? Rien n'aurait pu l'émouvoir plus qu'un exemple authentique de cette quête. D'ailleurs, il en cherchait sans cesse les signes chez toutes les personnes de sa connaissance. Naturellement, ses étudiants étaient du lot. Étrange pour un professeur de voir dans les gosses de ses séminaires les acteurs de ce bouleversant drame éternel. Son premier geste à leur arrivée était de leur enjoindre d'oublier leur famille. Leurs pères étaient boutiquiers à Crawfordsville, Indiana, ou Pontiac, Illinois. Les fils méditaient longuement et âprement l'*Histoire de la guerre du Péloponnèse*, *Le Banquet* et le *Phèdre*, et ne trouvaient rien d'anormal à être plus familiers de Nicias et d'Alcibiade que du train au petit matin ou du bazar à quatre sous. Peu à peu, Ravelstein les amenait aussi à se confier à lui. Ils lui racontaient leurs histoires. Ils n'occultaient rien. C'était affolant tout ce que Ravelstein pouvait apprendre sur eux. C'était en partie sa passion des commérages qui lui rapportait l'information qu'il désirait. Non seulement il les formait, mais il les façonnait, il les répartissait en groupes et sous-groupes, et les plaçait dans des catégories sexuelles, selon ce qui lui paraissait adéquat. Certains allaient devenir des maris et des pères, d'autres seraient de la pédale — les réguliers, les irréguliers, les profonds, les divertissants, les joueurs, flambeurs ; les érudits-nés, ceux qui possédaient un don pour la philosophie ; amoureux, bûcheurs, bureaucrates, narcissiques, coureurs. Il consacrait beaucoup de temps à réfléchir à tout cela. Il avait haï et envoyé balader sa propre famille. Il disait aux étudiants qu'ils étaient entrés à l'Université pour apprendre quelque chose, et que cela signifiait qu'ils devaient se délivrer des opinions de leurs parents. Il allait les diriger vers une vie plus élevée, pleine de variété et de diversité, régie par la rationalité — tout sauf aride. S'ils avaient de la chance, s'ils étaient brillants et de bonne volonté, Ravelstein leur ferait le plus immense cadeau qu'ils pouvaient espérer recevoir et les conduirait à travers Platon, les introduirait aux secrets ésotériques de Maimonide, leur enseignerait la bonne interprétation de Machiavel et leur ferait toucher l'humanité supérieure de Shakespeare — jusqu'à Nietzsche et au-delà. Ce n'était pas un programme d'études qu'il offrait — c'était beaucoup plus hardi que cela. Et, dans l'ensemble, son programme était efficace. Aucun de ses étudiants n'a acquis l'envergure de Ravelstein. Mais la plupart d'entre eux étaient d'une haute intelligence et très agréablement singuliers. Il les voulait singuliers. Il adorait les étudiants les plus excentriques — ils ne l'étaient jamais assez à son goût. Mais ils devaient bien sûr connaître leurs fondamentaux et les connaître diablement bien. «N'est-ce pas *lui* qui est retors?» disait-il à propos de l'un ou l'autre d'entre eux. «Vous a-t-il envoyé un tiré à part de son dernier article — "Historicisme et Philosophie"? Je lui ai dit d'en glisser un dans votre casier.»

Je l'avais regardé. Il m'avait laissé l'impression d'être une fourmi partie à la conquête des Andes.

Ravelstein pressait ses jeunes gens de se débarrasser de leurs parents. Mais, dans la communauté qu'ils formaient autour de lui, son rôle devenait, petit à petit, celui d'un père. Bien sûr, s'ils n'avaient pas les moyens d'y arriver, il n'hésitait pas à les jeter. Mais une fois qu'ils étaient devenus ses intimes, il programmait leur avenir. Il me disait: «Ali est malin comme pas un. Que pensez-vous de l'Irlandaise avec laquelle il vit?

— Eh bien, je ne l'ai pas beaucoup vue. Elle semble effectivement brillante.

— Pas seulement. Elle a abandonné une carrière de juriste pour étudier avec moi. Elle a une paire d'amortisseurs tout à fait remarquables, en plus. Ali et elle vivent ensemble depuis environ cinq ans.

— Alors elle a des intérêts légitimes en lui.

— Je vois ce que vous voulez dire. Même si vous le faites passer pour un bien matériel. N'oubliez pas qu'il est musulman. Il a une véritable pyramide humaine de famille égyptienne... je veux dire.» Il se demandait s'il était rare pour les musulmans de tomber amoureux. L'amour passionnel était son éternelle préoccupation. Mais, au Moyen-Orient, les mariages arrangés restaient la norme. «N'empêche, Edna, par elle-même, bat toutes les pyramides.» Il avait étudié Edna, aussi. Il méditait abondamment les appariements estudiantins. «C'est une maligne, manifestement, et une sacrée beauté, aussi.»

Comme je l'ai dit, nous avions prévu de nous voir ce jour-là pour discuter de la notice que j'allais écrire, mais ce n'était pas un bon jour pour les détails biographiques. «Au fait, dit Abe, je veux pas revenir sur le passé ancien — ma très efficace mère diplômée de Johns Hopkins, la meilleure de sa promotion. Et mon abruti de père m'en a voulu de ne pas être entré chez les cracks de Phi Beta Kappa. Dans ce qui importait, j'avais les meilleures notes. Pour les matières obligatoires, des B et des C suffisaient amplement. N'empêche, peu importait ce que je pouvais faire de bien — invité à donner des conférences à Yale ou à Harvard —, mon père m'a jeté à la figure jusqu'à la fin que je n'étais pas entré à Phi Beta K. Son esprit était une sorte de marécage géorgien — Okefenokee avec les lumières névrotiques dansant au-dessus. Un raté, bien sûr, mais avec quelques mérites cachés — si bien enfouis qu'on ne les a jamais retrouvés.»

Ravelstein s'interrompit alors et dit : «Je crois que j'irais bien faire la rue Saint-Honoré ce matin...

— Ou ce qui reste de ce matin...

— Rosamund fera la grasse matinée. Nous l'avons épuisée avec la splendeur d'hier soir — une belle dame attablée en compagnie de trois hommes désirables. Avant une heure de l'après-midi, vous ne feriez qu'ennuyer votre femme. J'aimerais assez votre avis sur une veste de chez Lanvin. J'ai dit au vendeur que je passerais dans la matinée. Je suis un peu abruti ce matin — je viens tout juste de piquer du nez. Être brumeux est un état que je hais tout particulièrement... »

Nous quittâmes la suite. Le moment était bien choisi car, quelques étages plus bas, l'ascenseur s'arrêta et Michael Jackson et ses gens entrèrent. Il était là dans un de ses costumes pailletés, doré sur noir — moulant. Ses boucles étaient fraîches et son mince sourire, chaste. Malgré soi, on se surprenait à l'épier à la recherche de traces de chirurgie plastique. Son air m'apparut mélancoliquement fugace. Petits prodiges tombant en poussière, comme des petits ramoneurs.

Ravelstein, qui était aussi imposant que n'importe lequel des gardes du corps — plus imposant encore, mais certainement pas aussi fort — adora ce bref instant de contact. Il était ainsi — le plaisir de l'instant le consumait.

Au rez-de-chaussée, les gardes du corps dégagèrent un chemin pour Jackson en faisant les gestes d'une brasse vigoureuse. Il y avait beaucoup de monde dans le hall. La foule était massée à l'extérieur, dans la rue, derrière les barrières mobiles. Mais nous étions bousculés et retenus derrière des cordons tressés dorés. La star sortit en agitant délicatement la main en direction des centaines de fans qui s'égosillaient. Abe Ravelstein n'avait rien à redire au fait d'être dans les cordes. Paris, ce jour-là, était Paris tel qu'il devait être. Les rois qui avaient conçu Versailles avaient ordonné aux architectes de bâtir les magnifiques espaces publics de la capitale. Ceux-ci, aujourd'hui, étaient le cadre de Ravelstein. Il était le grand d'Espagne du nouvel ordre des choses, muni de ses cartes de crédit et de ses carnets de chèques, désireux de dépenser ses dollars — s'il y avait eu un meilleur hôtel que le Crillon, Abe y serait descendu. Ces jours-ci, Ravelstein était plein de munificence. Les factures étaient réglées par carte de crédit et débitées de son compte chez Merrill Lynch. Ravelstein contrôlait rarement ses relevés de compte. De temps à autre, Nikki, qui n'était pas censé le faire, y jetait un coup d'œil. Son seul but était de protéger Abe. Ce fut grâce à Nikki qu'un escroc de haut vol fut découvert à Singapour. Quelqu'un y avait utilisé le numéro de la carte Visa d'Abe pour un total de 30 000 dollars. « La signature était un faux grossier, m'expliqua Abe, guère ému. Visa s'en est occupé. Les escroqueries électroniques internationales sont à l'ordre du jour. Les fripouilles apprennent à devancer la technologie de pointe, comme des bactéries inventives qui déjouent la pharmacopée, tandis que les chercheurs astucieux des labos s'efforcent de garder leur avance. Des petits génies des campus qui font la nique au Pentagone. »

Dans la rue saint-Honoré, Ravelstein était parfaitement heureux. Nous passions d'une vitrine à la suivante.

Comme on dit en français, nous faisions du *lèche-vitrines**. Cela nécessite une disponibilité totale, et notre petit déjeuner avait consommé l'essentiel de la matinée. Nous nous attardâmes néanmoins sur les étalages de chaussettes, de cravates et de chemises sur mesure. Puis nous pressâmes un peu le pas. Je dis à Abe que ce déploiement de luxes me rendait nerveux. Trop d'attractions. Je ne supportais pas d'être tiraillé de toutes parts.

« J'ai remarqué, dit Ravelstein, que depuis votre mariage vous avez perdu de votre élégance. Vous étiez autrefois un vrai gandin. »

Il dit cela avec regret. De temps à autre, il m'offrait une cravate — jamais celle que j'aurais choisie moi-même. Ces présents de cravate étaient une forme de rebuffade, une manière de me signifier que j'étais mal fagoté. Mais il y avait plus que cela. Ravelstein était un homme de plus haute taille que moi. Il avait les moyens de s'affirmer de manière frappante. Du fait de sa haute stature, il donnait aux habits qu'il portait un effet plus spectaculaire. Je n'aurais jamais imaginé lui disputer cela. Pour être réellement beau, un homme doit être grand. Un héros tragique doit être d'une taille supérieure à la moyenne. Je n'avais pas lu Aristote depuis des siècles, mais j'avais au moins retenu cela de la *Poétique*.

Dans la rue Saint-Honoré, chargée de toute la splendeur de l'histoire et de la politique françaises — avec tout ce qu'elle revendiquait de particulier pour la civilisation française —, ce qui me revint fut ce vieux numéro de music-hall baptisé «L'Homme qui a fait sauter la banque à Monte-Carlo». Il y a un *flâneur** qui déambule au bois de Boulogne d'un air détaché. Et il est raffiné. Et, bien sûr, les gens regardent.

Les choses ne se produisent pas si elles ne se produisent pas à Paris, ou ne sont pas portées à l'attention de Paris. Ce vieux chaudron écumant, Balzac, avait posé cela en principe premier. Ce que Paris n'avait pas sanctionné n'existait pas.

Évidemment, Ravelstein connaissait trop bien le monde moderne pour être d'accord avec cela. Ravelstein était, ne l'oubliez pas, l'homme au standard de téléphone privé, avec clavier complexe et lumières clignotantes, et à la chaîne hi-fi dernier cri jouant du Palestrina sur instruments d'époque. La France, hélas, n'était plus l'arbitre du jugement, des Lumières. Elle n'était pas le cœur du cyberespace. Elle avait cessé d'attirer les plus grands esprits du monde et tout le reste de ce *schtuss* culturel. Les Français *avaient été* dans le coup. De Gaulle, la girafe humaine aux narines frémissantes. Churchill disant de lui que l'injure de l'Angleterre avait été d'aider *la France**. La hautaine créature militaire, contemplant les frondaisons du monde moderne tardif, ne souffrait pas l'idée que son pays eût besoin d'aide.

L'esprit d'Abe n'était jamais en reste d'articles pour donner de la chair aux époques. « "La France sans armée n'est pas la France" — Churchill encore. » Mon goût en matière de conversation était semblable. J'en étais incapable, mais j'adorais l'entendre. Ravelstein le faisait infiniment mieux. Il s'intéressait particulièrement à la Grande Politique. Dans ce domaine, bien sûr, la France d'aujourd'hui était en faillite. Il ne restait que la manière, et ils faisaient grand cas de la manière, mais ils bluffaient, ils savaient qu'ils racontaient des balivernes. Ce à quoi ils restaient bons était les arts de l'intimité. Le manger continuait de bien coter — *cf.* le banquet de la veille chez Lucas-Carton. Dans chaque *quartier**, les marchés de produits frais, les bonnes boulangeries, la *charcuterie** avec ses assortiments de cochonnailles. Et, aussi, les grands étalages de lingerie. L'amour éhonté des parures de lit. « *Viens, viens dans mes bras, je te donne du chocolat**. » C'était merveilleux d'étaler ainsi publiquement ce qui appartenait à la sphère privée, à la créature vivante et à ses besoins. Les magazines sur papier glacé de New York imitaient cela, mais sans jamais y arriver… Oui, et puis il y avait l'animation des rues. « Les rues des quartiers résidentiels américains sont humainement aux neuf dixièmes stériles. Ici, l'humanité continue de grouiller », dit Ravelstein.

Ravelstein le pécheur avait un goût marqué pour la polissonnerie sexuelle. Il appréciait les rencontres *louches**, le douteux et l'équivoque. Pour certaines formes de conduite, ou d'inconduite, Paris restait le meilleur endroit. Si Ravelstein marchant, souriant, exposant, bégayait, ce n'était pas par faiblesse, mais par trop-plein. La fameuse lumière de Paris faisait flamboyer son crâne chauve.

« C'est encore loin, cette boîte ?

— Ne soyez pas impatient, Chick. Vous me donnez l'impression que vous avez toujours quelque chose de plus important à faire que ce qui vous occupe présentement. »

Je ne me défendis pas — je n'essayai même pas. Notre destination, Lanvin, n'était pas loin, mais nous fûmes retardés en chemin par diverses boutiques. Les opticiens arrêtaient toujours Ravelstein. Il était familier de tous les types de montures. En quoi il n'était pas le seul. Selon une étude, l'Américaine moyenne possédait trois paires de lunettes de soleil. « Oh, ne questionnez pas le besoin ! » — la défense du superflu par le pauvre Lear. Abe adorait les binocles ; il en achetait aussi pour en faire cadeau. Il m'en donna des pliantes qui se glissaient dans un petit étui fait pour une poche extérieure. Il jura de ne plus porter de lentilles après en avoir perdu une dans une sauce de spaghettis qu'il mitonnait. Rosamund et moi étions ses invités ce soir-là, et il y eut des blagues sur la lunette arrière. — Ou bien l'estomac humain pouvait-il digérer un verre de contact ? Comme on disait que celui des autruches le pouvait du fer.

« Qu'a-t-elle, cette veste de Lanvin, que vos vingt autres n'ont pas ? » voulais-je dire. Mais je savais parfaitement que dans la tête d'Abe il y avait toutes sortes de distinctions ayant à voir avec la prodigalité et la ladrerie, la magnanimité et la mesquinerie. Les attributs de l'homme à l'âme élevée. Je ne voulais pas le lancer. Pas plus que lui ne voulait être lancé ce matin-là.

À Chicago, il n'y avait pas si longtemps, quand il était encore à sec et mécontent de sa garde-robe, je l'avais emmené au centre-ville chez Gesualdo, mon tailleur, pour lui faire prendre ses mesures en vue d'un costume. Là, il choisit une flanelle osée provenant d'une bonne fabrique écossaise. Nous eûmes trois ou quatre essayages et, à mon avis, le résultat final était extrêmement seyant. Cela me coûta un paquet d'argent. À l'époque, j'avais un livre dans le bas de la liste des meilleures ventes ; il ne dépassa jamais le milieu, mais j'étais plus que satisfait. Fils de la Dépression, je me contentais de rentrées modérées. Mes ambitions avaient été réglées par les maigres années 30. Quinze cents dollars auraient dû nous offrir un costume de première bourre. Même du temps de mes élégances (j'étais passé par une très brève phase gravure de mode), je n'avais jamais dépassé cinq cents dollars pour un costume. C'était, à l'époque, ce que dépensaient les étudiants qui venaient de passer leur capacité en droit. Quand ils accédaient au rang d'associés, ils cessaient d'aller chez Gesualdo. Ils se dégotaient des tailleurs plus chics, de ceux que fréquentaient les chirurgiens, les athlètes professionnels et les mafieux.

Ravelstein et moi eûmes une explication au sujet du costume de Gesualdo. « Écoutez, Chick, me dit-il. La véritable valeur de ce costume ne résidait pas dans sa coupe — pas dans son exécution…

— Vous vous en êtes bien moqué avec Nikki quand vous l'avez enfilé chez vous. Vous ne l'avez porté qu'une seule fois, pour me faire plaisir…

— Je ne peux nier qu'il ne m'a pas semblé mettable.

— *Mettable* n'est pas le mot. Vous n'auriez pas habillé un mannequin avec. »

Ravelstein, fumeur à la chaîne en train d'allumer une nouvelle cigarette, rejeta le torse en arrière, peut-être pour éviter la flamme du briquet, peut-être parce qu'il riait aux larmes. Quand il put parler, il dit : « Eh bien, ce n'était pas

Lanvin. Vous vouliez faire un geste pour moi. C'était généreux, Chick, et Nikki a été le premier à le dire. Mais Gesualdo retarde beaucoup. Il fait des habits de mafieux, pas pour les *capi*, mais pour les hommes de main, les gangsters de bas étage.

— Merci pour la manière dont *je* m'habille.

— Vous n'avez aucun intérêt pour la mode. Vous vous fichez des marques. Vous auriez dû me donner ce que vous avez payé à Gesualdo et j'aurais trouvé le complément pour un vêtement de bonne coupe.»

Nous étions parfaitement francs l'un avec l'autre. Nous pouvions nous parler ouvertement sans nous offenser. D'un autre côté, rien n'était trop personnel, trop honteux pour être dit, rien n'était trop méchant ou trop criminel. Il me semblait parfois qu'il m'épargnait ses jugements les plus sévères si je n'étais pas encore prêt à les assumer. Je le ménageais, moi aussi. Mais c'était pour moi un immense soulagement d'être aussi net et carré avec lui que je l'aurais été avec moi-même devant les faiblesses ou les vices. Il me dépassait de très loin dans la compréhension de soi-même. Mais toute discussion personnelle virait finalement à la bonne vieille rigolade nihiliste.

«Peut-être qu'une vie non sondée ne vaut pas la peine d'être vécue. Mais, sondée, la vie d'un homme peut lui faire regretter de n'être pas mort», fut ce que je lui dis.

Ravelstein était transporté. Il rit si fort que ses yeux basculèrent vers le ciel.

Mais je n'en ai pas encore fini avec Paris au printemps.

La sublime veste de chez Lanvin était taillée dans une belle flanelle, à la fois soyeuse et consistante. La couleur était associée pour moi aux labradors — dorée, avec des éclats de lumière dans les plis. «C'est le genre de vestes pour lesquelles on voit des pubs dans *Vanity Fair* et autres magazines branchés, où elles sont généralement portées par des petites frappes mal rasées à l'air de marlous ou carrément de violeurs qui n'ont rien — mais rien — à faire d'autre qu'à se montrer dans toute la splendeur de leur narcissisme puant.» On ne peut même pas imaginer pareil vêtement sur un homme intelligent et maladroit. Un peu épais au niveau du torse, ou avec des poignées d'amour à la taille. C'est en réalité un spectacle délicieux.

Je conseillai à Ravelstein l'acquisition de cette veste.

Le prix était de 24 000 francs et il la régla avec sa carte Visa Gold parce qu'il n'avait pas exactement en tête le solde de son compte au Crédit Lyonnais. Visa vous protège des escroqueries; on vous garantit le taux de change officiel du jour de la transaction.

Dans la rue, il me demanda ce que la couleur donnait à la lumière du jour. Il fut profondément satisfait quand je lui répondis qu'elle était splendide.

Notre étape suivante fut chez Sulka, où il examina les chemises sur mesure qu'il avait commandées. Elles devaient être livrées au Crillon, chacune dans une solide boîte en plastique. Puis nous nous rendîmes aux salles d'exposition de Lalique, où il espérait trouver des appliques et des plafonniers pour chez lui.

«Gardons-nous une demi-heure pour Gelot, le chapelier.»

Chez Gelot, je craquai et m'offris un feutre en velours vert. Abe me dit que je ne pouvais pas ne pas le prendre. «J'aime l'allure qu'il a sur vous. Un brin de coquetterie ne vous fait pas de mal. Vous ne vous mettez pas assez en évidence, dit-il. Vous êtes chiant de modestie, Chick. C'est inconvenant, parce qu'il suffit de croiser votre regard pour voir que vous êtes un mégalomane invétéré. Si vous êtes trop pingre pour le prendre, je le ferai mettre sur ma note…

— Mes parents avaient des canapés verts autrefois, dis-

je. D'occasion, mais en velours. Je le paierai moi-même...
J'achète ça en souvenir du passé.

— Il est peut-être un peu lourd pour le mois de juin.

— Eh bien, je compte être toujours de ce monde en
octobre.»

Il portait sa nouvelle veste Lanvin dans la rue de Rivoli.
Le grand Louvre et les jardins étaient à notre gauche. Les
arcades étaient pleines de touristes.

«Le Palais-Royal — Ravelstein fit un geste vague dans sa
direction — était l'endroit où Diderot allait se promener
à la fin de chaque après-midi et où il eut ses célèbres
conversations avec le neveu de Rameau.» Mais Ravelstein
n'avait rien à voir avec le neveu — ce maître de musique
pique-assiette. Il était aussi au-dessus de Diderot. Un personnage beaucoup plus important et sérieux, avec une
formation approfondie en histoire, tout particulièrement l'histoire des théories politiques et morales. J'ai toujours été attiré par les gens qui étaient ordonnés à grande
échelle et qui avaient cartographié le monde et l'avaient
rendu cohérent. Ravelstein ne semblait incohérent qu'avec
ses «leuh... leuh...». Nous avions un pote au pays qui
aimait nous dire : «L'ordre en soi est charismatique.» Ce
qui est une autre façon de dire : «La musique a des
charmes», etc.

Et nous étions justement en train de parler de cet homme
charismatique qui s'appelle, ou s'appelait, Rakhmiel Kogon.
Rakhmiel était le sosie de l'acteur Edmund Gwenn, qui
jouait un père Noël de grand magasin dans *Le miracle de la
34ᵉ Rue*. Mais Rakhmiel était un père Noël dépourvu de
bienveillance, un personnage dangereux, rubicond, à l'œil
injecté de sang, avec un visage où les muscles de la colère
étaient puissamment développés. Il descendait par la cheminée, comme le père Noël, mais son but était de semer le
trouble.

Ravelstein et moi n'avions pas besoin de déjeuner — le banquet de dix plats de Lucas-Carton vous coupait l'appétit jusqu'au dîner du lendemain, mais nous allâmes prendre un café. Ravelstein en était à son deuxième paquet de Marlboro et, au Café de Flore, où il avait ses habitudes, il commanda « *un espresso très serré** ». Au Flore, ils savaient faire cela. Mais si ses gros doigts tremblèrent quand il souleva la tasse, la raison n'en était pas qu'il était sur les nerfs. Ce qu'il avait était un débordement d'excitation. La caféine n'y était pour rien.

Il me dit : « Rakhmiel a été l'un de mes profs dans le temps. Il enseignait alors à la London School of Economics. Puis à Oxford, où il est devenu britannique. A toujours divisé son temps entre les États-Unis et l'Angleterre. C'est un type sérieux, mal dans sa peau. Mais je lui dois beaucoup — mon poste actuel, par exemple. J'étais exilé dans le Minnesota et il m'a procuré la nomination que je voulais...

— *Presque* celle que vous vouliez...

— C'est vrai. Je suis le seul de mon rang à ne pas occuper une chaire titulaire. Après tout ce que j'ai fait pour l'Université... Et le seul siège que m'offre l'administration est la chaise électrique. »

Mais Ravelstein était exceptionnellement étranger à ce genre de préoccupations et de doléances. Et ceci n'est pas le lieu d'en parler. Je pourrais y revenir ultérieurement. Je ne le ferai probablement pas. De toute façon, ce n'est pas ce que je devrais présenter ici. J'ai *dit* que j'aborderais Ravelstein en procédant au coup par coup.

Il présentait un curieux spectacle à table. Son comportement nécessitait un peu d'accoutumance. Mme Glyph, l'épouse du fondateur de son département, lui avait dit un jour qu'il ne devait plus jamais s'attendre qu'elle l'invitât à dîner. Elle-même était une femme très riche, férue de haute culture et l'hôtesse des célébrités de passage. Elle avait eu R. H. Tawney à sa table, et Bertrand Russell, et un thomiste français de haut vol dont le nom m'échappe (Maritain?), et des tas de gens de lettres, surtout français. Abe Ravelstein, alors simple maître de conférences, fut invité à un déjeuner en l'honneur de T. S. Eliot. Au moment où il partait, Marla Glyph dit à Abe Ravelstein : « Vous avez bu votre Coca à la bouteille, et T. S. Eliot vous regardait — avec horreur. »

Ravelstein racontait cela de lui-même. Et de feu Mme Glyph. Elle était née avec une immense fortune, et son mari était un grand orientaliste. « Les gens qui se mettent eux-mêmes en scène inventent leur signification particulière chemin faisant, dit Ravelstein. Jusqu'à ce qu'ils bâtissent une fiction éblouissante. Ils se transforment en des sortes de libellules éclatantes et bourdonnent dans une atmosphère de totale irréalité. Puis ils écrivent des essais, des poèmes, des livres entiers qu'ils se consacrent les uns aux autres...

— Comportement juif sans façon à un déjeuner pour une huile — un VIP..., dis-je.

— Que va penser de nous T. S.! »

Mais, allez savoir pourquoi, je ne pense pas qu'avoir bu à même une bouteille de Coca ait été toute l'histoire. (Et puis, qu'est-ce qu'une bouteille de Coca faisait sur la table?) Les épouses d'enseignants savaient que, si Ravelstein venait dîner, elles auraient un grand ménage à faire ensuite — verres renversés, éclaboussures, miettes, la saleté de sa serviette après qu'il s'en fut servi, bouts de viande éparpillés sous la table, gerbes de vin quand il riait d'une plaisanterie ; plats abandonnés après une seule bouchée et jetés au sol. Une hôtesse expérimentée aurait disposé des journaux sous sa chaise. Cela ne l'aurait pas dérangé. Il ne se formalisait pas de pareils détails. Bien sûr, chacun d'entre nous a ses manières de savoir ce qui se passe. Abe *savait* — il savait quoi mettre en lumière et quoi laisser de côté. Réprouver les manières de table d'Abe aurait été un aveu de petitesse.

Cela amusait Ravelstein de dire : « Elle n'allait pas laisser un youpin se conduire aussi mal à *sa* table. »

Le professeur Glyph, son mari, n'avait pas de tels préjugés. C'était un homme grand et solennel. Son attitude était empreinte de dignité, mais son vrai regard semblait tourné vers ailleurs, vers des objets plus lointains et encore plus amusants — plus amusants que Ravelstein, je veux dire. Ses petits yeux très écartés étaient aimables et tolérants ; ses cheveux, divisés par une raie médiane, étaient ceux d'un gentleman lettré, célèbre pour son érudition. Ses amis étaient principalement français, et éminents, portant des noms tels que Bourbon-Sixte — soit déjà membres de l'Académie, soit mûrs pour l'élection. Glyph était bichonné par sa femme et ses domestiques — une lingère, une cuisinière et une femme de chambre. Les Glyph n'étaient pas un couple universitaire ordinaire — ils étaient chez eux à Londres comme à Paris. À Saint-Tropez, ou dans quelque autre lieu similaire, les Scott Fitzgerald avaient été leurs voisins immédiats. Les Glyph n'étaient pas n'importe quels mondains : ils avaient été un riche couple américain à l'ère du jazz. Ils avaient connu Picasso et Gertrude Stein.

Allez savoir pourquoi, Ravelstein et moi parlions d'eux au Café de Flore. Les jours particulièrement agréables, je connais un passage à vide en début d'après-midi — le beau temps ne fait qu'aggraver cette tendance. L'éclat que le soleil pose sur l'environnement — le triomphe de la vie, pour ainsi dire, l'exubérance des choses me plonge dans le désespoir. Jamais je ne serai capable de tenir le choc des heures massées de la vie triomphante. Je n'avais jamais parlé de cela à Ravelstein, mais il le sentait probablement. Parfois, il semblait s'interposer pour moi.

«Glyph adorait le Pont Royal — c'était son hôtel favori. Tout près d'ici, dit Ravelstein. Et, savez-vous, à la mort de Mme Glyph, il est venu la pleurer à Paris. Il avait emporté ses papiers. Son intention était de rassembler les essais de madame en un volume. Et il a fait venir Rakhmiel Kogon pour l'aider — Rakhmiel était à Oxford.

— Pourquoi Rakhmiel est-il venu?

— Il avait une dette envers le vieux. Très ancienne. Glyph avait sauvé la peau de Rakhmiel, qui aurait été vidé sans lui. Il l'avait protégé — lui avait donné asile. C'était avant que Rakhmiel ne devienne ce que les peigne-cul universitaires appellent "une éminente figure". Enfin, il est venu à Paris et il est descendu, lui aussi, au Pont Royal, mais pas dans une suite. Et tous les matins, il se présentait pour travailler sur les papiers de Marla Glyph. Matin après matin, Glyph disait : "J'ai pris froid, et Marla n'aurait pas voulu que je travaille aujourd'hui." Ou bien : "Je dois aller chez le coiffeur. Marla aurait dit qu'il était plus que temps." Ou alors il prenait rendez-vous avec un La Rochefoucauld ou un Bourbon-Sixte, pendant que Rakhmiel classait les notes de Marla et lisait ses essais débiles. Mais il était polarisé par son journal. Parce qu'il y était souvent mentionné : *"Encore cet horrible petit Juif, R. Kogon."* Ou : *"Je fais de mon mieux pour tolérer le répugnant protégé d'Herbert, Kogon, qui devient chaque jour plus juif, vil et insupportable — avec ce visage culotté de matou juif..."*

— Kogon vous a raconté cela lui-même? demandai-je.

— Bien sûr que oui. Il n'arrivait pas à ne pas trouver ça drôle. Il disait que c'était une telle Verdurin — une insatiable arriviste sociale. Quand ils sont cultivés, ces gens-là ont quelque chose de plus d'où exclure les Juifs.

— Mais personne de sérieux ne pouvait prendre Mme Glyph au sérieux, dis-je.

— Vous la connaissiez, Chick?

— Je suis venu juste après sa mort. Glyph, un homme bon, d'une générosité exceptionnelle, disait "feu mon épouse", puis, pour rire, ajoutait qu'elle avait toujours été pleine d'entrain. La seconde était une charmeuse — certains choisissent mieux avec le temps. Elle s'est avérée forte, généreuse et intelligente. Un jour, il m'a invité à dîner et il m'a demandé au téléphone dans son français très formel si j'avais des objections contre les "*gens de couleur**". L'invitée était une superbe Martiniquaise — l'épouse d'un célèbre historien d'art. Était-ce *le* Rewalt qui a écrit ce livre sur Cézanne?

— Vous avez toujours eu de la chance. Vous tirez rarement le meilleur parti de votre chance », dit Ravelstein.

J'étais habitué à cela. Ravelstein croyait que j'étais doué et brillant, mais mal éduqué, naïf et passif — introverti. Il disait que, lorsque j'étais en la compagnie adéquate, j'étais un causeur inspiré et racontait aux étudiants qu'il n'y avait pas de sujet important auquel je n'aie réfléchi.

— Oui, mais qu'avais-je fait sur toutes ces questions majeures?

En suivant ma suggestion, Ravelstein était devenu très riche. Et Rosamund m'avait dit, après la célébration de la veille : « C'était voulu comme un grand événement. Tous les remerciements et l'affection d'Abe sont passés dans le banquet chez Lucas-Carton — manger, boire, et conversation pleine de sel attique. » Elle avait été l'une des fans érudites de Ravelstein. Elle était forte en grec. Pour étudier avec Ravelstein, il fallait lire son Xénophon, son Thucydide et son Platon dans le texte.

Même si je riais de la manière dont elle décrivait son professeur, j'étais d'accord avec elle. Elle se distinguait de

54

la plupart des autres personnes douées du sens de l'observation par la clarté de sa pensée. C'était l'une des qualités de Rosamund. Mais elle aimait aussi Ravelstein. Elle était l'une de ses grandes admiratrices.

Abe se jeta sur son troisième *espresso serré** dès que le serveur le déposa ; sa grosse pogne maladroite empoigna la petite tasse pour la porter à ses lèvres. J'aurais misé lourd sur l'issue si des paris avaient été ouverts. Des taches brunes apparurent sur les revers de sa nouvelle veste. C'était inévitable — une fatalité. Il buvait toujours son espresso ; sa tête était beaucoup trop renversée. Je ne dis rien, me détournant du large pâté brun qui maculait la veste Lanvin. Un autre homme aurait pu sentir immédiatement que quelque chose s'était produit — quelqu'un, peut-être, qui prenne l'argent plus au sérieux et qui ressente la responsabilité de porter un vêtement à 24 000 francs. Les cravates de Ravelstein, achetées chez Hermès ou chez Ermenegildo Zegna, étaient constellées de brûlures de cigarette. J'avais essayé de l'amener aux nœuds papillons, lui disant qu'ils seraient à l'abri sous son menton. Il comprenait l'idée, mais se refusait à acheter des articles tout faits : il n'avait jamais appris à faire un *papillon** (comme il disait). «Mes doigts sont trop mal assurés», faisait-il remarquer.

«Eh bien, dit-il quand il s'aperçut enfin qu'il avait souillé ses revers de chez Lanvin. J'ai encore merdé.»

Je ne ris pas de sa remarque.

Mais il fallait prendre une décision. Le café reversé était amusant, c'était du pur Ravelstein. Lui-même venait de le dire. Mais je ne traitais pas cela comme un incident comique. Je suggérai avec un brin de raideur qu'il devrait être possible de faire nettoyer ces taches. «Le service d'étage du Crillon peut sans doute s'en charger.

— Vous croyez?

— Si eux ne peuvent pas, personne ne pourra. »

Il fallait être quasiment un spécialiste pour suivre les mouvements de son esprit. Il fallait distinguer entre ce que les gens avaient appris à faire et ce qu'ils désiraient profondément faire. Selon certains penseurs, tous les hommes étaient des ennemis ; ils se craignaient et se haïssaient les uns les autres. C'était une guerre de tous contre tous, dans l'état de nature. Sartre nous avait enseigné dans l'une de ses pièces que l'enfer, c'était « les autres » — Abe détestait Sartre, au fait, et méprisait ses idées. La philosophie n'est pas mon rayon. Certes, j'avais étudié Machiavel et Hobbes au lycée, et j'imagine que je pourrais faire illusion dans un jeu télévisé. J'étais, néanmoins, un élève rapide, et j'avais beaucoup appris de Ravelstein, parce que je lui étais dévoué. Je le « chérissais », comme l'une de mes connaissances m'avait appris à dire.

Manifestement, mon propos en mentionnant le service d'étage du Crillon était de consoler Abe d'avoir renversé le café le plus fort du Flore sur sa veste flambant neuve. Mais Abe ne souhaitait pas que je le console d'être ce qu'il était. Il aurait préféré que je le raille pour sa négligence brouillonne, pour ses tremblements d'avidité maladroite. Il aimait la grosse farce, les vieilles ficelles du vaudeville, les remarques blessantes, l'effronterie et le comique brutal. Il n'avait donc guère d'estime pour mes motivations aimables, généreuses, empressées — pour ma gentillesse idiote.

Abe n'avait que faire de la gentillesse. Quand des étudiants ne répondaient pas à ses attentes, il disait : « Je me suis trompé sur vous. Vous n'avez pas votre place ici. Je ne veux plus vous voir. » Les sentiments de ceux qui étaient ainsi rejetés lui importaient peu. « Tant mieux pour eux s'ils me haïssent. Cela leur aiguisera l'esprit. Il y a trop de foutaise thérapeutique, somme toute. »

Il disait que toutes sortes de créatures s'imposaient à moi et me faisaient perdre mon temps. « Lisez n'importe quel bon livre sur Abe Lincoln, me conseillait-il, et voyez le nombre de gens qui l'importunaient durant la guerre de Sécession pour des emplois, des contrats de fournitures, des franchises, des postes consulaires, et des plans militaires insensés. En tant que président du peuple tout entier, il pensait être tenu de parler à tous ces parasites, ces crapules et ces margoulins. Et pendant tout ce temps, il pataugeait dans un fleuve de sang. Les mesures de guerre avaient fait de lui un tyran — il avait dû suspendre l'habeas corpus, vous savez. Il y avait une leuh... leuh... nécessité supérieure. Il devait retenir le Maryland d'entrer dans la Confédération. »

Évidemment, mes besoins étaient différents de ceux de Ravelstein. Dans mon rayon, il fallait être plus indulgent, tenir compte de toutes sortes d'ambiguïtés — éviter les jugements à l'emporte-pièce. Toute cette retenue peut ressembler à de l'ingénuité. Mais ce n'est pas tout à fait ça. Dans l'art, on devient familier des manières de procéder. On ne peut pas rayer les gens d'un trait de plume ni les envoyer paître.

D'autre part, comme Ravelstein le voyait bien, j'étais prêt à prendre des risques — anormalement prêt. « Des risques extravagantesques », selon sa formule. « C'est difficile, tout bien considéré, de trouver une personne moins prudente que vous, Chick. Quand j'examine votre vie, je commence à être tenté de croire en un *fatum*. Vous avez un *fatum*. Vous êtes hors de pair pour ce qui est de vous mouiller. Et peut-être trempez-vous même jusqu'au leuh... cou. Mais ce que je veux vous dire, c'est que votre système de guidage est extrêmement défaillant. »

Mais c'était justement cette absurdité qui plaisait à Ravelstein. « Vous ne choisissez jamais la solution sûre s'il en existe une périlleuse. Vous êtes ce que les gens auraient taxé d'évaporé à l'époque où de tels mots avaient encore cours. Bien sûr que vous débordez de traits de personnalité, à savoir de défauts. Une des raisons qui font que la violence est si répandue pourrait être que les clichés psychiatriques nous ont épuisés et que nous jouissons de les voir dézingués à l'arme automatique, ou explosés dans des voitures, ou garrottés ou empaillés par des taxidermistes. Nous sommes complètement malades de devoir penser aux problèmes de tout le monde — une bastonnade de Grand-Guignol ne suffit pas pour ces enfoirés. »

Il aimait lever ses longs bras au-dessus de la lumière rassemblée sur son crâne chauve et pousser un cri comique.

Je me rends compte que mon récit suscitera des accusations de misanthropie. Ravelstein était tout sauf misanthrope ou cynique. Il était aussi généreux qu'il est possible de l'être — un soleil, une mine d'énergie pour les étudiants qu'il acceptait. Beaucoup se présentaient avec la prémisse bien démocratique qu'il devait les satisfaire tous et partager ses idées avec eux. Bien sûr, il refusait de se laisser utiliser, consommer — exploiter par des feignants. « Je ne suis pas la fontaine de Saratoga Springs où les Juifs du Bronx venaient en été avec des gobelets boire gratuitement l'eau source de vie — un remède contre la constipation ou le durcissement des artères. Je ne suis pas une denrée gratuite ni un cadeau publicitaire, *hein !* Incidemment, l'eau aux vertus miraculeuses s'est avérée cancéreuse. Mauvaise pour le foie. Pire encore pour le pancréas. » Il rit à cette idée — mais sans plaisir.

Si ces personnages n'étaient pas venus en car et en train boire les eaux de Saratoga, ils auraient mangé quelque chose de tout aussi nocif à Flatbush ou à Brownsville. Comment peut-on recenser la litanie des dangers du tabac, des agents de conservation, de l'amiante, des trucs qu'on répand sur les cultures — des *Escherichia coli* des poulets crus sur les mains des marmitons ? «Il n'y a rien de plus bourgeois que la crainte de la mort», disait Ravelstein. Il prononçait ces petits anti-sermons dans un style barjo. Il me faisait penser aux «désossés», ces clowns des années 20 qui agitaient leurs longs bras inertes et peignaient d'immenses sourires sur leurs visages poudrés. Si bien que les préoccupations sérieuses de Ravelstein «coexistaient», pour emprunter un mot au langage politique du xxᵉ siècle, avec sa bouffonnerie. Seuls ses amis connaissaient cet aspect de lui. Il savait se montrer suffisamment convenable dans les occasions sérieuses, non pas par concession aux enquiquineurs universitaires, mais parce qu'il y avait des questions bien réelles à prendre en compte — des affaires liées au propos de notre existence : disons, le bon ordonnancement de l'âme humaine — et là il savait être aussi grave et posé que n'importe lequel des plus éminents professeurs. Ravelstein était vigoureux et dur. Bien que, même en enseignant l'un de ses dialogues platoniciens, il se permît de faire l'idiot.

Il disait parfois : «Oui, je joue le *pitre**.

— L'auguste.

— Le bouffon.»

Nous avions tous deux vécu en France. Les Français étaient authentiquement cultivés — ou l'avaient été autrefois. Ils en avaient vu de dures au cours de ce siècle. Ils conservaient néanmoins une réelle sensibilité à la beauté, aux loisirs, à la lecture et à la conversation ; ils ne méprisaient pas les besoins matériels — les fondamentaux de l'humain. Je ne cesse de plaider ainsi la cause des Français.

Dans n'importe quelle rue, il était possible d'acheter une baguette, un caleçon *taille grand patron**, de la bière, du cognac, du café ou de la *charcuterie**. Ravelstein était un athée, mais il n'y avait aucune raison pour qu'un athée ne soit pas influencé par la Sainte-Chapelle, ne lise pas Pascal. Pour un homme civilisé, il n'existait pas de toile de fond, pas d'atmosphère semblable à celle de Paris. Pour ma part, je m'étais souvent senti bousculé et méprisé par les Parisiens. Je ne voyais pas en Vichy le seul produit de l'occupation allemande. J'avais mes idées sur la collaboration et le fascisme.

« Je ne sais pas si c'est votre sensibilité juive ou votre besoin exagéré d'un accueil chaleureux, dit Ravelstein. Ou peut-être trouvez-vous les Frenchies ingrats. Il ne me semble pas difficile de prouver que Paris est un endroit plus agréable que Detroit, Newark ou Hartford. »

C'était un point de désaccord mineur, qui ne mettait pas en jeu de grands principes. Abe avait d'excellents amis à Paris. Il était bien reçu dans les *écoles** et *instituts** où il donnait des conférences sur des questions françaises dans sa propre sorte de français. Lui-même avait étudié à Paris des années auparavant sous la houlette du célèbre hégélien et haut fonctionnaire Alexandre Kojève, qui avait formé toute une génération de penseurs et d'écrivains influents. Parmi ceux-ci, Abe comptait nombre de copains, d'admirateurs, de lecteurs. Aux États-Unis, il était controversé. Il avait plus d'ennemis chez lui qu'une personne normale ne pouvait en souhaiter, en particulier chez les chercheurs en sciences humaines et les philosophes.

Mais je n'ai de ces matières que la connaissance limitée que peut en avoir un non-spécialiste. Abe Ravelstein et moi étions des amis proches. Nous habitions dans la même rue et étions en contact quasi quotidien. J'étais souvent invité à participer à ses séminaires et à discuter de littérature avec ses étudiants de troisième cycle. Autrefois, il y avait encore une considérable communauté de lettrés dans notre pays, et la médecine et le droit n'avaient pas encore divorcé d'avec les humanités, mais dans une ville américaine d'aujourd'hui vous ne pouvez plus compter sur les médecins, les avocats, les hommes d'affaires, les journalistes, les hommes politiques, les personnalités de la télévision, les architectes ou les négociants pour discuter des romans de Stendhal ou des poèmes de Thomas Hardy. Vous tombez parfois sur un lecteur de Proust ou un illuminé qui a appris par cœur des pages entières de *Finnegans Wake*. J'aime à dire, quand on m'interroge sur *Finnegans Wake*, que je me le garde pour la maison de retraite. Mieux vaut entrer dans l'éternité en compagnie d'Anna Livia Plurabelle plutôt qu'avec les Simpson gigotant sur l'écran de la télévision.

Je me demande quels termes appliquer au vaste et bel appartement de Ravelstein — sa base du Midwest. Il ne serait pas exact de le décrire comme un sanctuaire : Abe n'était en rien un fugitif. Ni un solitaire. En réalité, il était à l'aise dans son environnement américain. Ses fenêtres lui offraient une immense vue sur la ville. Il avait rarement l'occasion d'emprunter les transports publics dans ses dernières années, mais il savait se débrouiller, il parlait le langage de la ville. De jeunes Noirs l'arrêtaient dans la rue pour l'interroger sur son costume ou son manteau, sur son feutre. Ils s'y connaissaient en haute couture. Ils lui parlaient de Ferré, de Lanvin, de son chemisier de Jermyn Street. «Ces jeunes gommeux, expliquait-il, sont amoureux de la haute couture. Les costumes zazou et autres inconvenances sont de l'histoire ancienne. Ils sont extrêmement calés en matière d'automobiles aussi.

— Sans parler des montres-bracelets à vingt mille dollars, sans doute. Et côté armes à feu ? »

Ravelstein éclata de rire. «Il y a même des Noires, des

femmes, qui m'arrêtent dans la rue pour commenter la coupe de mes costumes, dit-il. Elles sont intuitivement attirées. »

Il n'avait que sympathie pour de tels connaisseurs — des amoureux de l'élégance.

L'admiration des adolescents noirs aidait Ravelstein à supporter la haine de ses collègues, les professeurs. Le succès populaire de son livre rendait fous les universitaires. Il exposait les défaillances du système dans lequel ils avaient été formés, la superficialité de leur historicisme, leur susceptibilité au nihilisme européen. Un résumé de sa thèse était que, si on pouvait acquérir une excellente formation technique aux USA, la formation générale s'était réduite au point de disparaître. Nous étions les esclaves de la technologie, qui avait métamorphosé le monde moderne. L'ancienne génération économisait pour l'éducation de ses enfants. Le coût d'une licence était monté à 150 000 dollars. Les parents auraient aussi bien pu jeter ces dollars dans la cuvette des cabinets, pensait Ravelstein. Aucune véritable éducation n'était possible dans les universités américaines, sinon pour les ingénieurs en aéronautique, les informaticiens et autres. Les universités étaient excellentes en biologie et en physique, mais les arts libéraux étaient un échec. Le philosophe Sidney Hook avait dit à Ravelstein que la philosophie était morte. « Nous devons caser nos diplômés dans les comités d'éthique des hôpitaux », avait reconnu Hook.

Le livre de Ravelstein n'avait rien d'extravagant. S'il n'avait été qu'un bruyant moulin à paroles, il aurait été facile à congédier. Non, il était sensé et bien informé, ses arguments précisément étayés. Tous les cancres étaient ligués contre lui (comme Swift ou peut-être Pope l'exprimèrent il y a longtemps). S'ils avaient eu les pouvoirs du FBI, messieurs les professeurs auraient placé la bobine de

Ravelstein sur les affiches des «personnes les plus active-
ment recherchées» comme celle qu'on trouve dans les
bâtiments fédéraux.

Il était passé par-dessus la tête des profs et des sociétés
savantes pour s'adresser directement au grand public. Il
y a, après tout, des millions de gens qui n'attendent
qu'un signe. Beaucoup d'entre eux sont des diplômés de
l'Université.

Quand les collègues ulcérés de Ravelstein l'attaquèrent,
il dit qu'il se sentait comme le général américain assiégé
par les nazis — était-ce à Remagen? Quand ils lui deman-
dèrent de se rendre, sa réponse fut : «Allez vous faire
voir!» Ravelstein était peiné, bien sûr; qui ne l'aurait été?
Et il ne pouvait attendre le secours de quelque Patton
universitaire. Il pouvait compter sur ses amis, et, bien sûr,
il avait des générations d'étudiants diplômés de son côté
ainsi que le soutien de la vérité et des principes. Son livre
fut bien accueilli en Europe. Les Anglais eurent tendance
à le prendre de haut. Les universités trouvèrent à redire,
pour certaines, à son grec. Mais quand Margaret Thatcher
l'invita à passer le week-end à Chequers, il était « *aux
anges** » (Abe préférait toujours les expressions françaises
aux américaines; il ne parlait pas de *chaser* ou de *womani-
zer* — il disait : « *un homme à femmes** »). Même de brillants
jeunes gauchistes l'appuyèrent à fond.

À Chequers, Mme Thatcher attira son attention sur
un tableau du Titien : un lion dressé pris dans un filet.
Une souris rongeait les cordes pour libérer le lion. (Est-ce
l'une des fables d'Ésope?) Ce détail était resté perdu dans
l'ombre des siècles durant. L'un des plus grands hommes
d'État, Winston Churchill, avait restauré la mythique souris de ses propres pinceaux.

Quand il rentra d'Angleterre, Abe me raconta tout
dans son cabinet particulier (ce n'était pas un salon). Il y

63

avait ses tableaux, œuvres d'artistes français mineurs mais bons. Certains étaient tout à fait splendides. Le plus grand était une Judith brandissant la tête d'Holopherne, une pièce très sanglante. Elle tient Holopherne par les cheveux. Lui a les yeux révulsés, à demi clos, elle a l'air calme, pure et sainte. Je me dis parfois qu'il n'a jamais su ce qu'il lui était arrivé. Il y a pire manière de partir. Je demandais de temps à autre à Ravelstein pourquoi il avait choisi *ce* tableau pour trôner dans son cabinet.

«Aucune annonce particulière là-dedans, répondait-il.

— Tout ce que nous voyons, nous le traduisons dans le langage de Freud. Alors, qu'est-ce qui s'est banalisé, son vocabulaire ou nos observations?

— On peut toujours refuser d'être coopté.»

Il n'était pas chaud pour ce que les Américains appellent «les arts plastiques». Les toiles étaient là parce que les murs étaient fait pour accueillir des peintures et les peintures pour aller sur des murs. Son appartement était luxueusement meublé, et les tableaux adéquats devaient y être accrochés. Quand l'argent commença à affluer, il remplaça toutes ses «vieilles» choses. Elles n'avaient rien de vieux. C'étaient des acquisitions plus anciennes, moins coûteuses. Même lorsqu'il n'avait eu que son salaire d'universitaire pour vivre, il avait acheté de luxueux canapés, du mobilier italien en cuir, avec de l'argent emprunté à ses amis. Quand il accéda au sommet de la liste des meilleures ventes, il offrit ses vieilleries à Ruby Tyson, la Noire qui venait deux fois par semaine faire la vaisselle et le ménage. Il s'occupa d'organiser le déménagement pour elle, bien sûr, et paya la note de transport. Il avait un besoin urgent de l'espace et les choses ne pouvaient disparaître assez vite pour lui.

Je dirais que les tâches de Ruby étaient plutôt légères. Elle astiquait l'argenterie de Ravelstein, elle lavait le service en Quimper bleu et blanc et le cristal de chez Lalique assiette par assiette, verre par verre. Elle ne faisait pas de repassage — les chemises de Ravelstein allaient chez le teinturier qui les livrait à domicile en grande pompe. Ses costumes aussi. Il faisait beaucoup travailler son teinturier. Tout sauf ses cravates. Celles-ci partaient par avion chez un spécialiste de Paris.

De nouveaux meubles et tapis arrivaient continuellement — tout le mobilier de salle à manger, les dressoirs et les châlits furent probablement donnés par Ruby à ses filles et ses petits-enfants. C'était une vieille femme pleine de religion, très compassée à la mode du Sud d'autrefois quand elle répondait au téléphone. C'était une présence fidèle dans le foyer. Il était parfaitement lucide à son sujet et n'avait aucune illusion d'accéder à son intimité, d'être reçu dans l'âme d'une respectable vieille femme noire. En outre, elle avait travaillé dans le quartier de l'université pendant plus d'un demi-siècle et avait son lot d'histoires à lui raconter sur les placards du monde enseignant. Elle nourrissait l'appétit de ragots de Ravelstein. Il haïssait sa famille et ne se lassait jamais de détourner ses étudiants doués de leur propre famille. Ses étudiants, comme je l'ai déjà dit, devaient être guéris des préjugés désastreux, des « irréalités standardisées » inculquées par des parents stupides.

Certaines difficultés de présentation apparaissent ici. Il est hors de question de confondre Ravelstein avec les « esprits libres » des campus, si répandus de mon propre temps. Le rôle de ces gens-là était de vous rendre conscient de l'éducation bourgeoise dont les études devaient vous libérer. Ces enseignants émancipés s'offraient en modèles, se considérant parfois comme des révolutionnaires. Ils parlaient le baragouin jeune. Ils portaient des queues-de-cheval, ils se laissaient pousser la barbe. C'étaient des hippies à doctorat et des noceurs.

Ravelstein ne prenait pas de pose de ce genre — rien qui se laisse facilement imiter. Il était impossible de commencer à l'aimer sans étude, sans labeur, sans effectuer les ésotériques travaux d'interprétation par lesquels il était passé sous la férule de feu *son* maître, le célèbre et controversé Felix Davarr.

J'essaie parfois de me glisser dans la peau d'un jeune homme doué de l'Oklahoma, de l'Utah ou du Manitoba, invité à se joindre à un séminaire privé dans l'appartement de Ravelstein, montant par l'ascenseur, arrivant pour trouver la porte grande ouverte et tirant ses premières impressions de la tanière de Ravelstein — les immenses antiques tapis d'Orient (parfois râpés), les tentures, les figurines classiques, les miroirs, les meubles-vitrines, les buffets français de style, les chandeliers et les appliques de Lalique. Le canapé en cuir noir du salon était profond, large, moelleux. Le plateau de verre de la table basse qui lui faisait face était épais de près de dix centimètres. Dessus, Ravelstein étalait parfois ses effets — le stylo Mont-Blanc en or massif, sa montre-bracelet à 20 000 dollars, le gadget doré qui coupait ses havanes de contrebande, la boîte à cigarettes surdimensionnée remplie de Marlboro, ses briquets Dunhill, les lourds cendriers de verre carrés — les longs mégots écrasés après deux ou trois bouffées convulsives. Une grande quantité de cendres. Près du mur, sur un guéridon, un complexe pupitre oblique d'appareillage téléphonique plein de touches — le poste de commandement d'Abe, expertement manipulé par lui-même. Il connaissait un trafic intense. Paris et Londres appelaient presque aussi souvent que Washington. Certains de ses très proches amis de Paris téléphonaient pour parler de questions intimes — de scandales sexuels. Ceux de ses étudiants qui le connaissaient le mieux opéraient une retraite pleine de tact quand il en donnait le signal du doigt qui soutenait sa cigarette. Il posait des questions mordantes, à voix basse, et, quand il écoutait, son crâne chauve était souvent calé contre les coussins de cuir, ses yeux parfois basculés vers le plafond, rendus vitreux par la concentration, la bouche légèrement ouverte — ses pieds chaussés de mocassins se rejoignant semelle contre semelle. À toute heure du jour et de la nuit, il passait des CD de Rossini à plein volume. Il avait une dilection particulière pour Rossini, ainsi que pour l'opéra du xviiie siècle. Le baroque italien devait être joué sur des instruments d'époque. Il payait le prix fort pour ses appareils de hi-fi. Des baffles à 10 000 dollars pièce n'avaient rien d'exagéré pour lui.

Au-dessus de chez lui et en dessous, trois étages de l'immeuble devaient, de gré ou de force, écouter Frescobaldi, Corelli, Pergolèse, *L'Italienne à Alger*. Quand des voisins venaient se plaindre, il leur disait en souriant que sans musique on ne pouvait goûter les présents de la vie et que cela leur ferait le plus grand bien de s'abandonner et d'écouter. Mais il promettait de faire améliorer l'isolation, et il fit effectivement venir un ingénieur acousticien. «J'ai dépensé dix mille dollars en kapok d'isolation et les pièces ne sont toujours pas *insonorisées**.» Mais quand on lui énumérait ses voisins un par un, il n'y en avait pas un seul pour qui il éprouvât le moindre intérêt. Il annotait ses raisons et était prêt à expliquer ses motifs. Il avait un couplet sur chacun d'entre eux — petits-bourgeois dominés par des hantises secrètes, chacun une châsse d'*amour-propre**, intriguant pour persuader tous les autres d'adhérer à son image de lui-même ; personnalités (un meilleur terme qu'«âmes» — on pouvait faire face à des personnalités, mais sonder les âmes de pareils individus était une horreur qu'il fallait s'épargner) fades, calculatrices. Aucun but dans la vie sinon la bêtise, la vanité — aucune loyauté envers sa communauté, aucun amour pour sa *polis*, dénués de gratitude, sans rien à quoi vous pourriez sacrifier votre vie. Parce que, souvenez-vous, les grandes passions sont subversives. Et les grandes figures de l'héroïsme humain qui planent terriblement au-dessus de nous sont très différentes de l'homme de la rue, de notre ordinaire contemporain «normal». L'appréciation par Ravelstein des gens qu'il fréquentait quotidiennement avait cet arrière-plan d'amour immense ou de colère infinie. Il me rappelait que «colère» apparaissait dès le premier vers de *L'Iliade* — *ménin Achiléos*. Vous apercevez là la poutre maîtresse du credo profondément honnête de Ravelstein. Les plus grands héros de tous, les philosophes, avaient été et seraient toujours des athées. Après les philosophes, dans la procession de Ravelstein, venaient les poètes et les hommes d'État. Les historiens immenses comme Thucydide. Les génies militaires comme César — «le plus grand homme qui vécût jamais dans les saisons du temps» — et, après César, Marc-Antoine, son bref successeur, «le triple pilier de la terre» qui mettait l'amour au-dessus de la politique impériale. Ravelstein aimait l'Antiquité classique. Il préférait Athènes, mais respectait grandement Jérusalem.

Voilà une partie de ses assertions fondamentales, et les fondements de sa vocation d'enseignant. Si j'omettais ceux-ci de mon récit de sa vie, nous ne verrions que ses excentricités ou ses faibles, ses achats prodigues, cinglés, son mobilier, ses vanités, ses canulars, ses rires hénaurmes, la *marche militaire** lorsqu'il traversait la cour, sanglé dans son immense et luxueux manteau de cuir doublé de fourrure — je n'en connaissais qu'un seul autre de semblable. Gus Alex, un tueur à gages et truand, portait un long manteau de vison d'une coupe magnifique sur Lake Shore Drive, où il vivait et promenait son petit chien.

On disait parfois que ses étudiants favoris tiraient un «flash» de Ravelstein — qu'il était drôle, tordant. Le flash, cependant, n'était que superficiellement drôle ou divertissant — une force vitale était transmise. Quelles que fussent les bizarreries, elles nourrissaient son énergie, et cette énergie était répandue, disséminée, conférée.

Je fais ce que je peux des faits. Il vivait selon ses idées. Son savoir était bien réel, et il pouvait l'étayer par des références précises. Il était là pour aider, pour éclairer et *remuer*, pour faire en sorte, s'il le pouvait, que les grandeurs de l'humanité ne s'évaporent pas entièrement en bien-être bourgeois, etc. Il n'y avait rien de moyen dans la vie de Ravelstein. Il n'acceptait ni la lourdeur d'esprit ni l'ennui. La dépression non plus n'était pas tolérée. Il ne supportait pas les humeurs cafardeuses. Les maux, quand il en avait, étaient physiques. À une certaine période, il eut des problèmes dentaires aigus. On le persuada, à l'hôpital universitaire, de se faire poser des implants ; ceux-ci étaient fixés dans les alvéoles, dans l'os de la mâchoire. L'opération fut foirée et il souffrit mille morts aux mains du chirurgien. Il fit les cent pas toute la nuit. Puis il essaya de faire retirer les implants et ce fut encore plus douloureux que la pose.

«C'est ce qui arrive quand on aborde la tête d'un homme en ébéniste, me dit-il.

— Vous auriez dû aller à Boston pour cela. Les chirurgiens dentaires de Boston sont censés être les meilleurs.

— Ne vous livrez jamais aux mains de foutus spécialistes. Vous serez sacrifié sur l'autel de leurs leuh… *techniques.*»

Il n'avait pas d'égards pour l'hygiène. Impossible de compter le nombre de cigarettes qu'il allumait chaque jour. La plupart, il les oubliait, ou les cassait. Elles gisaient comme des bâtons de craie dans ses cendriers en verre de P-DG. Mais l'organisme était imparfait. Sa défectuosité biologique était un fait — poumons et cœur défaillants, assombris. Prolonger sa vie n'était pas l'un des objectifs de Ravelstein. Le risque, la limite, l'évanouissement de la mort étaient présents à chaque instant de sa vie. Quand il toussait, vous entendiez l'écho du puisard au fond d'une galerie de mine.

Je cessai d'interroger Abe sur les implants dans sa mâchoire. J'imaginais qu'il devait sentir des élancements de temps à autre, et je les pensais comme faisant partie de l'arrière-plan psychophysique.

Irrégulier dans ses habitudes et ses horaires, il dormait rarement une nuit entière. Les préparations de cours l'occupaient souvent tard. Pour conduire vos étudiants de l'Oklahoma, du Texas ou de l'Oregon, à travers un dialogue platonicien, il vous fallait des compétences exceptionnelles ainsi que des connaissances ésotériques. Abe n'était pas un lève-tard. Nikki, de son côté, regardait des polars de kung-fu chinois toute la nuit et dormait souvent jusqu'à deux heures de l'après-midi. Abe et Nikki étaient tous deux des fans de basket. Ils rataient rarement les Chicago Bulls sur NBC.

Lorsqu'une rencontre importante avait lieu, Ravelstein invitait chez lui ses étudiants de troisième cycle. Il commandait des pizzas. Deux livreurs, portant des piles de cartons, frappaient du pied à sa porte. Le vestibule s'emplissait d'odeurs d'origan, de tomate, de fromage fondu, de poivrons et d'anchois. Nikki présidait à la découpe, utilisant une roulette tranchante. Les parts étaient déposées sur des assiettes en carton. Rosamund et moi mangions des sandwiches confectionnés par Ravelstein d'une main impatiente, maladroite, avec des cris enjoués. Il y avait quelque chose d'une démonstration d'habileté extraordinaire dans le service des boissons, comme s'il s'était arrêté au milieu d'une corde raide avec un plateau de verres trop pleins. Il ne fallait pas badiner avec lui alors.

Le téléphone portable dépassait généralement de la poche d'Abe. Je ne me souviens pas de l'appel qu'il attendait cette fois-là. Peut-être l'une de ses sources avait-elle des informations de première main sur la décision finale du président Bush de mettre fin à la guerre du Golfe. Je garde un vague souvenir du président — la mine longue, grand et mince — interrompant sans cesse les festivités d'avant-match sur le terrain. De longues rangées de spectateurs, pleines de lumières, toutes brillamment colorées, Michael Jordan, Scottie Pippen, Horace Grant trouant l'arceau de paniers d'échauffement. M. Bush tout aussi grand, sans grâce dans le déplacement. Ce n'était peut-être pas du tout le Golfe, mais une autre crise. Vous savez comment est la télévision : impossible de distinguer les guerres des rencontres de la NBA — sports, paillettes de superpuissance, opérations militaires high-tech ; Ravelstein le ressentait vivement. S'il parlait de Machiavel et de la meilleure manière de traiter un ennemi vaincu, c'était parce qu'il était enseignant jusqu'au bout des ongles. Il y avait aussi des apparitions du général Colin Powell et de Baker, le Secrétaire d'État. Puis dans le stade, le bref voilement des feux de la rampe — avant le retour spectaculaire de la pleine illumination.

Tout cela vous remettait en mémoire les manifestations de masse organisées et mises en scène par l'imprésario de Hitler, Albert Speer : rencontres sportives et grands rassemblements fascistes empruntaient les uns aux autres. Les jeunes gens de Ravelstein étaient ferrés sur le basket. En Michael Jordan, bien sûr, ils avaient un génie à observer. Ravelstein lui-même se sentait profondément, vitalement, lié à Jordan, l'artiste. Il disait toujours que le basket allait de pair avec le jazz comme contribution majeure des Noirs à la vie supérieure du pays — à son caractère spécifiquement américain. Au même titre que les toreros en

Espagne, les ténors en Irlande ou les Nijinski en Russie, les pivots et les rebondeurs comptaient aux USA. Ce soir-là, en tout cas, le président Bush avait offert aux États-Unis un triomphe militaire ; et Ravelstein, commentant la troupe noire américaine, dit quel honneur ces soldats faisaient à leur pays et à l'armée américaine — combien ils s'exprimaient bien à la télévision et avec quelle expertise technique, combien ils connaissaient leur boulot. Pour cela, il félicitait le Pentagone.

Pour toutes sortes de raisons, Ravelstein était fan des soldats. Il parlait avec une profonde émotion de ce pilote américain abattu au-dessus du Viêt-nam du Nord qui s'était lui-même cabossé et contusionné le visage, qui s'était délibérément cassé le nez sur le mur de sa cellule de prison. Il avait fait cela quand on lui avait annoncé qu'il devrait passer en compagnie d'autres prisonniers à la télévision de Hô Chi Minh afin de dénoncer l'impérialisme américain.

Lors de ses basket-parties, Ravelstein passait des parts de pizza à ses hôtes étudiants, son crâne chauve pivotant vers l'écran de télé animé et versicolore derrière lui. Sa bande, son équipe, ses disciples, ses clones qui s'habillaient comme lui, fumaient les mêmes Marlboro et trouvaient dans ces divertissements un point de passage entre les fan clubs de l'adolescence et la Terre promise de l'intellect vers laquelle Ravelstein, leur Moïse et leur Socrate, les conduisait. Michael Jordan était devenu un personnage culte de l'Amérique — de petits enfants conservaient ses trognons de pomme comme des reliques. Une croisade des enfants resterait possible, même en notre présente époque. Jordan, disaient les journaux, avait des pouvoirs « bioniques ». Il pouvait rester suspendu en l'air hors d'atteinte des bloqueurs, et on pouvait suivre ses délibérations en pleine action, avec suffisamment de temps pour changer de main tandis qu'il s'élevait — un homme qui gagnait quatre-vingts millions de dollars par an, pas un personnage culte, mais un héros qui prenait les masses aux tripes.

Inévitablement, les jeunes gens que formait Ravelstein voyaient en lui le pendant intellectuel de Michael Jordan. L'homme qui les introduisait à l'autorité et aux subtilités de Thucydide et analysait le rôle d'Alcibiade dans la campagne de Sicile comme personne — un homme qui interprétait le *Gorgias* à son séminaire, en face des aciéries, des terrils et de la crasse de Gary, des barges de minerai qui allaient et venaient sur l'eau — pouvait lui aussi rester suspendu en l'air, lévitant tout comme Jordan. Cet homme d'idiosyncrasies et de travers, d'une avidité gloutonne de sucreries et de havanes interdits, constituait lui-même un prodige homérique.

L'hôte Ravelstein, arrivant à présent avec une assiette de fromage, proposant : « Un petit morceau de ce cheddar du Vermont peut-être... ? », planta ineptement le couteau à fromage, les doigts agités par des secousses nerveuses incontrôlables, dans la boule de deux kilos et demi de fromage vieux de chez Cabot.

Quand le téléphone cellulaire sonna dans la poche de son pantalon, il se mit à l'écart pour échanger quelques mots avec Hong Kong ou Hawaii. L'un de ses informateurs livrait son communiqué. Il n'y avait aucune violation des règles de sécurité. Ce qui était top secret n'arrivait pas à ses oreilles, et il ne le demandait pas. Mais il était ravi de voir les hommes qu'il avait formés nommés à des postes importants, la vie réelle confirmant ses jugements. Il se mettait à l'écart avec son portable, puis revenait nous dire : « Powell et Baker ont conseillé au Président de ne pas envoyer les troupes jusqu'à Bagdad. Bush doit l'annoncer demain. Ils ont peur qu'il n'y ait des pertes. Ils ont envoyé une armée formidable et donné une démonstration de guerre high-tech dernier cri contre laquelle des êtres de chair et de sang ne peuvent rien. Puis ils laissent la dictature en place et tournent casaque... »

Cela procurait à Ravelstein une immense satisfaction d'avoir des tuyaux de première main. Comme l'enfant du poème de Lawrence, assis sous un « grand piano noir appassionato », « dans le mugissement des cordes vibrantes », tandis que sa mère joue.

« Voilà, ce sont les dernières nouvelles du ministère de la Défense... »

La plupart d'entre nous savaient que sa source principale était Philip Gorman. Le père, universitaire, de Gorman s'était vigoureusement élevé contre les séminaires de Ravelstein dans lesquels Philip avait été enrôlé. De respectables professeurs de science politique avaient raconté à Gorman senior que Ravelstein était dingue, qu'il séduisait et corrompait ses étudiants. « Le pater familias avait été mis en garde contre l'empaffe-familias », disait Ravelstein.

Évidemment, le vieux Gorman serait trop raide pour lui être reconnaissant que son fils ne soit pas entré dans le monde des affaires, disait Abe. « Eh bien, Philip est présentement l'un des plus proches conseillers du ministre. Il a un esprit puissant et une vraie compréhension de la Grande Politique, ce gosse, tandis que les statisticiens ne sont que menu fretin. »

Le jeune Philip était l'un des garçons que Ravelstein avait instruits au fil de trente ans d'enseignement. Ses élèves étaient devenus historiens, professeurs, journalistes, experts, hauts fonctionnaires, membres de cellules de réflexion. Ravelstein avait produit (endoctriné) trois ou quatre générations de diplômés. Qui plus est, ses jeunes gens devenaient fous de lui. Ils ne se limitaient pas à ses doctrines, ses interprétations, mais imitaient ses manières et essayaient de marcher et de parler comme lui — librement, furieusement, acerbement, avec un brio aussi proche du sien qu'il leur était possible. Les très jeunes — ceux qui pouvaient en payer le prix — achetaient aussi leurs vêtements chez Lanvin ou Hermès, faisaient couper leurs chemises sur Jermyn Street par Turnbull & Culler (« Baiseur & Culleur », dans ma version). Ils fumaient avec les gestes extatiques de Ravelstein. Ils passaient les mêmes compacts. Il les guérissait de leur goût pour le rock et ils se mettaient à écouter Mozart, Rossini, ou, en reculant encore, Albinoni et Frescobaldi (« sur instruments d'époque »). Ils vendaient leur collection de Beatles et de Grateful Dead et écoutaient plutôt Maria Callas chanter *La Traviata*.

« Ce n'est qu'une affaire de temps avant que Phil Gorman entre au gouvernement, et ce sera une sacrée bonne chose pour le pays. » Ravelstein avait donné à ses élèves une bonne éducation, en ces temps décadents — « la quatrième vague de la modernité ». On pouvait leur confier des informations classées, les secrets d'État qu'ils ne communiqueraient naturellement *pas* au maître qui leur avait ouvert les yeux sur la « Grande Politique ». On percevait les changements que les responsabilités avaient causés en eux. Leurs visages apparaissaient plus fermes, plus mûrs. Ils avaient absolument raison de conserver l'information pardevers eux. Ils savaient quelle commère il était. Mais luimême avait de très importants secrets à garder, des informations de nature privée, dangereuse, qui ne pouvaient être confiées qu'à un petit nombre. L'enseignement, tel que Ravelstein le concevait, était un travail épineux. On ne pouvait se permettre de laisser les faits être connus de tous. Mais, à moins que les faits ne *fussent* connus, aucune vie n'était véritablement possible. Il fallait donc faire ses choix avec une précision horlogère. Il y avait deux personnes à Paris qui le connaissaient intimement, et trois de ce côté-ci de l'Atlantique. J'étais l'une d'entre elles. Et quand il me demanda d'écrire une «Vie de Ravelstein», il s'en remettait à moi pour interpréter ses desiderata et décider dans quelle mesure j'étais affranchi par sa mort du respect des faits de base — ou de la tournure donnée par mon tempérament et mes émotions à ces faits de base. J'imagine qu'il pensait que c'était sans grande importance, parce qu'il serait parti et qu'il n'avait que faire de sa réputation posthume.

Le jeune Gorman, vous pouvez en être sûr, coupait les informations qu'il donnait à Ravelstein. Il ne pouvait se permettre d'aller au-delà de ce que contiendrait le communiqué de presse du lendemain. Mais il savait quel plaisir cela procurait à son vieux prof d'avoir des tuyaux de première main, et il le rencardait donc par respect et par affection. Il savait aussi que Ravelstein avait des masses d'informations historiques et politiques à tenir à jour. Celles-ci remontaient jusqu'à Platon et Thucydide — peut-être même jusqu'à Moïse. Tant de grands desseins politiques — en passant par Machiavel, Septime Sévère et Caracalla. Et il était essentiel d'insérer les décisions de dernière minute de la guerre du Golfe — prises par des politicards manifestement limités comme Bush et Baker dans une image aussi réaliste que possible des forces en présence — dans l'histoire politique de cette civilisation. Quand Ravelstein disait que le jeune Gorman comprenait la Grande Politique, c'était quelque chose de ce genre qu'il avait à l'esprit.

À chaque occasion, au moindre prétexte, Ravelstein sautait l'Atlantique pour se rendre à Paris. Mais cela ne signifie pas qu'il était malheureux dans le Midwest urbain. Il était attaché à l'université où il avait soutenu son doctorat devant le grand Davarr. Il était américain jusqu'au bout des ongles.

J'avais grandi en ville, mais la famille de Ravelstein n'était arrivée de l'Ohio qu'à la fin des années 30. Je n'ai jamais rencontré le père, que Ravelstein me décrivait comme un ogre de carnaval, un petit homme froissé et un maniaque de la discipline. Un de ces tyrans à la petite semaine qui contrôlent leurs enfants par des égosillements dans un opéra-bouffe familial permanent.

L'Université acceptait les lycéens qui passaient avec succès ses examens d'entrée. Ravelstein fut reçu à l'âge de quinze ans et libéré ainsi de son père et d'une sœur qu'il haïssait presque autant. Comme je l'ai dit, il aimait sa mère. Mais, à l'Université, il fut débarrassé de tous les Ravelstein. «Ma véritable vie intellectuelle a commencé là. Pour moi, il n'y avait rien de mieux que les cités universitaires où je créchais. Je n'ai jamais compris ce qu'il y avait de si déshonorant à "partir dans une maison de location", comme l'écrivit Eliot. Est-ce qu'on crève mieux sur sa propriété ? »

Pourtant, sans être envieux (je n'ai jamais vu Ravelstein jalouser quiconque), il avait une profonde faiblesse pour les environnements agréables et aimait l'idée de vivre dans l'un des immeubles chics précédemment occupés par la seule bonne société des enseignants de haut lignage. Quand il revint à l'université en qualité de professeur titulaire après deux décennies sur des campus de moindre renom, il obtint de haute lutte un appartement de quatre pièces dans l'immeuble le plus désirable d'entre tous. La plupart de ses fenêtres donnaient sur une cour obscure, mais, au-delà, il voyait le campus à l'ouest avec ses flèches gothiques en calcaire de l'Indiana, ses labos, ses résidences, ses immeubles de bureaux. Il pouvait contempler la tour de la chapelle — une sorte de Colosse de Bismarck tronqué, dont les cloches résonnaient bien au-delà de l'enceinte de l'université. Quand

Ravelstein devint une personnalité de réputation nationale (internationale aussi — ses droits japonais, à eux seuls, étaient, me dit-il avec un plaisir extravagant et sans aucune modestie, «monstrueux»), il déménagea dans l'un des meilleurs appartements de la place. À présent, il avait la vue dans toutes les directions. Feu Mme Glyph, qui l'avait rayé de ses tablettes pour avoir bu du Coca à la bouteille lors de son déjeuner en l'honneur de T. S. Eliot, n'avait pas été mieux située.

Étrangement, il y avait une tonalité de retraite monastique dans son lieu. On entrait sous un plafond voûté bas. Le vestibule était lambrissé d'acajou. Les ascenseurs ressemblaient à des confessionnaux. Chaque appartement avait un petit vestibule pavé de pierre avec un plafonnier gothique. Sur le palier de Ravelstein, on trouvait souvent un meuble sur le départ, supplanté par quelque nouvelle acquisition — une commode, une petite armoire, un porte-parapluie, un tableau de Paris sur lequel il commençait à avoir des doutes. Ravelstein ne pouvait rivaliser avec la collection, entamée dans les années 20, de Matisse et de Chagall des Glyph. Mais il les dépassait très largement dans l'équipement ménager. Il avait acheté une machine à espresso à une société de fournitures pour la restauration. Elle était installée dans la cuisine : elle surplombait l'évier, fumait et sifflait de manière explosive. Je refusais de boire son café parce qu'il était fabriqué avec de l'eau du robinet javellisée. L'énorme machine rendait l'évier inutilisable. Mais Ravelstein n'avait que faire d'un évier — seul le café importait.

Nikki et lui dormaient dans des draps Pratesi et sous des peaux d'angora magnifiquement tannées. Il était parfaitement conscient de l'aspect comique de tout ce luxe. Il ne bronchait pas une seconde devant les accusations de ridicule. Il n'allait pas avoir une longue vie. Je tends à penser qu'il avait des idées homériques sur le fait d'être fauché dans la fleur de l'âge. Il n'avait pas à accepter le confinement dans une impasse de quelques décennies, pas avec son appétit de vivre et son don exceptionnel pour les grandes synthèses. Ce n'était pas seulement l'argent — les bénéfices inattendus de son best-seller — qui rendait les choses possibles ; c'était sa capacité avérée dans les guerres intellectuelles — les positions qu'il tenait, les luttes qu'il provoquait, ses disputes avec les maîtres classicisants et les historiens d'Oxford. Il était sûr de lui, comme de Gaulle l'avait dit des Juifs. Il adorait la polémique.

Rosamund et moi vivions à quelques encablures de là, dans la même rue, dans un immeuble qui faisait penser à la ligne Maginot. Nos appartements n'étaient pas aussi magnifiques que les quartiers monastico-luxueux de Ravelstein. Ils étaient étroits, mais je n'avais cherché qu'un abri à l'époque. J'étais à la rue — évincé, après douze ans de mariage, de ce qui avait été mon logis du bord du lac, et j'avais été heureux de trouver refuge dans l'un des blockhaus de béton voisins de Ravelstein, à environ cinquante mètres de son portail en fer forgé de style gothique du Midwest et de son portier en livrée. — Nous n'avions pas de portier.

Ce que j'avais, c'était cinquante années à fouler ces trottoirs zébrés de soleil en passant devant des immeubles autrefois occupés par des amis. Là, par exemple, où logeait aujourd'hui un théologien japonais, une Mlle Abercrombie avait vécu quarante ans auparavant. Elle était peintre et avait épousé un aimable cambrioleur hippie, dont la spécialité était de divertir la compagnie en mimant des fric-frac. Dans chacune des rues environnantes, il y avait des salons où des amis avaient vécu — et, sur les côtés, les fenêtres de chambres où ils étaient morts. Il y en avait plus que je ne l'aurais souhaité.

À mon âge, mieux vaut ne pas être porté à l'apitoiement. C'est différent quand on mène une vie active. Je suis actif, dans l'ensemble. Mais il y a des trous, et ces trous tendent à se remplir de morts.

Ravelstein me créditait d'une sorte de naïveté sérieuse face à la vérité. Il disait : «Vous ne vous mentez pas, Chick. Vous pouvez reculer très longtemps un aveu, mais vous finissez par le faire. C'est une qualité rare.»

Je ne suis en rien un professeur, bien que je circule depuis si longtemps dans les cercles universitaires que certains membres du corps enseignant me voient comme un collègue de longue date. Et tandis que je me promenais par une de ces journées peinturlurées de soleil peu après avoir regagné le quartier de l'université, dans un temps sec, froid, clair, et dégagé, je tombai sur une connaissance du nom de Battle. C'était un prof, un Anglais qui arpentait les rues glaciales dans un mince pardessus élimé. Âgé d'une soixantaine d'années, il était grand, rougeaud, charnu, son énorme visage transi aussi épais qu'un poivron rouge. Ses cheveux étaient drus et longs, et il me faisait parfois penser au Quaker de la boîte de porridge. Il avait suffisamment d'énergie pour réchauffer deux hommes. Seules ses épaules haussées témoignaient que la température était bien en dessous de zéro — les épaules serrées et les mains plongées dans les poches de son manteau — sauf les pouces. Ses pieds étaient posés l'un à côté de l'autre. Il n'était pas ce que nous appelions «un sapeur», mais il portait toujours des chaussures d'une grande finesse.

Battle avait la réputation d'être un immense érudit. (Je devais croire les gens sur parole — car comment aurais-je pu juger de sa maîtrise du sanscrit et de l'arabe ?) Ce n'était pas un Oxbridgien. Il était le produit d'une de ces universités anglaises de second rang.

Devant un cas comme le sien, il était impossible de se contenter de dire qu'on était tombé sur un prof du nom de Battle dont la chevelure rendait l'usage du chapeau superflu. Durant la Seconde Guerre mondiale, Battle avait été parachutiste, et pilote aussi. Un jour, il avait fait traverser la Méditerranée à de Gaulle. En outre, il avait été un excellent joueur de tennis dans la vie civile. Il avait aussi enseigné les danses de salon en Indochine. Il était très vif en jambe, coureur étonnant qui avait pourchassé et rattrapé un arracheur de sac à main. Il avait donné un si joli coup de poing dans le ventre du voyou que les flics avaient dû appeler une ambulance.

Battle, un des favoris de Ravelstein, aimait bien ce bon vieil Abe. Mais dire comment lui, Battle, percevait Ravelstein était quasiment impossible. Il n'y avait aucun indice de ce qui se passait derrière ce front puissant. Plein de force, il descendait jusqu'au surplomb hérissé d'une arête supraorbitale qui intersectait la ligne droite de son nez et faisait pendant aux parallèles serrées de ses lèvres — la bouche d'un roi celte. Il aurait pu avoir suivi un entraînement pour les épreuves olympiques d'haltérophilie. C'était un homme très costaud — mais à quelles fins était-il costaud ? Battle écartait ses dons naturels d'un revers de main. La subtilité était ce qu'il recherchait — les coups machiavéliques, masqués, complexes, hardis, secrets. Son objectif pouvait être de déjouer un chef de département en pesant sur un doyen indifférent pour qu'il passe un mot au président, etc. Personne ne soupçonnerait jamais que de telles conspirations existaient, ni n'essaierait de découvrir qui se cachait derrière elles. Ravelstein, qui m'expliqua tout cela, en hoquetant de rires et de « leuh... leuh... », dit : « Il vient discuter toutes sortes de leuh... questions personnelles, hautement personnelles avec moi, mais ne dit jamais mot de ces agissements. »

Quelques encouragements suffisaient à ce que Ravelstein révèle les confidences de Battle — ou de quiconque d'autre. Il disait, citant un ami commun disparu : « Quand je le fais, ce n'est pas du commérage, c'est de l'histoire sociale. »

Ce qu'il voulait dire, en fait, c'était que les singularités personnelles appartenaient au domaine public et étaient à la disposition de tous comme l'air et les autres denrées gratuites. Il ne perdait pas son temps en spéculations psychanalytiques ou en analyses de la vie quotidienne. Il n'avait aucune patience devant « ces foutaises à double fond » et préférait l'humour ou même la cruauté avérée à l'interprétation amicale, bien intentionnée, chère aux esprits libéraux conventionnels.

Dans les rues froides et ensoleillées — son visage tout plissé dans le froid cinglant — Battle demanda : « Abe reçoit les visiteurs ces temps-ci ?

— Pourquoi pas ? Il est toujours content de vous voir.

— Je ne me suis pas exprimé correctement… Il est toujours aimable avec Mary et moi. »

Mary était une petite femme boulotte, spirituelle et souriante. Ravelstein et moi appréciions tout particulièrement Mary.

« Eh bien, si vous êtes le bienvenu et qu'il est aimable avec vous, où est le problème ?

— Il a quelques problèmes de santé, n'est-ce pas ?

— Il fait partie de ces forces de la nature souffreteuses.

— Mais n'est-il pas plus souffreteux que d'ordinaire ? »

Battle me testait, cherchait des indices de l'état de Ravelstein. Je n'allais rien lui dire, même si je savais qu'il aimait Ravelstein — avait une forme de respect pour lui. Avec certaines personnes, il y a un point que je ne peux pas dépasser. Chaque respiration glaciale à travers les narines spectaculaires de Battle rendait son visage encore plus rubicond. La couleur descendait jusqu'aux plis d'accordéon sous son menton. Il mettait rarement un chapeau. Ses cheveux noirs semblaient suffire à garder son cou au chaud. Il portait des chaussures de danseur de tango. Je sympathisais avec ses excentricités. Elles ressemblaient à un mélange de délicatesse contenue et de brutalité incontrôlée.

Les Battle, homme et femme, estimaient grandement Ravelstein. Ils compatissaient à ses malheurs. On pouvait être certain qu'il figurait fréquemment dans leurs conversations.

« Eh bien, dis-je, il a eu une série d'infections. Le zona ne l'a pas raté.

— Herpès zoster. Bien sûr, dit Battle. Inflammation des nerfs. Horriblement compliqué et douloureux. Cela touche fréquemment les nerfs spinaux et crâniens. J'ai connu des cas semblables. »

Ses mots me firent voir Ravelstein. Je le vis allongé, silencieux, sous son édredon. Ses yeux sombres étaient creusés. Sa tête était posée sur son oreiller. Sa position suggérait le repos. Mais il ne se reposait pas du tout.

« Il s'en est remis, n'est-ce pas ? dit Battle. Mais il n'a pas attrapé autre chose ? »

Il y avait autre chose. La nouvelle infection fut appelée syndrome de Guillain-Barré par les neurologues quand ils finirent par l'identifier. Elle n'avait pas encore été diagnostiquée. Abe était revenu de Paris après un dîner en son honneur donné par le maire. Smoking et discours d'hommage — typiquement la sorte d'événement auquel Ravelstein, longtemps privé de reconnaissance, ne savait pas dire non. À Paris, où il entendait passer son année sabbatique, il avait pris un appartement dans une avenue pleine d'ambassades et de bâtiments officiels toute proche du palais de l'Élysée. La police y grouillait et rentrer le soir posait un problème, car Abe ne trouvait pas de temps à perdre chez les bureaucrates du commissariat d'arrondissement pour faire une demande de *carte de séjour**, si bien que lorsque les flics l'arrêtaient pour lui demander ses papiers d'identité, il n'en avait aucun à leur montrer et il y avait de longues discussions autour de minuit. Il se recommandait du marquis de Machin-Chose, son logeur. Mais il y avait un bon côté à tout ce qui se passait dans ces rues. À Paris, même les embarras étaient haut de gamme. À côté de ses vrais soucis, ces Corses (Ravelstein pensait que tous les *flics** étaient originaires de Corse et que, quelque effort qu'ils fissent pour se raser, ils avaient toujours le menton râpeux) restaient à tous égards divertissants.

Le fin mot de l'histoire est que Ravelstein fit un saut au pays pour se rendre à un banquet donné par le maire en son honneur et fut fauché par une maladie (découverte par un Français) qui l'expédia à l'hôpital. Les médecins le placèrent en réanimation. Ils lui donnèrent de l'oxygène. Ses visiteurs n'étaient admis que deux par deux. Il ne disait à peu près rien. Parfois, il me marquait d'un regard qu'il me reconnaissait. Ses grands yeux étaient concentrés dans cette tour de contrôle crânienne chauve qu'il avait. Ses bras, jamais très développés, perdirent rapidement le peu de muscles qui leur restait. Aux premiers temps du virus de Guillain-Barré, il était incapable d'utiliser ses mains. Il réussit néanmoins à faire savoir qu'il avait besoin de fumer.

« Pas avec un masque à oxygène. Vous feriez tout péter. »

Dieu sait pourquoi, je me retrouvais toujours happé par le rôle du modérateur, défendant le bon sens devant des gens qui se faisaient un devoir de balayer toute prudence. Étaient-ce les autres qui me mettaient perpétuellement dans cette position, ou étais-je fondamentalement fait pour cela ? Je me voyais, en des instants d'autocritique exacerbée, comme le *porte-parole** du bourgeois. Ravelstein avait conscience de cette faille chez moi.

Nikki et moi avions quelque ressemblance à cet égard. Nikki était beaucoup plus acerbe et critique. Quand Ravelstein fit l'emplette d'un coûteux tapis chez Sukkumian, dans le North Side, Nikki explosa : «Tu as payé dix mille dollars pour tous ces trous et ces effilochures — parce que les trous sont la preuve que c'est une véritable antiquité ? Qu'est-ce qu'il t'a raconté, que c'était le tapis dans lequel ils avaient emballé Cléopâtre toute nue ? Tu es vraiment un de ces types qui pensent que l'argent doit être jeté par les fenêtres, comme le dit toujours Chick. Tu es au sommet de la tour Sears et tu sèmes des billets de cent dollars.»

Nikki avait reçu un coup de téléphone qui lui avait appris que Ravelstein était à nouveau souffrant. Il était toujours dans son école hôtelière genevoise, et nous fit savoir qu'il venait immédiatement. Personne ne mettait en doute l'attachement de Nikki pour Abe. Nikki était d'une franchise exemplaire — franc, par nature, un bel homme enfantin, gracieux, à la peau lisse, aux cheveux noirs, oriental. Il avait une conception exotique de lui-même. Je ne veux pas dire par là qu'il se donnait des airs. Il était toujours parfaitement naturel. Ce protégé de Ravelstein, trouvais-je, était quelque peu gâté. J'avais tort, là encore. Élevé comme un prince, oui. Même avant que ce fameux livre vendu à des millions d'exemplaires eût été écrit, Nikki était mieux habillé que le prince de Galles. Il était plus intelligent et plus fin que beaucoup de gens plus instruits. Il avait, qui plus est, le courage d'affirmer son droit à être exactement ce qu'il semblait être.

Comme le faisait remarquer Ravelstein, ce n'était pas une attitude. Il n'y avait absolument rien dans l'apparence de Nikki qui fût décoratif ou théâtral. Il ne cherchait pas les crosses, attention, mais «il est toujours prêt à faire le coup de poing. Et son orgueil est tel que... il se battra. J'ai souvent dû le retenir».

Il baissait parfois la voix pour parler de Nikki, pour dire qu'il n'y avait aucune intimité entre eux. «Plutôt père et fils.»

En matière sexuelle, il me semblait parfois que Ravelstein me considérait comme un arriéré, un anachronisme. J'étais son ami proche. Mais j'étais le fils d'une famille juive européenne traditionnelle, dont le vocabulaire pour l'inversion remontait à deux mille ans ou plus. Les termes juifs ancestraux pour la désigner étaient, d'abord, *Tumtum*, datant peut-être de la captivité babylonienne. Parfois le mot était *andreygenes*, manifestement d'origine alexandrine, hellénistique — les deux sexes mélangés dans une ténèbre érotique et perverse. Les mélanges d'archaïsme et de modernité étaient particulièrement séduisants pour Ravelstein, qui ne se laissait pas contenir dans la modernité et débordait sur toutes les époques. Étrangement, il était exactement ainsi.

Il était incapable de marcher au sortir de l'unité de réanimation. Mais il retrouva rapidement l'usage partiel de ses mains. Il lui fallait des mains parce qu'il lui fallait fumer. Dès qu'il fut installé dans sa chambre d'hôpital, il envoya Rosamund lui chercher un paquet de Marlboro. Elle avait été son étudiante, et il lui avait enseigné tout ce qu'un de ses étudiants devait comprendre — les fondements et les axiomes de son système ésotérique. Elle comprenait, bien sûr, qu'il venait à peine de recommencer à respirer par lui-même et que fumer était dommageable, dangereux — c'était presque certainement interdit.

«Vous n'avez pas besoin de me dire que c'est une mauvaise idée que de me remettre à fumer. Mais c'en est une encore pire que de ne pas fumer», dit-il à Rosie quand il la vit hésiter.

Bien sûr qu'elle comprenait, ayant suivi tous ses cours.

«Alors je suis allée au distributeur et je lui ai acheté six paquets de Marlboro, me dit-elle.

— Si ce n'avait été toi, dix autres l'auraient fait.

— Certainement.»

À l'hôpital, ses meilleurs étudiants — le premier cercle — allaient et venaient, se rassemblaient, bavardaient dans la salle d'attente.

Le second jour après sa sortie du service de réanimation, Ravelstein, qui n'avait pas retrouvé l'usage de ses jambes, était une fois de plus au téléphone avec des amis parisiens, leur expliquant pourquoi il n'allait pas revenir tout de suite. Il devait se débarrasser de l'appartement. Ses aristocratiques propriétaires devraient être approchés avec tact s'il voulait récupérer son *dépôt de garantie**. Dix mille dollars. Peut-être les lâcheraient-ils, peut-être non. Il pouvait les comprendre, disait-il. C'était les plus beaux, les plus fastueux appartements où il eût jamais logé.

Ravelstein ne comptait pas se voir rembourser sa caution, bien qu'il eût de nombreuses relations dans les sphères universitaires françaises. Il avait beaucoup de relations importantes en France — en Italie aussi. Il savait pertinemment qu'il n'avait aucun moyen légal de récupérer son bon argent. «Surtout en l'occurrence, car le locataire est un Juif et il y a un Gobineau dans l'arbre généalogique du propriétaire. Ces Gobineau étaient de fameux antisémites. Et je ne suis pas un simple Juif, mais, bien pire, un Juif américain — d'autant plus dangereux pour la civilisation selon eux. Enfin, ils toléreront un Juif dans leur rue, mais il faudra qu'il *paie* pour cela.»

Dans un moment d'absence, affaibli par la maladie, les

yeux seulement à demi ouverts et d'une voix dans laquelle les mots étaient confus et l'intonation devait véhiculer l'essentiel du sens — plusieurs jours où sa parole fut semblable à son regard vitreux —, il ne cessa d'essayer de me dire quelque chose. Ce qu'il essayait de dire finit par devenir clair — qu'en cet instant encore il prenait des dispositions pour commander une BMW.

« En Allemagne ? »

C'était bien ce qu'il semblait, même s'il ne dit pas qu'elle était en cours d'acheminement. J'avais l'impression qu'elle était déjà à bord d'un cargo, au milieu de l'Atlantique. Peut-être même déchargée et en route pour le Midwest.

« C'est pour Nikki, dit Ravelstein. Il éprouve le besoin d'avoir quelque chose d'exceptionnel qui soit entièrement à lui. Vous comprenez cela, n'est-ce pas, Chick ? En outre, il est possible qu'il doive abandonner son école en Suisse. »

La question était de pure forme. Je le voyais bien. Tout d'abord, si vous étiez habillé — comme Nikki l'était — par Versace, Ultimo et Gucci, vous n'empruntiez pas les transports publics. Mais, une fois mon besoin primesautier d'humour satisfait par une telle observation, j'étais capable de voir la réalité. La réalité était que Ravelstein avait été à deux doigts d'y rester, qu'il était toujours branché sur un respirateur artificiel, que la moitié inférieure de son corps était toujours paralysée, que ses jambes ne fonctionnaient pas, et que, si cette paralysie était surmontée, il resterait encore d'autres infections avec lesquelles il faudrait compter.

« Dites donc, leuh… Chick, comment me trouvez-vous ?

— Le visage ?

— Le visage, la tête. Vous avez le coup d'œil, Chick. Et ne me cachez rien.

— Vous ressemblez à un melon d'Espagne bien mûr, posé sur l'oreiller. »

Il éclata de rire. Ses yeux se plissèrent et scintillèrent ; il tirait une satisfaction particulière de mon fonctionnement intellectuel. Il voyait dans ce genre de remarques le témoignage de facultés supérieures à l'œuvre. Au sujet de la voiture, il dit : « Le concessionnaire essayait de me vendre une BMW bordeaux. Je préfère la marron. Vous avez un nuancier par là-bas... » Il tendit l'index et, quand je lui remis l'objet, il l'ouvrit d'un geste sec. Bande sur bande de peintures émaillées. Étudiant posément les échantillons, je dis que le bordeaux ne conviendrait pas.

« Vous ne vous trompez jamais sur les questions de goût. Nikki le pense aussi.

— C'est gentil, mais je n'aurais pas cru qu'il y ait prêté attention.

— Vos vêtements ne sont peut-être pas du dernier cri, mais vous aviez l'étoffe d'un gandin, Chick — dans une phase antérieure, et de manière limitée. Je me souviens de votre tailleur de Chicago, celui qui m'a coupé un costume.

— Vous l'avez à peine porté.

— Je l'ai porté jusque chez moi.

— Puis il a disparu.

— Il nous faisait hurler de rire, Nikki et moi, par sa coupe. Parfait pour Las Vegas ou sur un homme politique pour la réunion annuelle du comité démocrate local à l'hôtel Bismarck — ne vous vexez pas, Chick.

— Mais non. Je n'investis pas beaucoup de sensibilité dans mes costumes.

— Nikki dit que votre goût est parfait en matière de chemises et de cravates. Baiseur & Culleur.

— Bien sûr, Baiseur & Culleur.

— Oui ! dit Ravelstein, en fermant les yeux de satisfaction.

— Je ne veux pas vous fatiguer, dis-je.

— Non, non. » Abe avait toujours les yeux fermés. « Je suis toujours partant pour un échange de blagues. Vous me faites plus de bien qu'une douzaine d'intraveineuses. »

Oui, et il pouvait compter sur moi. J'étais présent, aussi, à la fenêtre de l'hôpital. *Ad sum*, comme il fallait répondre lors de l'appel à l'école — ou *ab est*, comme nous le disions à l'unisson quand un siège restait vide.

La ville présentait block sur block de dénuement de fin d'automne — le sol durci par le froid, les échangeurs autoroutiers, l'allure de déserts peints des immeubles d'habitation, le vert souffreteux des parcs — la zone tempérée et la raide mécanique de ses saisons. L'hiver arrivant.

Quand le téléphone sonna de nouveau, je décrochai ; j'allais le protéger des importuns. Mais c'était la femme de chez BMW qui était en ligne, et il voulait lui parler. « Faisons le point, lui dit-il. Vous êtes sûre de la boîte manuelle... ? Une transmission automatique est hors de question. »

Avec les options, la voiture allait coûter quatre-vingt mille dollars.

« Bien sûr, il y a des airbags pour le siège du passager comme du côté du conducteur ?

» ... Maintenant, la couleur intérieure — les garnitures en chevreau. La platine CD du coffre doit pouvoir passer six disques ! Huit ! Dix !

» Et la condamnation centralisée des portes par boîtier électronique. Pas question de fricoter avec des clés. Je ne peux pas vous donner un chèque de banque, je suis à l'hôpital. Je me fiche que ce soit vos consignes. Je dois être livré pas plus tard que jeudi. Nikki — M. Tay Ling arrive de Genève mercredi soir. Il faut donc que tous les papiers soient faits. Leuh... leuh ! ce dont je puis vous assurer, c'est que ça n'est pas un hôpital psychiatrique. Vous avez mon numéro de compte chez Merrill Lynch. Quoi ? Vous avez certainement dû faire votre petite enquête sur moi, mademoiselle Sorabh — ça s'écrit *bh* ou *hb* ? »

Il avait dû y avoir une douzaine de consultations chaque jour. « Nikki est tellement à cheval sur les détails, dit-il. Et pourquoi tout ne serait pas parfait ? Je veux qu'il soit content à cent pour cent — le moteur, la carrosserie, tous les bidules électroniques. Que tout soit en place. Barres antiroulis équilibrées. Je connaissais le *Forgeron harmonieux* de Händel — maintenant ce sont les puces harmonieuses de Taïwan. Il n'y aura pas d'opéra baroque dans cette nouvelle voiture. Seulement du jazz chinois, ou je ne sais quoi. »

Nikki, je le savais bien, était exigeant. Cela ressortait même de ses relations avec de simples connaissances. Et il devait en être de même avec les objets.

« Je ne veux pas avoir l'air de me faire rouler par BMW à cause de ma maladie. Je dois essayer de prévoir la manière dont Nikki va réagir. À sa manière tranquille, il est extrêmement tatillon, dit Ravelstein. C'est parfaitement naturel. Il partage ma prospérité, bien sûr. Mais il n'y a pas si longtemps, il disait combien il aimerait avoir un signe de ma part — un grand geste. Ce n'est pas seulement ma prospérité, c'est *notre* prospérité. »

Je ne l'invitai pas à entrer dans les détails. Comme lui et moi étions de proches amis, il me revenait de me faire moi-même mon idée de la place de Nikki dans sa vie. Je pensais être suffisamment perspicace pour comprendre. Même si, peut-être, je ne l'étais pas. Ravelstein me faisait souvent douter de mes capacités.

Je dis : « Toutes les garanties que vous obtenez, cela prendrait un mois pour les lire.

— Vous en parlez comme d'un chemin de croix, dit Ravelstein en souriant.

91

— Nikki et vous n'avez rien à redouter de la part de cette méga-entreprise allemande. C'est une sorte de royauté bourgeoise. Au fait, ont-ils utilisé des esclaves des camps durant la guerre ? »

Comme ses bras avaient fondu, les mains de Ravelstein paraissaient impossiblement grosses tandis qu'il allumait une des cigarettes que Rosamund lui avait rapportées. Puis, lorsqu'il l'écrasa dans le cendrier en chassant la fumée d'un revers de main, je compris que quelqu'un était entré dans la pièce.

C'était le Dr Schley — le cardiologue de Ravelstein. Le mien aussi. Le Dr Schley était petit et frêle, mais sa minceur n'était pas un signe de faiblesse. Il était sévère. Il s'appuyait sur son ancienneté dans l'hôpital — numéro un pour le cœur. Il ne disait pas grand-chose. Ce n'était pas nécessaire.

« Vous rendez-vous compte, monsieur Ravelstein, que vous sortez à peine de réanimation ? Il y a quelques heures à peine, vous n'étiez même pas capable de respirer. Et voilà que vous inspirez de la fumée dans vos malheureux poumons. C'est très grave », dit Schley en me jetant un froid regard en biais. Je n'aurais pas dû permettre à Ravelstein d'en griller une.

Le Dr Schley était, lui aussi, entièrement chauve, vêtu d'une blouse blanche, et son stéthoscope, qui dépassait de sa poche, était serré telle une fronde par sa main furieuse.

Ravelstein ne répondit pas. Il refusait de se laisser intimider — mais il n'avait pas encore la force de rendre les coups. Dans l'ensemble, il ne faisait pas grand cas des médecins. Les médecins étaient les alliés de la bourgeoisie hantée par la mort. Il n'allait pas changer ses habitudes pour un médecin, pas même pour Schley, qu'il respectait. Comme l'avait compris Rosamund quand elle était partie en quête de cigarettes, Abe ferait comme il avait toujours fait. Il ne jouerait jamais les valétudinaires.

«Je vous demande, monsieur Ravelstein, de renoncer à vos cigarettes jusqu'à ce que vos poumons aient repris des forces.»

Ravelstein ne répondit rien, hochant seulement la tête. Mais pas pour signifier son accord. Il ne regardait même pas le Dr Schley — son regard était perdu au loin. Schley n'était pas son médecin traitant. Celui-ci était le Dr Abern. Mais, bien sûr, Schley faisait partie de l'équipe ; plus que cela, il en était l'un des dirigeants. Quant à moi, Schley m'aimait bien — à ma place. Vous n'entendriez jamais le Dr Schley le dire, mais si vous aviez de bonnes oreilles mentales vous receviez vite le message. Ravelstein était un haut personnage dans les cercles intellectuels les plus élevés. On pouvait dire sans abus que Ravelstein était réellement quelqu'un d'important. Pour ma part, j'étais bon, dans mon genre. Mais c'était un genre qui n'avait guère d'importance.

Généralement, Schley me parlait de maintenir le niveau de quinine dans mon organisme pour contrôler les battements de mon cœur. J'étais sujet à des fibrillations et j'avais parfois le souffle court. Les fortes doses de Quinaglute qu'il prescrivait avaient de quoi vous rendre sourd, devais-je découvrir en fin de compte. Enfin, mes problèmes cardiaques mineurs étaient pratiquement mon seul lien avec Schley. Ravelstein, en revanche, le fascinait. Il le voyait comme un grand lutteur sur les fronts culturel et idéologique. Après qu'Abe eut donné son sensationnel discours à Harvard, expliquant au public qu'ils étaient des élitistes déguisés en égalitaires — «Eh bien ! me dit le Dr Schley. Qui d'autre avait l'érudition, l'assurance, l'autorité pour dire cela ! Et si facilement, si naturellement !»

Quant à Ravelstein, jamais de la vie il ne pourrait simplement *avoir* un médecin. Il avait besoin de savoir quoi penser de tous ceux à qui il avait affaire. Il avait une curiosité insatiable, non seulement à l'égard des étudiants qu'il attirait, mais aussi des commerçants, des ingénieurs en hifi, des dentistes, des conseillers en placements, des coiffeurs et, naturellement, des médecins.

«Schley est le patron ici, dit-il. L'influence prépondérante. C'est celui qui définit les politiques. Il gouverne tous les services et renvoie tous les patients à ses propres gens — comme il l'a fait avec moi. Mais il y a sa vie familiale…

— Je n'ai jamais songé à sa vie privée.

— Avez-vous rencontré son épouse?

— Jamais.

— Eh bien, tout concorde pour dire que c'est le royaume des femmes là-bas. L'épouse et les filles tiennent fermement la barre. Sa vraie vie est ici, entre la clinique et les labos.

— Vraiment? C'est souvent le cas avec les gens disciplinés…

— Comme vous-même, Chick. Vous devriez le savoir, vous ne manquez pas d'expérience dans ce domaine.»

Je dis : «Un exemple de plus de Fils de l'homme n'ayant pas de lieu où il puisse reposer sa tête.

— Allons, ne commencez pas à vous plaindre. Vous avez tout monté vous-même, tout. Aucune raison de vous plaindre», dit Ravelstein.

Je ne pouvais le contester. Tout ce que je pouvais dire, c'était que le médecin n'avait pas d'ami, pas de Ravelstein, pour le remettre dans le droit chemin.

«Le pauvre Schley devient de plus en plus médicalement correct, poursuivit Ravelstein. Sa femme est une dure à cuire, et puis il y a les deux filles non mariées. Des activistes, toutes les trois, engagées dans des causes telles

94

que le féminisme et la défense de l'environnement. Le doc est donc un tyran à la clinique et la cinquième roue du char à la maison.

— Je l'ai mis en rogne, moi aussi, dis-je. Un véritable ami vous aurait arraché votre cigarette ! »

Je ne disais à Ravelstein rien qu'il ne sût déjà. Il ne ratait pas grand-chose.

La BMW 740 était prête — livrée une heure avant l'arrivée de Nikki. Il vint aussitôt à l'hôpital. Ravelstein était toujours incapable de marcher et n'avait qu'un usage limité de ses bras et de ses mains. Il pouvait fumer, il pouvait composer des numéros de téléphone — pour le reste, il était, selon l'expression française qu'il préférait, *hors d'usage**. Dès l'arrivée de Nikki, Rosamund et moi nous retirâmes et attendîmes dehors.

Au bout d'un moment, Nikki ressortit, le visage en larmes. Il discutait très rarement de Ravelstein avec moi ou d'autres amis. Il nous acceptait parce que nous avions la caution d'Abe. Nous étions ceux avec qui Abe débattait de questions pour lesquelles lui, Nikki, n'avait aucun intérêt. Bien sûr, Nikki avait son propre avis sur chacun d'entre nous. Et Abe avait appris à prendre ses jugements au sérieux.

« Vous devez descendre immédiatement et prendre possession de votre nouvelle voiture », dit Rosamund.

Nous descendîmes avec lui et vîmes Nikki se mettre au volant. Le chauffeur du concessionnaire avait attendu pour lui faire une démonstration, expliqua plus tard Nikki, de tous les équipements spéciaux de la rutilante 740. Je jetai un coup d'œil aux boutons et aux voyants de la planche de bord — on aurait dit le cockpit d'un avion de chasse. Tout cela me dépassait — j'aurais été incapable de mettre en marche le dégivrage ou d'ouvrir le capot.

Ravelstein voulait évidemment distraire Nikki des réalités médicales avec ce jouet formidable. Il n'y réussit que partiellement. Il y avait un certain plaisir à se glisser dans le siège du conducteur, mais Nikki me dit qu'il ne retournait pas en Suisse. Tout cela était présentement suspendu. Il devrait abandonner l'école hôtelière.

Quand le moment arriva du retour au bercail, Abe dit qu'il ne voulait pas d'une ambulance. Nikki l'emmènerait dans la nouvelle 740. La position du Dr Schley était que, Ravelstein ne pouvant marcher, ne pouvant se redresser, il devait être transporté sur un chariot d'hôpital. Abe protestait qu'il n'y avait nul besoin de chariot, de civière ni d'ambulance. Des étudiants et des amis le transféreraient d'un fauteuil roulant dans la 740.

Schley se montra inflexible. Il ne le laisserait pas sortir, disait-il. Abe finit par se soumettre et on le souleva, literie comprise, pour le déposer sur le chariot. Il resta silencieux, mais ni maussade ni rancuneux. Il n'avait pas la maussaderie ni la bile des malades.

La 740 était déjà au garage. Un coup de fil la ferait venir à la porte en quelques minutes.

Je relisais les Mémoires de Keynes, que Ravelstein m'avait recommandés comme modèle à suivre. Il y avait toujours un livre pour occuper les heures dans la salle d'attente du service de réanimation, ou quand le patient était endormi ou plongé dans ses réflexions — semblant dormir. Pour attendre l'ambulance, je m'assis dans la cour de l'immeuble de Ravelstein en compagnie de Rosamund et lus J. M. Keynes.

La question en jeu dans le compte rendu de Keynes était la remise de l'or par les Allemands en 1919 pour financer l'achat de nourriture destinée aux villes affamées par le blocus. La commission chargée d'exécuter la convention d'armistice avait son siège à Spa, ville d'eaux à la mode sur la frontière belge, qui avait été le Grand Quartier général de l'armée allemande. La villa de Ludendorff s'y trouvait, et la villa du Kaiser, et celle de Hindenburg — on sentait aussitôt que Keynes écrivait à l'intention de ses ésotériques intimes de Bloomsbury, et non pour la masse des lecteurs de journaux.

Le sol belge était hanté, disait-il. « L'air était toujours chargé des émotions de cet immense cataclysme. Le lieu était mélancolique de la théâtrale mélancolie teutone des bois de pins noirs. » Je fus très intéressé d'apprendre que Keynes tenait Richard Wagner pour directement responsable de la Première Guerre mondiale. « Manifestement, l'idée que se faisait le Kaiser de lui-même sortait de ce moule. Et qu'était Hindenburg sinon la basse, et Ludendorff sinon le ténor obèse d'un opéra wagnérien de troisième ordre ? »

Il y avait cependant le danger que l'Allemagne sombre dans le bolchevisme. Entre la famine et les épidémies, les chiffres de la mortalité étaient dangereux pour les Alliés, dit Lloyd George à la Conférence. Clemenceau, dans sa réponse, « voyait que force lui était de concéder un bon arrangement ». « Force m'est » était une expression qu'on n'employait plus aujourd'hui, dis-je à Rosamund.

Mais les Français restaient réticents devant la proposition des Allemands de payer leur approvisionnement en or. Clemenceau revendiquait l'or allemand pour les réparations. L'un des ministres français, un Juif du nom de Klotz, déclara que les Allemands affamés devraient être autorisés à payer leurs rations par tout autre moyen à leur convenance, mais pas en or. Il lui était impossible d'en démordre sans compromettre les intérêts de son pays, « qui (se gonflant et tentant de se donner une apparence de dignité) avaient été placés entre ses mains ».

Lloyd George — pourquoi suis-je sans cesse ramené à

cela? Je ne peux pas expliquer pourquoi cela m'affecte tant — se tourna alors vers M. Klotz avec haine, écrit Keynes. «Voyez-vous à quoi il ressemble? — un petit Juif bedonnant à grosse moustache, à l'œil instable et vagabond et aux épaules légèrement voûtées par un besoin instinctif de se faire pardonner. Lloyd George l'avait toujours haï et méprisé. Et il vit alors en un éclair qu'il pouvait le tuer. Des femmes et des enfants mouraient de faim, s'écria-t-il, pendant que M. Klotz discourait à n'en plus finir sur son "ooor". Il se pencha en avant et, d'un geste de la main, montra à tout le monde l'image du Juif hideux agrippant sa bourse. Ses yeux étincelèrent et les mots sortirent de sa bouche avec un mépris si violent qu'il semblait presque lui cracher dessus. L'antisémitisme, jamais très profondément enfoui dans une telle assemblée, inonda tous les cœurs. Tout le monde dévisagea Klotz avec une bouffée de haine et de mépris : le pauvre homme était plié sur son siège, tout tremblant... Puis, se retournant, il [Lloyd George] conjura Clemenceau de mettre fin à ces obstructions; sinon, s'écria-t-il, M. Klotz, rejoindrait Lénine et Trotski parmi les propagateurs du bolchevisme en Europe. Le Premier ministre s'interrompit. Tout autour de la salle, on pouvait voir les participants sourire et murmurer à leur voisin : "Klotski."»

Un autre Juif, celui-là au service du gouvernement allemand, était le Dr Melchior. Il n'était pas aussi bien placé dans sa délégation que Keynes; Keynes siégeait à côté de Lloyd George et face à Herbert Hoover chaque fois que la discussion portait sur les céréales, les salaisons ou les arrangements financiers. Melchior semblait être du même sentiment que Keynes. Dans le récit de Keynes, Melchior a «le regard fixe, des lèvres lourdes, un air désarmé... comme un honorable animal pris de douleurs. Ne pourrions-nous pas rompre avec les formalités creuses de cette conférence, le triple portail des triples interprétations, et parler de la vérité et de la réalité comme des gens raisonnables et sensés?».

L'Allemagne était affamée, la France presque saignée à mort. Les Anglais et les Américains entendaient réellement fournir de la nourriture. Il y avait des tonnes de cochonnailles qui attendaient l'ordre de Herbert Hoover pour que les livraisons commencent. «Je reconnus que nos récentes actions n'avaient pas été de nature à le convaincre d'ajouter foi à notre sincérité ; mais je le [Melchior] priai de croire que moi, au moins, à cet instant, j'étais sincère et honnête. Il fut aussi ému que je l'étais, et je pense qu'il me crut. Nous restâmes tous deux debout tout au long de la rencontre. D'une certaine manière, j'étais amoureux de lui... Il appellerait Weimar au téléphone et les presserait de lui accorder une certaine latitude... Il parlait avec le pessimisme enflammé du Juif.»

L'endroit où je me tenais pour lire, où Rosamund et moi attendions l'ambulance qui ramenait Ravelstein chez lui, était une petite cour sur laquelle ouvrait le portail en fer forgé. Un bassin en pierre, des arbustes, de l'herbe — il y avait même des fleurs d'ombre. Des grenouilles et des crapauds eussent été du meilleur effet, mais il aurait fallu les importer. D'où auraient-ils pu venir ? Il n'y avait aucun batracien dans les kilomètres carrés de béton qui entouraient ce sanctuaire. Cette cour était un peu comme un sas de décompression. À certains des enseignants-locataires elle pouvait rappeler les fabriques construites par les gentlemen anglais du xviiie siècle. On avait besoin de se protéger un peu des faits bruts. Pour avoir pleinement conscience à la fois du sanctuaire et du taudis, il fallait être un Ravelstein. « *Là-bas,* disait-il en riant, les flics vous conseilleront de ne pas stopper aux feux rouges. Dans cette jungle, vous risquez d'y laisser votre peau si vous vous arrêtez.» Il ne faut pas se laisser engloutir par l'histoire de sa propre époque, disait souvent Ravelstein. Il citait Schiller dans le même sens : «Vivez avec votre siècle, mais ne soyez pas sa créature.»

L'architecte qui avait placé là une petite arcade de l'Alhambra, avec des jeux d'eau et des plantes d'ombre, avait tout à fait la même idée : «Vivez dans cette ville, mais soyez étrangers à elle.»

Rosamund, qui était assise à côté de moi sur le rebord du bassin de pierre, ne se sentait pas exclue quand je lisais.

Il avait fallu du temps à Ravelstein pour s'habituer à nous voir, Rosamund et moi, comme un couple. Il y avait quelque chose d'étrange là-dedans, parce qu'il portait un intérêt peu commun à ses étudiants, et Rosamund était du nombre. Il aurait dit, si je l'avais interrogé à ce sujet, qu'étant donné le genre d'éducation qu'ils recevaient, avec son accent inhabituel «sur les affects» — sur l'amour, pour ne pas tortiller —, il aurait été irresponsable de prétendre dissocier l'enseignement de l'appariement des âmes. C'était sa manière un peu désuète de le formuler. Naturellement, il y avait un mot grec pour cela, mais il ne faut pas me demander de mémoriser tous les mots grecs que j'entends sortir de sa bouche. Éros était un *daimon*, un génie ou démon fourni par Zeus en compensation de la cruelle fracture de la totalité humaine androgyne originelle. Je suis certain d'être au point sur cette partie du mythe sexuel aristophanien. Avec l'aide d'Éros, nous persévérons, tous autant que nous sommes, cherchant notre moitié manquante. Ravelstein était parfaitement sérieux quant à cette quête mue par le désir. Tout le monde n'éprouve pas ce désir, ou ne le reconnaît pas quand il l'éprouve. En littérature, Antoine et Cléopâtre l'avaient, Roméo et Juliette l'avaient. Plus près de nous, Anna Karénine et Emma Bovary l'avaient, la Madame de Rénal de Stendhal, dans sa simplicité et son innocence, l'avait. Et d'autres, bien sûr, ignorants, incapables de le reconnaître ouvertement, l'ont sous une forme obscure. Ravelstein était constamment à l'affût de cela, et avec une telle intensité qu'il était à deux doigts d'arranger des mariages. Tirant tout ce qu'il était possible de tirer de ces besoins puissants, mais incomplets. Un bon palliatif à la douleur pas toujours consciente du désir avait une importance significative en soi. Nous devons continuer à vivre, d'une manière ou d'une autre. Des mariages doivent avoir lieu. Dans l'adultère, hommes et femmes cherchent un bref sursis à la douleur perpétuelle de la privation. Ce qui faisait de l'adultère un péché véniel aux yeux de Ravelstein, c'était que la souffrance de nos désirs nous tenaille impitoyablement. «Âmes sans désir» avait été le titre de travail de son fameux livre. Mais, pour la plus grande part de l'humanité, les désirs ont été, d'une manière ou d'une autre, éliminés.

— Comment en suis-je arrivé là?

Je suis obligé, en observateur honnête, de montrer clairement comment Ravelstein fonctionnait. S'il s'intéressait à vous, c'était selon cette perspective qu'il vous croquait. Vous ne pouvez imaginer la somme de réflexions qu'il consacrait à chacun des cas, l'attention avec laquelle il observait les étudiants qu'il avait acceptés pour une formation supérieure ou ésotérique, ceux qui étaient prêts à rompre avec l'orthodoxie dominante des sciences sociales. Si les étudiants suivaient Ravelstein, ils auraient du mal à trouver du boulot. Il fallait donc songer à la manière d'assurer l'avenir des jeunes gens qui étaient élus. D'un point de vue professionnel, ils avaient fait un choix fantasque. Ravelstein sollicitait fréquemment mon opinion. «Et si Smith se mettait avec Sarah? Il a des tendances homosexuelles, mais il ne sera jamais un homo. Notre Sarah est une jeune femme très sérieuse — disciplinée, dure à la tâche, adorant ses livres. Pas un génie, mais elle a beaucoup de qualités. Elle pourrait avoir ce brin de masculinité qui ferait le bonheur du jeune Smith. »

Il était tellement habitué à méditer ce genre d'arrangements qu'il avait apparemment eu quelque chose dans l'esprit pour moi après que Vela eut divorcé. Mes erreurs étaient si claires qu'on ne pouvait espérer que je fasse quoi que ce soit proprement. Il avait finement prophétisé, sept ou huit ans auparavant : « Vela en aura bientôt assez de vous. Elle court les conférences aux quatre coins du monde. Elle ne passe jamais une semaine d'affilée à la maison. Tandis que vous avez tendance à jouer les époux soumis, Chick. Ce n'est que pour la respectabilité qu'elle a besoin d'un mari. Je ne pense pas que les hommes soient sa préoccupation première. C'est un cas ; elle a l'étoffe d'une beauté, mais ce n'est pas une beauté, quoi qu'elle fasse pour s'habiller et se maquiller. Mais vous, qui êtes un artiste, Chick, vous avez remarqué qu'elle recelait quelque chose qui avait trait à la beauté. C'est un fait qu'elle a de beaux yeux, mais, à y regarder de plus près, il y a en elle une sorte de raideur prussienne. Et lorsqu'elle vous examine, vous n'êtes manifestement pas à la hauteur. Mentalement parlant, elle va vers vous, mais ensuite, elle s'éloigne aussi vite que ses talons hauts l'emporteront. C'est un cas, Chick. Mais vous n'êtes pas triste non plus. Les artistes tombent amoureux, bien sûr, mais l'amour n'est pas leur don principal. Ils aiment leur charge éminente, l'expression de leur génie, mais pas des femmes véritables. Ils ont leur propre espèce de force motrice. Goethe, par exemple, avait bien sûr son *daimon*, il en parlait sans cesse à Eckermann. Dans son vieil âge, il est tombé amoureux d'une très mignonne petite chose.

Mais, bien sûr, cet amour était *dérisoire** — une pure absurdité... »

Telle était sa manière de laisser une question ouverte — pas entièrement flatteuse, mais il ne flattait jamais personne, pas plus qu'il ne vous disait tout dans le but de vous réduire au silence. Il pensait simplement qu'une disposition à laisser attaquer et réduire en cendres la structure de votre amour-propre était une mesure de sérieux. Un homme devait être capable d'entendre, et de supporter, le pire de ce qui pouvait être dit de lui.

Mais, quelque temps auparavant, à sa manière merveilleusement châtiée mais aussi fantastiquement maladroite, Vela avait déjà entamé une procédure de divorce. Il apparut qu'elle avait engagé un avocat depuis plus d'un an. Cet avocat, une femme appartenant à un formidable cabinet du centre, connaissait mes avoirs au centime près, et la demande de Vela était de vingt-cinq pour cent de mon compte en banque, net d'impôts. Elle se rendait régulièrement au centre pour se faire coiffer et dessiner les sourcils, ainsi que pour courir les boutiques de vêtements et les chausseurs. Souvent, elle déjeunait avec une amie — ou avec l'avocate.

Nous n'avions aucune routine domestique. Ce que nous avions était un arrangement informel — un foyer, pas un lieu d'amour conjugal, ni même d'affection. Quand les provisions baissaient, Vela allait au supermarché et achetait à tour de bras — des pommes, des ananas, des viandes pour le congélateur, des cakes, des puddings au tapioca pour le dessert, du thon en boîte et des harengs à la tomate, des oignons, du riz, des céréales pour le petit déjeuner, des bananes, des salades, des melons. J'avais essayé plusieurs fois de lui enseigner la manière de choisir un melon en flairant sa base, mais elle ne voulait manifestement pas être vue en train de faire quelque chose d'inconvenant pour une personne de sa beauté et de sa classe. Elle achetait du pain tranché et des petits pains au lait, de la poudre à laver pour le lave-vaisselle, de la paille de fer pour les casseroles. Plusieurs centaines de dollars de provisions étaient ensuite livrées dans des boîtes en carton. Après avoir fait ses courses, elle ne revenait pas à l'appartement, mais allait à l'université. J'accueillais le livreur et remplissais le frigo et les placards. J'écrasais les cartons et je les descendais par l'ascenseur. J'étais en bons termes avec le concierge et je ne voulais pas l'ennuyer avec nos détritus.

Kerrigan, le poète et traducteur qui vivait au-dessus de nous avec sa belle-mère, me demanda un jour pourquoi j'étais obligé de m'occuper moi-même de mes ordures, et quand je lui expliquai ma relation avec le concierge, il me dit : « Tout le monde sauf vous se fait respecter. » Ma réponse fut que c'était peut-être vrai, mais que le concierge devait être ménagé et que l'homme manifestait tacitement qu'il souhaitait voir sa dignité prise en compte. Et que je préférais me charger des cartons aplatis que d'avoir à songer à son besoin d'être estimé.

Vers la fin, sans saisir à quel point l'issue était proche, j'essayais toujours de décrypter Vela, de comprendre quelque chose à ses motivations. Elle préférait les actes aux mots, reconnaissant qu'elle ne pouvait lutter avec moi sur ce plan-là, et, un jour où je lisais un livre (ma nécessaire ration de mots), elle entra dans la pièce entièrement nue, vint jusqu'à mon lit et frotta son pubis contre ma joue. Quand je réagis comme elle devait savoir que je le ferais, elle fit demi-tour et s'en alla avec l'air de celle qui avait prouvé quelque chose. Elle avait gagné haut la main sans avoir à dire un mot. Son corps parlait pour elle, et très efficacement avec cela, disant que la fin était proche.

Il n'y avait rien dans le livre que je lisais au lit qui me fût de la moindre utilité. Je ne pouvais pas non plus poursuivre Vela pour lui demander : «Que signifie ce comportement?» Le vaste appartement était divisé en zones — elle avait les siennes, j'avais les miennes. Il aurait fallu que j'aille la chercher — et elle aurait de toute façon refusé de discuter du message qui venait d'être transmis.

Je me tournai donc vers Ravelstein. Je l'appelai pour lui dire que j'avais besoin de lui parler immédiatement et je pris ma voiture pour traverser la ville, une distance de vingt kilomètres. J'avais tout calculé — cinq blocks par kilomètre, comme posé par nos urbanistes ou pères fondateurs.

À mon arrivée, j'acceptai pour une fois son offre d'une tasse de son café. J'avais besoin de boire quelque chose de fort. Je savais bien sûr quelle passion il avait pour le genre d'incident que j'étais sur le point de lui raconter. Les improvisations saugrenues de créatures en état de stress — plus elles étaient outrancières, plus il les chérissait.

«À poil, hein? Elle faisait une déclaration, comme on dit. Et quelle a été votre impression? Que vous disait-elle à sa manière fruste?

— Mon impression est qu'elle disait qu'elle n'était plus disponible.

— La porte, hein? Et vous ne vous y attendiez pas — ou aviez-vous le pressentiment que cela allait arriver?

— Je l'ai certainement vu venir. Elle et moi n'avons jamais embrayé.

— Mais je me demande s'il y a des faits qui auraient pu vous échapper, Chick. Je ne vous fais pas grief de demander qu'elle se conduise comme une épouse le devrait, selon vos lumières. Mais elles ont des lumières aussi, les femmes. Elle jouit d'une réputation considérable dans son propre domaine. C'est une scientifique de haut niveau, me dit-on, et elle ne se sent peut-être pas de vous faire la popote — de pointer à cinq heures pour éplucher les patates.

— Elle a grandi dans un pays affamé...

— Pour le commun des mortels, ça en impose, une physicienne du chaos — je ne sais pas de quoi il s'agit, mais cela passe pour très prestigieux. Il n'y a que *vous* qui ne le reconnaissiez pas.

— Elle est venue me dire que son corps ne serait plus disponible. Lorsqu'il s'agit de communiquer quoi que ce soit d'important, elle a toujours préféré les actes aux mots. Quand elle a lâché la nouvelle de notre prochain mariage à sa mère, elle a attendu le moment de l'embarquement à l'aéroport, le jour du vol de retour de maman en Europe, et, au dernier instant possible, elle a déclaré : "J'ai décidé d'épouser Chick." La vieille me haïssait. Vela voulait faire croire qu'elle aimait sa maman, mais en fait elle s'ingéniait à la contrarier.

— Mais l'inverse est vrai ? demanda Ravelstein.

— Je ne connais pas la véritable réponse, et personne ne la connaît. Les gens se donnent le mal d'organiser une vision d'eux-mêmes, et cette vision leur donne la consistance, ou l'apparence de consistance, que la société semble exiger. Mais Vela n'a pas réellement de vision organisée...

— O.K., O.K., dit Ravelstein. Mais votre idée était qu'elle en viendrait à vous aimer. Elle vous aimerait parce que vous êtes aimable. Mais votre Vela réserve son intellect à la physique. L'idée de mener une chaleureuse vie de famille est son repoussoir numéro un. De là, nous passons au supermarché, où Vela achète pour plusieurs centaines de dollars de bouffe qu'elle fait livrer dans des cartons par de jeunes criminels qui sont surveillés par des officiers de probation. Vous n'avez qu'à cuisiner cette merde vous-même, la manger tout seul, et récurer les casseroles. Tout comme le faisait votre mère après avoir préparé un vrai repas à votre famille, cuisiné avec amour. Vous pensiez que si vous arriviez à lui faire préparer vos dîners avec amour, elle en viendrait à vous aimer. Elle réplique donc de manière satirique : elle vous expédie les provisions. Car elle appartient à un univers entièrement différent. Et vous appartenez à un troisième univers, l'univers crépusculaire des Juifs à l'ancienne mode. L'âme de l'autre est une sombre forêt, comme disent les Russes... vous aimez les adages russes.

— Pas présentement, non.

— Eh bien, je vous accorderai que les Russes ne sont pas aussi humains qu'ils voudraient que nous le pensions. Tous ces empires orientaux sont policiers.

— Et la forêt obscure est l'âme, mais vous n'avez aucune chance de vous cacher de la Guépéou. Je ne suis pas d'humeur à plaisanter, cependant.

— Je sais, dit Ravelstein. Elle vous a signifié que vous n'aviez plus accès à son corps. Votre bail a expiré. Mais il n'a jamais été question qu'il soit permanent. On ne peut pas demander aux gens de vivre sans amour ni simulacre d'amour. La plupart doivent se contenter d'une bonne petite liaison sexuelle amicale. »

Je ne m'attendais pas que Vela vienne au tribunal une fois les formalités accomplies, mais elle fit son apparition, dans une veste boutonnée jusqu'au cou, plus proche de l'écu que du vêtement féminin, boutons de cuivre de la gorge aux genoux, avec le maquillage et la permanente d'une danseuse de salon. Il est probablement impossible de traduire les messages qu'elle émettait. J'avais eu ma chance, accordée avec une générosité extraordinaire, royale, et il était manifeste que je n'avais pas su la saisir.

Elle avait échafaudé une rationalité ésotérique qui était totalement indéchiffrable, mais fondée sur des principes à dix-huit carats. Il y avait néanmoins une boiterie dans sa superbe. Si vous pensiez pouvoir dire d'où elle venait, vous faisiez erreur. «Il a pu sembler qu'un tel homme [Chick] pouvait être mon mari, mais c'était une erreur — Q.E.D.» Elle s'en alla de sa démarche caractéristique, dont chaque pas était un coup de pelle — seuls les doigts de pied jouaient. Les talons étaient à leur propre affaire. Cela n'avait rien de grotesque. C'était curieusement expressif, mais personne ne serait jamais capable de dire ce que cela signifiait.

Rosamund n'avait pas été une star du séminaire de Ravelstein, mais une excellente élève en son genre. «Elle fait le travail aussi bien qu'une autre. Son grec est plus que convenable et elle ne rate rien, comprend les textes à la perfection. Très nerveuse et manquant de confiance en elle-même. Et elle est très séduisante, n'est-ce pas? Pas une voluptueuse, mais authentiquement jolie.»

Il ne le savait pas, mais, pour une fois, je l'avais devancé. Je n'allais pas laisser Ravelstein sonder Rosamund pour mon compte. Je ne pouvais lui permettre d'arranger mon mariage comme il le faisait pour ses étudiants. S'il n'avait aucun intérêt pour vous, il se contrefichait de ce que vous faisiez. Mais si vous étiez de ses amis, c'était une mauvaise idée, pensait-il, de prendre vous-même vos affaires en main. Cela le troublait immensément de ne pas être mis au courant de tout par ses amis — surtout ceux qu'il voyait quotidiennement.

L'ambulance qui ramenait Ravelstein chez lui depuis l'hôpital vint se ranger souplement contre le trottoir, et Rosamund et moi nous levâmes. J'étais en train de lire les lettres que Keynes avait écrites à sa mère sur ses tâches de représentant du chancelier de l'Échiquier au Conseil économique suprême. En silence, la civière à roulettes passa rapidement devant nous et je vis le melon nu et lisse du crâne de Ravelstein nous précéder à travers les arches alhambresques de l'arcade et au-delà des plantes d'ombre et de l'eau qui dégoulinait dans le bassin moussu. Nikki se précipita à la suite de la civière entre les portes vitrées à cadre de cuivre.

Rosamund et moi empruntâmes l'ascenseur jusqu'au sommet de l'immeuble. Des garnements appuyaient sur tous les boutons si bien que, très souvent, on s'arrêtait à chaque étage. Les innombrables ouvertures et fermetures de porte faisaient de la montée un trajet d'un quart d'heure, et, quand nous arrivâmes, Ravelstein était déjà au lit — mais pas dans son lit à baldaquin. Un lit d'hôpital avait été commandé, au-dessus duquel un mécanicien installait un large triangle, équilatéral, en acier inoxydable tubulaire. Ravelstein pouvait l'utiliser pour se recaler. Quand il devait passer dans un fauteuil pour la kinésithérapie, la base du triangle était glissée sous ses cuisses. Tandis qu'il agrippait faiblement le tube d'acier, la chaise de calfat était hissée très lentement par une petite machine ronronnante située au pied du lit. Soudain, on voyait ses jambes décharnées se soulever et sortir des draps. Et comme il ne pouvait ouvrir entièrement les paupières, l'air d'inquiétude n'était qu'à demi formé.

Peut-être songeait-il à la matière, à la gestion physique de la vie, aux innombrables façons qu'il y avait d'être abîmé, blessé, tué même — un genre de réflexion inhabituel chez lui. Une infirmière était soudain apparue, et le mécanicien (un technicien de l'hôpital) se plaça à son côté en appui. Ravelstein fut basculé par-dessus le bord du lit et abaissé, très lentement, dans le fauteuil roulant. L'objectif du Dr Schley était de remettre Abe sur ses pieds afin qu'il reconstruise ses muscles. Les longues, longues jambes n'avaient pas de mollet et on voyait courir les veines le long des faces internes de ses bras blêmes. On ne pouvait s'empêcher de penser au sang contaminé qui coulait dedans. Tandis que l'infirmière s'efforçait de couvrir ses parties génitales, il semblait méditer une question pressante — peut-être si cela rimait à quelque chose de lutter si dur pour vivre. Cela ne rimait à rien, mais il luttait tout de même. Il agrippa l'acier, qui devait être très froid, les deux poings tout près de ses grandes oreilles, vers les quelques cheveux qui hérissaient son occiput, en dessous de la ligne de calvitie. Il y a des crânes chauves qui proclament leur puissance. Celui de Ravelstein avait été de ceux-là. Mais il avait versé à présent dans la variété vulnérable. Je crois qu'il savait quel tableau il présentait, «guindé» dans une sorte de harnais de chantier naval, ouvert aux terreurs — à une hystérie ridicule. Mais voilà qu'il était détaché de son triangle et déjà assis dans son fauteuil roulant; le triangle glissa le long de ses jambes et Nikki l'emmena faire le tour de l'appartement. Rosamund et moi suivions de pièce en pièce.

Rien n'avait été dérangé. L'entretien de l'appartement était assuré par deux femmes — la Polonaise, Wadja, qui faisait le ménage le mardi, et la Noire, Mme Ruby Tyson (beaucoup trop âgée pour travailler vraiment), qui venait le vendredi. Le rôle de Mme Tyson était de maintenir la dignité des maisonnées qui l'employaient. Pour Wadja, Ravelstein n'était qu'un Juif tapageur de plus — son imagination débridée s'était représenté l'argent qu'il contrôlait, et il était chahuteur, incompréhensible. Ruby le cernait mieux : c'était un professeur, un Blanc mystérieux. Il s'intéressait d'aussi près qu'il était possible pour un Blanco à ses problèmes avec sa fille prostituée, son fils criminel embastillé, et l'autre fils dont les maladies liées au VIH et le méli-mélo de femmes et d'enfants étaient trop compliqués pour être décrits. Par de calmes après-midi, Ravelstein écoutait parfois, compatissant, à demi endormi, les histoires de Ruby Tyson — qui échappaient en réalité à sa compréhension et au cadre de ses intérêts. La vieille femme présentait une façade tranquille, digne et tristement réservée. Vous pouvez imaginer comment Ravelstein écoutait; le chaos que devait être la vie de ces gens-là. Cette brave vieille femme avait appris le jeu des Blancs par les doyens, présidents et autres bureaucrates universitaires dont elle faisait les lits et époussetait les salons. Et, bien sûr, leurs problèmes familiaux, les ésotériques secrets psychiatriques de leurs femmes, elle les rapportait à Ravelstein par brassées. Chez lui, elle ne faisait rien; la plus grosse partie du temps qu'il lui réglait, elle était assise sur un tabouret de bar dans la cuisine. De temps à autre, elle en descendait et cuisinait une tarte. La solide, forte et agressive Wadja frottait et récurait. C'était Wadja qui poussait les meubles, nettoyait les W.-C., passait l'aspirateur, grattait les casseroles, lavait le cristal. Vite échauffée, elle ôtait sa robe et son slip. Elle travaillait vêtue d'un soutien-gorge géant et d'une imposante culotte de Zouave.

À la vue de Ravelstein dans le fauteuil roulant, le visage de Wadja fut tiraillé entre la compassion et l'ironie — un sourcil interrogateur. Une masse de commentaires en suspens glissa le long de la pente de son visage de carlin. Eh bien, ça allait très mal! Mais, n'empêche, c'était quand même un Juif. On l'entendait parfois murmurer «Moishala» tandis qu'elle essuyait ou astiquait quelque chose. Très affaibli les tout premiers jours, Ravelstein la saluait d'un mouvement de l'index, en disant à Nikki : «Pour l'amour du Ciel, empêche-la de toucher aux Lalique.»

«Elle rince les verres à vin sous le robinet, m'avait dit Ravelstein. Elle les cogne et fait sauter des éclats. Je lui ai montré les dégâts. Elle s'est mise à pleurer. Elle disait qu'elle m'en achèterait des neufs chez Woolworth. Je lui ai dit : "Savez-vous combien coûtent ces verres de Lalique ?" Quand j'ai cité un chiffre, elle a souri. Elle a dit : "Vous plaisantin, monsieur."

— Vous lui avez dit le prix ?

— On ne peut s'empêcher de penser que ces femmes-là sont tout aussi brutales avec les pénis, disait-il. Imaginez donc — s'ils étaient en verre. »

Ce pourrait être le moment de fournir une certaine quantité de documents pour montrer ce que je représentais pour Ravelstein et ce qu'il représentait pour moi. Cela ne fut jamais entièrement clair ni pour l'un ni pour l'autre — les personnes concernées. Ravelstein n'aurait vu aucun intérêt à en débattre. Il se disait plus que satisfait que je pusse suivre à la perfection tout ce qui se disait. Quand il était malade, nous nous voyions quotidiennement, et nous avions aussi de longues conversations téléphoniques, comme il se doit entre amis proches. Nous étions des amis proches — qu'ajouter de plus ? Dans les tiroirs de mon bureau, je trouve des chemises contenant des pages et des pages au sujet de Ravelstein. Mais ces informations *semblent* seulement traiter le sujet. Il n'existe pas de formulation moderne recevable pour l'examen d'une amitié ou de toute autre forme supérieure d'interdépendance. L'homme est une créature qui a quelque chose à dire de tout ce qu'il y a sous le soleil.

Ravelstein était prêt à tout déballer devant moi. Mais pourquoi donc se donnait-il la peine de me raconter pareilles histoires, cet imposant Juif de Dayton, Ohio ? Parce qu'il y avait grande urgence à ce que ce fût dit. Il était positif au test VIH, il était en train de mourir des

113

complications opportunistes. Affaibli, il devint le siège d'une interminable liste d'infections. Il insistait néanmoins pour raconter sans cesse ce qu'était l'amour — le besoin, la conscience de l'incomplétude, le désir de complétion, et comment les affres d'Éros s'accompagnaient des plaisirs les plus extatiques.

Le moment est aussi bon qu'un autre pour rappeler que, de mon côté, j'étais libre de confesser à Ravelstein ce que je n'aurais livré à personne d'autre, de décrire mes faiblesses, mes vilains secrets honteux, et toutes les mascarades qui vous épuisent. Le plus souvent, il trouvait mes confessions terriblement drôles. Les plus drôles d'entre toutes étaient les meurtres en pensée. Peut-être leur donnais-je une tournure comique, involontairement. Enfin, il les trouvait tordants et disait : « Avez-vous jamais lu le Dr Theodore Reik, le célèbre psychanalyste schleu ? Il disait qu'un meurtre en pensée par jour valait toutes les cures. »

Que je fusse dur avec moi-même semblait, néanmoins, un signe favorable à Ravelstein. La connaissance de soi-même appelait la sévérité, et j'étais toujours prêt à me friter avec ce monstre protéiforme, le moi ; tout espoir n'était donc pas perdu dans mon cas. Mais j'aurais aimé aller plus loin. Mon sentiment était qu'on ne pouvait se livrer complètement à moins de trouver un moyen de communiquer certains « incommunicables » — sa métaphysique privée. Ma manière d'approcher cela était que, avant d'être né, vous n'aviez jamais vu la vie de ce monde. Saisir ce mystère, le monde, était le défi occulte. On débarquait de nulle part, du non-être ou d'un néant primal, dans une réalité totalement développée et articulée. On n'avait jamais vu la vie auparavant. Dans l'intervalle de lumière entre les ténèbres dans lesquelles on attendait la naissance et les ténèbres de la mort qui vous recevraient, on devait faire ce qu'on pouvait de la réalité, qui était à un stade de développement hautement avancé. J'avais attendu des millénaires pour voir cela. Puis, quand j'avais appris à marcher — dans la cuisine —, on m'avait envoyé dans la rue l'examiner de plus près. L'une de mes premières impressions me fut procurée par les immenses poteaux qui s'égrenaient le long des rues. Ils étaient d'une couleur caramel, doux et cariés. Sur leurs traverses, ou leurs bras multiples, ils soutenaient une multitude de fils ou de câbles en un interminable relais contre la chute, qui les relevait, les laissait retomber, les relevait à nouveau. Les étourneaux se perchaient sur ces affaissements contenus, s'envolaient, revenaient se poser. Le long des trottoirs, les briques délavées révélaient leur rouge originel au soleil couchant. On voyait rarement une automobile en ce temps-là. Ce que l'on voyait, c'était des cabs, des fardiers à glace, des haquets à bière, et les énormes chevaux qui les tiraient. Je connaissais les gens par leur visage — rouge, blanc, ridé, tavelé, ou lisse ; souriant, violent ou furieux — leurs yeux, leur bouche, leur nez, leur voix, leurs pieds et leurs gestes. Leur façon de se pencher pour amuser, asticoter ou tourmenter affectueusement un petit garçon.

Dieu m'apparut très tôt. Il avait la raie au milieu. Je compris que nous étions apparentés parce qu'il avait créé Adam à son image, insufflé la vie en lui. Mon frère aîné se coiffait de la même manière. Entre cet aîné et moi s'intercalait un autre frère. Mais c'était notre sœur qui était notre aînée à tous. Enfin… tel était le monde. Je ne l'avais jamais vu auparavant. Son premier don était le don de lui-même. Les objets vous attiraient vers eux et vous retenaient par un impératif magnétique qui était leur simple existence. C'était un privilège que d'avoir la permission de voir — de voir, de toucher, d'entendre. Cela n'aurait pas été impossible à décrire à Ravelstein. Mais il aurait répondu avec dédain que Rousseau avait déjà raconté tout ça dans ses *Confessions* ou ses *Rêveries d'un promeneur solitaire.* Je n'étais pas disposé à voir ces premières impressions épistémologiques devancées ou dédaignées. Durant soixante-dix et quelques années, j'avais perçu la réalité sous ces mêmes auspices. J'avais le sentiment, aussi, que j'avais dû attendre des milliers d'années pour voir, entendre, sentir et toucher ces phénomènes mystérieux — pour prendre mon tour de vie avant de disparaître à nouveau quand mon temps serait achevé. J'aurais pu dire à Ravelstein : « C'était mon unique tour de vie. » Mais il était trop proche de la mort pour qu'on lui parle en pareils termes et je devais abandonner mon désir de me faire pleinement connaître de lui en décrivant ma métaphysique intime. Seul un petit nombre d'âmes singulières ont jamais trouvé le moyen de recevoir pareilles révélations.

Autres impressions d'enfance du monde externe : sur Roy Street, à Montréal, un cheval de trait a glissé sur la chaussée verglacée. L'air est aussi sombre qu'une doublure de manteau grise. Un animal plus petit aurait pu se remettre sur pied, mais cette bête au puissant arrière-train ne parvenait qu'à pédaler en l'air. Le percheron aux longs poils, avec ses yeux ébahis et ses veines saillantes, aurait besoin d'un géant pour le sauver, mais, au coin de la rue, une foule de petits hommes n'a que des suggestions à offrir. Ils disent au flic qu'il a de la chance que le cheval soit tombé dans Roy Street, plus facile à écrire dans son rapport que Lagauchettierre. Il y a une étrange et interminable procession d'écolières en rang par deux dans des uniformes noirs. Le visage aussi blanc que des phtisiques. Les sœurs qui les surveillent gardent les mains au chaud dans leurs manches. Les flaques sont profondes dans cette rue de terre et sont couvertes d'une pellicule de glace.

Chez les enfants, cette impression — la réalité réelle — est tolérée par les adultes. Jusqu'à un certain âge, il n'y a rien à y faire. Dans les familles aisées, cela dure plus longtemps, peut-être. Mais Ravelstein aurait pu plaider qu'il y avait un risque de sybaritisme là-dedans. Soit on continue de vivre dans les épiphanies, soit on s'en détache et on s'attelle aux tâches et offices, on adopte des principes rationnels et on se préoccupe de la société, ou de la politique. Alors, le sentiment d'être venu d'« ailleurs » disparaît. Selon la théorie platonicienne, tout ce que l'on sait est souvenir d'une précédente existence ailleurs. Dans mon cas, l'opinion de Ravelstein était que le sens de l'observation avait été poussé beaucoup plus loin qu'il n'aurait dû l'être et qu'il était cultivé pour sa propre fin étrange. L'humanité a un droit de priorité sur notre attention et je cédais trop à ma « métaphysique personnelle », pensait-il. Sa sévérité me faisait du bien. À ce stade de ma vie, je n'avais plus la ressource de changer, mais c'était une excellente chose, pensais-je, que mes fautes et mes manquements fussent relevés par quelqu'un qui se souciait de moi. Je n'avais aucune intention, cependant, de retirer, par une chirurgie critique, les lentilles métaphysiques avec lesquelles j'étais né.

C'est l'un des pièges que nous dresse une société libérale — elle nous infantilise. Abe aurait probablement dit : « C'est à vous de choisir. Ou bien vous continuez de voir comme un enfant, ou bien. »

Donc, une fois de plus, Ravelstein se remettait d'une nouvelle maladie et apprenait pour ce qui semblait être la dixième fois à s'asseoir dans son lit. Nikki se forma à la manœuvre du triangle de guindage, et, quand Ravelstein commença à faire des progrès, Rosamund et moi suivions Nikki tandis qu'il pilotait le fauteuil roulant. Ravelstein, les yeux mi-clos, avait la tête qui tombait de côté. Propulsé par Nikki, il faisait le tour du vaste appartement — prévu pour des âmes plus heureuses, plus normales. Mais c'était son royaume, avec toutes ses possessions.

Rosamund, les larmes aux yeux, me demanda s'il redeviendrait jamais lui-même.

«Peut-il surmonter le Guillain-Barré? Je dirais que les chances sont de son côté, dis-je. L'an dernier, il a eu un zona — herpès je ne sais plus quoi. Il a surmonté ce zona. Ce combat-là, il l'a gagné.

— Mais combien de fois peut-on gagner?»

«Tout est exactement tel que tu l'as laissé», disait au même moment Nikki à Ravelstein.

Les tapis et les tentures, les appliques de Lalique, les tableaux, les livres et les disques compacts. Il avait vendu sa collection de microsillons, une discothèque importante et choisie, pour emboîter le pas au progrès technologique. Des catalogues de CD lui arrivaient de Londres, de Paris, de Prague et de Moscou, présentant les derniers enregistrements de musique baroque. Les téléphones de ce que Nikki et moi appelions le «poste de commande» étaient débranchés. Seul l'appareil situé dans la chambre de Nikki était, comme il disait, «opérationnel». Dans cette métropole de plusieurs millions d'habitants, on n'aurait pu trouver un autre appartement semblable à celui-ci — avec d'inestimables tapis anciens partout et, sur l'évier, une machine à espresso chuintante de taille commerciale. Mais Ravelstein ne pouvait plus la faire fonctionner. Sur le manteau de cheminée, Judith tenait toujours la tête d'Holopherne par les cheveux. Lui, la bouche ouverte. Elle, les yeux levés au ciel. Le peintre voulait vous faire penser à Judith comme à une simple fille de Sion, une beauté naturelle et chaste, même si elle venait de couper la tête d'un type. Que pensait Ravelstein de tout cela? Il y avait très peu d'indications des préférences sexuelles de Ravelstein dans ses appartements privés. Il n'y avait aucune raison, à aucun égard, de le soupçonner des irrégularités de la sorte la plus commune — le comportement de séduction exotique des homosexuels à l'ancienne mode. Il ne supportait pas le papillonnement des hommes efféminés.

Ce qu'il ressentait lors de ces visites de son appartement en fauteuil roulant transparaissait de manière brûlante : qu'adviendra-t-il de tout cela quand je serai parti ? Il n'y a rien que je puisse emmener avec moi dans la tombe. Ces beaux objets que j'ai achetés au Japon, en Europe et à New York, un peu partout, après tant de réflexions et de discussions avec des experts et des amis... Oui, Ravelstein s'enfonçait. En le voyant dans son fauteuil roulant, enveloppé dans le plaid, son large dos voûté et la tête de melon d'hiver basculée de côté, on aurait pu ne pas se rendre compte à quel point il était physiquement impressionnant, et combien ses lubies, ses tics, ses idiosyncrasies et ses récentes infections comptaient peu. Il y a quelques années, me rendant visite dans ma nouvelle maison de campagne du New Hampshire, Ravelstein me demanda si j'éprouvais un sentiment de propriétaire envers la maison de pierre brute, les vieux érables et les noyers blancs, les jardins. La réponse, conforme à la vérité, était que, si je les aimais bien, tous, je ne m'identifiais pas comme le possesseur de ces quelques arpents et objets. De sorte que, si le pire devait arriver et qu'une milice locale fondait dessus pour m'expulser en tant que Juif étranger, leur crime serait contre le Juif, non contre le propriétaire terrien. Et, en pareil cas, je me ferais du souci pour la constitution des États-Unis, non pour mon investissement. La maison, les rochers, la végétation n'avaient aucune emprise sur mes organes vitaux. Si je devais les perdre, j'irais vivre ailleurs. Mais si la Constitution, le fondement légal de tout cela, devait être détruite, nous retournerions au chaos primordial, m'avertissait-il.

Lors de cette visite, Ravelstein était venu me voir depuis Hanover en prenant l'A91, risquant sa vie dans une voiture de location. Il manquait beaucoup trop de coordination pour conduire sur une autoroute — il était brusque avec le volant. Il n'avait aucune relation avec les véhicules automobiles, sinon comme passager, et il était trop nerveux. En plus, il détestait la campagne.

Il disait, répétant l'opinion de Socrate dans le *Phèdre*, qu'un arbre, si beau à voir, ne prononçait jamais une parole, et que la conversation n'était possible que dans la cité, entre les hommes. Parce qu'il adorait parler, penser tout en parlant, prendre ses aises tandis que le bain des idées débordait — il instruisait, examinait, débattait, conspuait les erreurs, célébrait les principes premiers, mélangeant son grec à une traduction au pied levé et bégayant sauvagement, riant tandis qu'il émaillait ses exposés de blagues juives.

À la campagne, il ne se lançait jamais de lui-même dans la traversée d'un champ. Il *regardait* les bois et les landes, mais n'en avait pas plus d'usage. Quelque part, Rousseau, qui aimait tant les champs et les bois, planait dans l'esprit d'Abe. Rousseau botanisait. Les plantes, cependant, n'étaient pas la tasse de thé de Ravelstein. Il mangeait la salade, mais ne voyait pas l'intérêt de méditer dessus.

Il était venu à la campagne pour me voir, et cette visite était une concession à mon goût inexplicable pour l'isolement et la solitude. Qu'avais-je besoin de m'enterrer au fond des bois ? On pouvait affirmer sans crainte qu'il avait dû examiner mes motivations sous plus d'angles que je ne pourrais jamais en imaginer si je méditais la question pendant une éternité. Il était aussi possible qu'il fût curieux de mon épouse d'alors, Vela — c'était l'époque pré-Rosamund —, essayant toujours de comprendre pourquoi j'avais épousé une telle femme. *Ça*, pour le coup, c'était une question. Il avait une réelle intelligence, voyez-vous, un esprit pénétrant, persévérant, tandis que je n'étais intelligent qu'à l'occasion, par accès. Ce qu'il examinait en détail, sondait à fond, reposait sur un socle de principes éprouvés. — Comment le formuler?... Si nous étions des oiseaux, il était un aigle, tandis que j'étais une sorte de gobe-mouche.

Il savait, cependant, que je comprenais ses principes — il n'était même pas nécessaire de me les expliquer. S'il était victime d'une illusion, c'était que j'étais en quelque manière capable de m'amender, et il était enseignant, voyez-vous. Telle était sa vocation : il enseignait. Nous sommes un peuple d'enseignants. Pendant des millénaires, les Juifs ont enseigné et reçu des enseignements Sans enseignement, la judaïté était inconcevable. Ravelstein avait été l'élève ou, si vous préférez, le disciple de Davarr. Vous n'avez peut-être pas entendu parler de ce formidable philosophe. Ses admirateurs disent qu'il *est* un philosophe au sens classique du terme. Je ne suis pas juge en la matière. La philosophie est un gros morceau. Mes propres intérêts se situent dans une tout autre direction. Dans le cadre de mes limites intellectuelles, je songe à feu Davarr avec respect. Ravelstein parlait si souvent de lui que j'ai fini par être obligé de lire certains de ses livres. Il le fallait bien si je voulais comprendre ce que disait Abe. Dans le temps, je croisais Davarr dans la rue, et il était difficile d'imaginer que ce personnage insignifiant, triplement absorbé, des lunettes modérées couvrant ses jugements enfiévrés, était le démon hérétique haï par les universitaires de tous les États-Unis, et même de l'étranger. En tant qu'un des principaux représentants de Davarr, Ravelstein était haï, lui aussi. Mais cela ne le gênait pas du tout d'être l'ennemi. Il était tout sauf pusillanime. Je n'avais pas grande estime pour les professeurs comme groupe. Ils n'avaient pas eu grand-chose à nous apporter durant ce siècle odieux qui s'achevait à présent. Tel était mon avis, ou ce qu'il avait été.

Il m'est agréable de songer à la semaine de visite à la campagne de Ravelstein. La tranquille Nouvelle-Angleterre en larges panoramiques — rayons de soleil, verdure, la plate-bande de coquelicots rouge orangé à côté des pivoines rouges et blanches.

Jetant un coup d'œil à travers les stores (il les écartait de deux doigts tremblants), il voyait la floraison — c'était le moment où éclosaient les azalées — et trouvait cela fort bien, sauf que le drame des saisons n'avait aucun réel intérêt. Rien à voir avec le théâtre des hommes.

Il demanda : «Votre femme est toujours comme ça ?

— Comme quoi ?

— "*Comme quoi*", qu'il me demande ! Enfermée quatorze heures par jour avec ses livres et ses papiers, Vela cloîtrée dans sa chambrette à la campagne.

— Je vois ce que vous voulez dire. Oui. C'est comme ça qu'elle est avec sa physique du chaos.

— Reste assise sans bouger — sans même respirer. On ne la voit jamais respirer. Comment fait-elle pour ne pas suffoquer ?

— Elle prépare un article. Elle est censée participer à une conférence autour des travaux d'un collègue.

— Elle doit rattraper son déficit de respiration — par à-coups. Je l'ai observée, dit Ravelstein, et je ne pense pas qu'elle inhale, sinon de manière dissimulée.»

Bien sûr, il exagérait. Mais il avait des faits à produire. Qui plus est, il m'avait amené à accepter sa manière de parler d'elle. Avant que je puisse me demander si j'étais d'accord ou non, il m'avait déjà persuadé. Ce qu'il suggérait, c'était que je n'avais pas à accepter le comportement de Vela. Quand nous allions à la campagne, elle s'enfermait dans sa chambre. Deux solitudes étaient ainsi créées. Voilà à quoi ressemblaient nos étés en Nouvelle-Angleterre : sous un soleil, sur une planète, il y avait ces deux existences séparées. Vela était particulièrement belle quand elle était silencieuse. Silencieuse, elle semblait célébrer sa beauté. Ravelstein avait peut-être conscience de cela.

Il vint au New Hampshire pour me voir très brièvement et comprit immédiatement dans quoi je m'étais fourré. Il détestait le cadre bucolique, mais, pour mon bien, il mit sa vie entre parenthèses. Il n'aimait pas quitter son poste au standard de commandement téléphonique de la ville. Être coupé de ses informateurs à Washington et à Paris, de ses étudiants, de ceux qu'il avait formés, de la confrérie, des initiés, des *happy few*, le mettait terriblement mal à l'aise.

«C'est donc ainsi que vous passez vos étés ?» fit-il.

Aussi souvent que possible, il allait passer une semaine, ou, mieux, un mois, à Paris. La ville n'était plus ce qu'elle avait été, accordait-il. Pourtant, il citait fréquemment l'assertion de Balzac selon laquelle aucun événement au monde n'*était* avant d'avoir été examiné, jugé et sanctionné par Paris. Le bon vieux temps était néanmoins passé. Ni les tsarines ni les rois n'importaient plus de poètes ou de philosophes de Paris. Quand des étrangers tels que Ravelstein parlaient de Rousseau à un auditoire français, la salle de conférence était bondée. On pouvait dire que le génie restait le bienvenu en France. Mais très peu d'intellectuels français avaient l'estime d'Abe Ravelstein. Il n'appréciait guère l'antiaméricanisme primaire. Il n'avait aucun besoin d'être aimé ou bichonné par les Parisiens. Dans l'ensemble, il préférait leur méchanceté à leur courtoisie.

Paris (ceci est un aparté important) fut le lieu ou Abe Ravelstein et Vela eurent leur première prise de bec. Il s'y trouvait quand elle et moi nous y rendîmes pour recevoir un prix décerné à des auteurs étrangers. Nous étions descendus à l'Hôtel du Pont-Royal. Impatient, plein d'entrain, pressé de me voir, Ravelstein appela depuis le vestibule et, sans attendre une réponse, entra en coup de vent. Il voulait me serrer dans ses bras — ou Vela, s'il tombait sur elle en premier. Mais elle était en petite tenue et opéra une retraite précipitée en claquant la porte de la salle de bains. Abe et moi, trop heureux de nous retrouver après tant de mois, songeâmes à peine à Vela ou à l'inconvenance de l'irruption de Ravelstein dans notre chambre. Il aurait dû au moins frapper. C'était *sa* chambre, comme elle devait me le rappeler.

J'aurais dû comprendre, à la fureur pimpante de sa retraite, que Ravelstein s'était rendu coupable d'un outrage. Je n'étais pas disposé à tenir compte de son sens des bonnes manières. Elle me dit plus tard qu'elle ne lui pardonnerait jamais son intrusion dans sa chambre. Pourquoi s'était-il précipité sans avertissement, avant qu'elle fût habillée?

« Eh bien, il est impétueux, dis-je. Avec un homme comme Ravelstein, c'est... c'est l'un de ses charmes qu'il agisse selon ses impulsions... »

Cela n'adoucit pas Vela. Chaque mot que je prononçais pour expliquer Ravelstein ou pour le défendre atterrissait directement dans son registre de représailles pour m'être retourné. « Je ne suis pas venue à Paris pour voir tes copains, dit-elle. Ni pour qu'ils me tombent dessus alors que je suis à moitié nue.

— Tu en montres plus à la plage, dis-je. Dans ce qu'une mode minimaliste appelle un maillot de bain. »

Vela écarta cette objection. « Ce n'est pas le même

contexte, et on a le droit de se préparer. Tu prends des airs très supérieurs, comme si tu voulais me faire passer pour une gourde. Tu ferais mieux de te souvenir que je suis aussi cotée dans mon domaine que toi dans le tien.

— Bien sûr. Et même plus», dis-je.

J'étais habitué à être dévalorisé par les gens d'affaires, les avocats, les ingénieurs, les gros bonnets de Washington, divers scientifiques. Même leurs secrétaires, dont l'échelle de valeurs était issue de la télévision, cachaient leur sourire derrière leurs mains et échangeaient des signes quand je m'annonçais — un zozo incompréhensible.

Je permettais donc à Vela d'être aussi supérieure qu'il lui chantait, tandis que Ravelstein affirmait que je devrais avoir plus d'amour-propre et que c'était pure inconscience de ma part d'être aussi humble. Mais je n'avais aucune envie de changer de manière pour me plier à autant de critiques. J'avais une bonne appréhension de la réalité et de mes défauts. Je gardais toujours à l'esprit l'approche de la Mort, qui pouvait à tout instant se dresser devant vous.

Enfin, j'aurais dû prévoir que Vela ferait tout un cirque de l'«inconvenance» de Ravelstein. Elle s'était préparée à avoir une explication avec moi au sujet d'Abe et son irruption dans notre chambre à l'hôtel lui avait procuré l'ouverture qu'elle attendait.

«Je ne veux plus le revoir ici, dit-elle. J'aimerais que tu te souviennes m'avoir promis de m'emmener à Chartres.

— J'ai dit que je le ferai. Et bien sûr que je t'y emmènerai — je veux dire que nous y irons ensemble.

— Invitons donc les Grielescu. Ce sont de vieux amis. Le professeur Grielescu nous accompagnera. Nanette, non — il y a longtemps qu'elle a cessé de faire de tels voyages. Elle n'aime pas sortir au grand jour.»

Je l'avais moi-même noté. Mme Grielescu avait été une

femme resplendissante en son temps, une de ces *jeunes filles en fleurs** qu'on trouvait autrefois dans les romans. Grielescu était un grand savant, pas exactement un disciple de Jung — mais pas exactement un *non*-jungien. Il était difficile à situer.

Ravelstein, qui n'accusait personne sans raison, disait que Grielescu était cité, par les chercheurs spécialisés dans ces questions, comme garde de fer lié au gouvernement roumain d'avant-guerre. Il avait été fonctionnaire des services culturels du régime nazi de Bucarest. « Vous n'aimez pas penser à ces choses-là, Chick, disait Ravelstein. Et vous êtes marié à une femme qui vous effraie. Bien sûr, vous allez me dire qu'elle est une ignoramus en politique.

— En matière de politique, elle n'est pas très éclairée...

— Naturellement, elle pense qu'une scientifique doit être au-dessus et au-delà de ces choses-là. Mais ce sont ses copains. Cela ne fait pas de mal de regarder la réalité en face.

— Je reconnais que Radu Grielescu est une icône masculine pour ces cercles d'Europe de l'Est, dis-je.

— Vous voulez parler des ronds de jambe et autres foutaises ?

— Oui, c'est plus ou moins ça. L'homme d'égards, le seul qui soit, se souvient des anniversaires de naissance, de mariage, et autres dates sentimentales. Il faut baiser la main des dames, leur envoyer des roses ; on fait des courbettes, on tire les chaises, on se précipite pour tenir les portes et conférer avec le maître d'hôtel. Dans ce milieu, les femmes s'attendent à être caressées, idolâtrées, respectées ou courtisées.

— Ces branleurs jouent les *chevaliers servants** ? — Bien sûr, ce n'est qu'une comédie. Mais les femmes en sont tout émoustillées. »

Le voyage de la gare Montparnasse à Chartres était très bref. Si je devais emmener Vela visiter la cathédrale, j'aurais préféré le faire un jour de marché à la saison des fraises. Mais Vela n'avait pas grand-chose à faire de Chartres, hormis d'y être emmenée. Elle se contrefichait de l'architecture gothique et des vitraux. Elle voulait seulement que sa volonté soit accomplie.

«Vela vous plie à ses nombreuses exigences, n'est-ce pas? dit Ravelstein. Ne vous a-t-elle pas fait apporter tous ses bagages?

— C'est vrai. Je suis venu via Londres.

— Tandis qu'elle avait un rendez-vous impossible à annuler, si bien que vous êtes venus séparément. Et vous avez charrié ses robes du soir...»

Il ne m'admirait pas de faire pareilles commissions. Il le manifestait plus que clairement. Le tableau qu'il avait dressé de mon mariage était tout sauf flatteur. Les écrivains ne font pas de bons maris. Ils réservent leur Éros à leur art. Ou peut-être sont-ils simplement incapables de se concentrer. Quant à Vela, il la jugeait encore plus sévèrement. «Je n'aurais peut-être pas dû faire irruption dans cette chambre.» Il accordait cela, mais il ajouta : «Il n'y avait pas grand-chose à voir. Et puis, ça ne m'intéressait pas. Elle était loin d'être nue. Elle avait ses sous-vêtements et toute sorte d'autres trucs. Alors pourquoi ces émois et ces cris?

— Le protocole», expliquai-je.

Ravelstein n'était pas d'accord. «Non, non. Pas le protocole. Ça ne ressemble même pas à une question de protocole.»

Je n'ai pas souvent de difficulté avec les mots. Ce que je voulais dire était tout simplement qu'elle n'était pas prête à être vue. À moins de vivre avec elle, vous ne saviez pas ce qu'elle faisait le matin à ses cheveux, ses joues, ses lèvres (en particulier la lèvre supérieure) — les phases de sa préparation. Elle devait être vue comme une belle femme. Mais c'était une beauté de concours de beauté et elle nécessitait une préparation du niveau de West Point ou d'un hussard des Habsbourg. On me soupçonnera de mauvaise foi. Mais je peux vous assurer que je suis confronté à de très réelles bizarreries — il se trouve que je suis un épouseur en série et que j'avais là un problème de survie.

Ravelstein dit : « Vela ne vient-elle pas des environs de la mer Noire ?

— Et alors ?

— Le delta du Danube ? Les Carpates ?

— Je ne saurais dire exactement.

— C'est sans importance, dit Abe. Une grande dame à la mode de l'Europe de l'Est. Une Française moderne n'aurait jamais fait une telle scène. Les gens d'Europe de l'Est ont tendance à se cramponner à la France ; il n'y a pas de vie dans leur pays, leur pays est dégoûtant, et ils ont besoin de se voir dans la seule lumière de la France. Cela vaut pour quelqu'un comme Cioran ou même pour notre ami — votre ami — Grielescu. Ils espèrent se transformer en Français. Mais le cas de votre femme est encore plus singulier… »

Je l'arrêtai. J'aurais pu être accusé de déloyauté si je reconnaissais qu'elle était bien le phénomène très étrange qu'il décrivait. Je la voyais avec les yeux d'un amant. Mais pas uniquement. J'avais aussi sur elle le regard d'un naturaliste. C'était une très belle femme. Et je reconnaissais aussi que certains aspects de son visage me rappelaient Giorgione. Sur une petite carte, on aurait pu situer les origines de Vela en Grèce, ou même en Égypte. Bien sûr, l'intelligence hors pair est un phénomène universel, et Vela possédait un cerveau de tout premier plan. Sa composante scientifique méritait un respect particulier. Ravelstein soutenait cependant qu'on rencontrait peu de grandes personnalités parmi les scientifiques. De grands philosophes, peintres, hommes d'État, juristes, oui. Mais les hommes ou les femmes de science à l'âme supérieure étaient extrêmement rares. « C'est leur science qui est supérieure, pas la personne. »

Je dois laisser tomber Paris à présent et revenir au New Hampshire.

Ces quelques jours à la campagne me conduisirent à la conclusion que la visite de Ravelstein était un témoignage de son affection. Il n'avait que faire des champs, des arbres, des étangs, des fleurs, des oiseaux : ils étaient une perte de temps pour un homme supérieur. Pourquoi avait-il abandonné son pupitre téléphonique, ses restaurants et toutes les commodités et les attractions érotiques de New York et de Chicago ? Parce qu'il voulait voir par lui-même ce qui se passait entre Vela et moi dans le New Hampshire.

Un jour suffit. « J'ai observé, dit-il, et je vois qu'elle vous a parqué dans un enclos. Vous ne faites jamais rien ensemble ? Des promenades ?

— Non, tout bien réfléchi.

— Vous nagez ?

— Il lui arrive de sauter dans l'étang du voisin.

— Des barbecues, des pique-niques, des visites, des fêtes ?

— Pas sa tasse de thé.

— Elle ne peut pas vous entretenir de ce qui lui tient le plus à cœur... » Le gros visage de Ravelstein était maintenant tout proche. Retenant sa respiration, il me conduisit silencieusement à tout considérer selon son point de vue :

pourquoi endurais-je un supplice de tensions quotidiennes qui n'en finirait jamais?

Tout ce dont Vela avait besoin, comme elle le répétait fréquemment, c'était d'un coin tranquille où s'installer avec un carnet de notes pour tracer ses diagrammes, les genoux dressés, la respiration contenue, immobile. Mais elle ne cessait en même temps d'émettre des courants négatifs en direction de moi. La beauté de cette région du New Hampshire avec ses immenses érables et ses noyers blancs centenaires — les pervenches et les mousses dans les coins ombragés signifiaient... eh bien, pour Vela, elles ne signifiaient pas grand-chose. Elle se réservait pour ses grandes abstractions.

« Où est votre place là-dedans? demanda Ravelstein. Peut-être représentez-vous tout ce qu'un homme tirera jamais d'elle... La question fascinante est donc de savoir si elle se concentre sur sa science ou sur sa sorcellerie, puisque, dans votre ignorance, c'est à ça que ça doit ressembler. »

Cela semblait une manière honnête de présenter les choses.

« Le schéma habituel pour elle, dis-je, consiste à faire ses valises toutes les trois semaines, en emportant ses robes du soir, parce qu'il y a des événements mondains à côté de la science dure. Elle s'en va dans sa Jaguar blanche et assiste à des colloques scientifiques d'un bout à l'autre du littoral atlantique.

— Diriez-vous qu'au-delà du soupçon d'être rejeté, il y a aussi une forme de soulagement pour vous quand elle s'en va? »

Ravelstein savait être compréhensif. Mais, le plus souvent, il spéculait sur mes paradoxales bizarreries.

« Quel plaisir tirez-vous de ce lieu? disait-il. C'est censé être votre tranquille retraite au vert, où vous pensez et travaillez. Ou, du moins, faites avancer vos projets... »

J'étais généralement franc avec lui et prêt à subir la critique. Il s'intéressait véritablement à la vie de ses amis, à leur caractère, à leur intimité la plus profonde — leurs aspirations ou fantaisies sexuelles : souvent il me surprenait par la générosité de ses observations. Il ne cherchait pas à se hisser au-dessus de vous en relevant vos fautes. D'une certaine manière, j'étais reconnaissant d'être observé par lui, et je m'ouvrais librement à lui de mes singularités.

Je peux offrir un exemple de conversation.

«Je vous accorde que c'est un lieu magnifique et paisible, disait Ravelstein. Mais pouvez-vous m'expliquer ce que la Nature vous apporte — vous qui êtes typiquement un Juif de la ville? Vous n'êtes pas un néotranscendantaliste.

— Non. Ce n'est pas mon truc.

— Et pour vos voisins à la campagne, vous êtes une de ces bêtes qui auraient dû être noyées lors du Déluge.

— Tout à fait. Mais je ne me soucie guère de mon insertion ou de mon appartenance à la communauté. C'est le calme environnant qui m'a attiré…

— Nous avons déjà eu cette conversation…

— Parce que c'est important.

— La vie s'écoule à toute vitesse. Vos jours filent plus vite que la navette du tisserand. Ou qu'une pierre lancée en l'air, dit-il du ton d'un père indulgent, et retombant vers le sol sous l'effet d'une accélération de dix mètres par secondes carrées — une métaphore de la vitesse terrifiante de l'approche de la mort. Vous aimeriez que le temps soit aussi lent qu'il l'était quand vous étiez enfant — chaque jour une vie entière.

— Oui, et pour obtenir cela, il faut quelques réserves de calme dans son âme.

— Comme un Russe l'a dit, fit Ravelstein. Je ne sais

plus lequel, mais vous vous tournez toujours vers les Russes, Chick, quand vous essayez d'expliquer ce que vous mijotez en réalité. En outre, vous avez consacré des années à l'aménagement de votre vie — de votre vie privée, entendons-nous bien. Et c'est la raison pour laquelle vous êtes devenu le propriétaire de cette maison et de ces érables tricentenaires, sans parler des verts pâturages et des murs de pierre. La politique libérale de notre pays permet de vivre libre, à l'écart, sans être importuné. Mais vos jours hâtifs continuent de s'envoler à pleine vitesse — tandis que votre épouse est déterminée à saborder votre plan d'épanouissement paisible. Il doit y avoir une expression russe particulière pour cette leuh... leuh... constellation. Je vois bien comment elle vous a vampé. Elle a vraiment grande allure quand elle se met sur son trente et un, et elle a une silhouette des plus sexy... »

Au départ, Ravelstein avait été extrêmement soucieux de ne pas offenser Vela. Il voulait, pour le bien de notre amitié, que les choses se passent sans heurt, et il était chaleureux, ostensiblement attentif quand elle parlait. Il s'inclinait devant elle. Il faisait tout cela avec un air de virtuose — tel un Itzhak Perlman jouant des berceuses pour une petite fille. Mais son jugement profond devait être mis en réserve. Quand il se précipita dans la chambre d'hôtel à Paris, il était toujours couvert par l'*entente cordiale** qu'il avait avec Vela. Il ne se mentait jamais à lui-même au sujet des observations qu'il faisait. Ses archives mentales étaient en ordre.

Mais lui et moi étions devenus amis — profondément attachés —, et l'amitié n'aurait pas été possible si nous ne nous étions pas compris spontanément l'un l'autre. En cette occasion, il inclina son crâne chauve contre le dossier de son fauteuil. La taille de son grand visage pâle et ridé, *simpatico*, me faisait m'émerveiller devant la puissance des muscles de son cou et de ses épaules, parce que ses jambes n'en avaient que le strict minimum. Juste assez pour servir son but, ou accomplir sa volonté.

« Il aurait été si simple d'établir une relation saine. Mais vous avez besoin d'un défi extrême. Alors vous vous retrouvez à tenter de satisfaire une femme. Mais elle refuse d'être satisfaite — par vous, en tout cas.

» Heureusement pour vous, poursuivit-il, vous avez une vocation. Ce n'est donc qu'un à-côté. Ce n'est pas un cas authentique d'esclavage sexuel ou de psychopathologie. De servitude humaine, oui. Mais pour vous ce n'est que marginal. Il se peut que vous vous amusiez simplement et vous divertissiez dans l'écrin de verdure innocente des White Mountains avec ces vices mineurs — ces tortures sexuelles.

— Depuis le jour où vous avez fait irruption dans notre chambre à Paris, elle répète que vous et moi avions une liaison. »

Cela le stoppa net. Dans le silence, je vis cette « information » inattendue être traitée par un appareil — je suis sérieux — d'une grande puissance. Que Ravelstein fût immensément intelligent est indiscutable. Il était à la tête d'une école. Pour des centaines de gens ici et en Angleterre, en France et en Italie, il était exactement cela. Il interprétait Rousseau pour les Français, Machiavel pour les Italiens, etc.

Après une pause, il dit : « Ha ! Et par "avoir une liaison", entend-elle ce que j'imagine qu'elle entend ? Après des années de mariage ?... Depuis combien de temps êtes-vous mariés ?

— Douze années entières, lui dis-je.

— Douze ! Comme c'est pathétique, dit Ravelstein. Comme une peine de prison à laquelle vous vous seriez condamné. Vous êtes même un mari fidèle. Vous avez purgé votre temps jour après jour sans remise de peine pour bonne conduite ni demande de libération conditionnelle.

— J'étais pris par un travail absorbant, dis-je. Le matin, elle enfilait ses vêtements, se maquillait, puis vérifiait ses cheveux dans trois miroirs à l'éclairage différent — dressing-room, salle de bains et toilettes des invités. Puis elle claquait la porte d'entrée. J'avais un demi-mal de tête et un demi-serrement de cœur. Cela m'aidait à me concentrer.

— Elle ne sait pas s'habiller, dit Ravelstein. Toutes ces matières étranges — que portait-elle l'an dernier? Du cuir d'autruche?... Elle finit par vous accuser d'avoir une histoire de cul peu ragoûtante avec moi. Qu'avez-vous répondu?

— J'ai éclaté de rire. Je lui ai dit que je ne savais même pas comment l'on faisait et que je n'étais pas prêt à apprendre à mon âge. Cela ressemblait à une blague. N'empêche qu'elle ne me croyait toujours pas...

— Elle ne pouvait pas vous croire, dit Ravelstein. Elle s'était donné trop de mal pour inventer cette accusation pitoyable. Ses capacités mentales dans ce domaine sont extrêmement limitées — même si je me suis laissé dire qu'elle était de première force dans la physique du chaos. »

Cette information avait dû emprunter le réseau téléphonique d'Abe. La vieille expression, «il a plus de connexions qu'un standard téléphonique», avait à présent été enterrée sous les masses de données entassées par la technologie débridée de la communication.

Ravelstein avait interrogé ses amis partout dans le monde au sujet de Vela et il était prêt à m'en raconter beaucoup plus que je n'étais disposé à en entendre. Au point que je plaquerais mes mains contre mes oreilles et fermerais les yeux. Mais on ne peut garder son innocence en cette ère. Quatre-vingt-dix pour cent de l'innocence moderne n'est guère plus que de l'indifférence au vice, une résolution à ne pas se laisser affecter par ce qu'on pourrait lire, entendre ou voir. L'amour des scandales rend les gens ingénieux. Vela était ingénieuse en sciences et innocente dans sa conduite.

On ne pouvait, en tant qu'intime et ami de Ravelstein, éviter d'en apprendre beaucoup plus qu'on ne l'aurait désiré. Mais, à un certain niveau, il y avait des endroits de votre psyché qui appartenaient toujours au Moyen Âge. Ou même à l'âge des Pyramides ou à l'Ur des Chaldéens. Ravelstein m'informait des relations qu'entretenait Vela avec des gens dont je n'avais entendu parler jusque-là. Il disait qu'il était prêt à nommer mes rivaux mais que je ne l'écouterais pas. Comme elle ne m'aimait pas, je m'étais, avec une ingéniosité biologique innée, terré derrière mon bureau et j'avais mené à bien quelques projets depuis longtemps remis — me citant Robert Frost à moi-même :

> *Car j'ai des promesses qu'il me faut tenir*
> *Et dois cheminer avant de dormir.*

Changeant parfois cela en :

> *Car j'ai beaucoup de recettes sans pareilles*
> *Et bien du chemin avant le réveil.*

Je me moquais de moi-même, pas de Frost — vieux type sentencieux dont la conversation portait principalement sur ses propres faits et gestes, sur ses exploits et ses triomphes. On ne peut nier qu'il fut son propre publiciste. Il avait le génie des relations publiques. Mais il était néanmoins un écrivain d'un rare talent.

Entendre parler de l'inconduite alléguée de Vela était déstabilisant. Je perds pied. Je trébuche quand je me souviens de ce que Ravelstein me rapporta de ses diverses aventures. Pourquoi y avait-il tant de colloques auxquels assister en été ? Pourquoi ne me donnait-elle pas de numéro de téléphone où la joindre ? Bien sûr, il n'aurait eu aucun intérêt pour ces faits s'ils n'avaient été singuliers. Comme je l'ai déjà dit, Ravelstein était fou de commérages et ses amis recevaient des bons points pour les ragots piquants qu'ils lui rapportaient. Et c'était une fort mauvaise idée de postuler qu'il garderait vos confidences sous le boisseau. Cela ne me troublait pas particulièrement. Les gens sont infiniment plus malins qu'ils ne l'étaient dans la recherche de vos secrets. S'ils connaissent vos secrets, ils ont un pouvoir supplémentaire sur vous. Impossible de les arrêter ou de les freiner. Construisez autant de labyrinthes que vous le voulez, tôt ou tard vous serez débusqué. Et, bien sûr, je savais que Ravelstein n'avait que faire de « secrets ».

Mais comme Ravelstein menait une vie intellectuelle de grande ampleur — et je dis cela sans ironie aucune, ses préoccupations étaient vraiment vastes —, il avait besoin de savoir tout ce qu'il y avait à savoir sur ses amis et ses étudiants, tout comme un médecin cherchant à poser un diagnostic a besoin de vous voir mis à nu. La comparaison s'interrompt quand vous vous souvenez que le médecin est contraint par des règles éthiques à ne pas se répandre en commérages. Ravelstein ne l'était pas. Quand j'étais gosse, dans les années 30, l'idée de « vérité nue » était dans l'air. « Voyons la vérité nue. » Une Anglaise nommée Claire Sheridan écrivit un ouvrage intitulé *La Vérité nue*. Comme il se devait, elle avait visité la Russie révolutionnaire, où elle semble avoir été familière de Lénine, Trotski et nombre d'autres éminents bolcheviques.

136

Mais tout cela n'est que toile de fond.

Poursuivons.

Ravelstein, parlant toujours de Vela, dit : « Vous lui faites une offrande — de beaux étés à la campagne —, mais elle se contrefiche de cet endroit, Chick, ou elle y passerait plus de temps. Et je trouve donc étrange que vous vous donniez tant de mal. Cependant, continua-t-il, permettez-moi de dire ce que je vois là-dedans. Je vois le Juif, le fils d'immigrants, prenant au sérieux les principes de l'Amérique. Vous êtes libre de faire ce que vous voulez et pouvez réaliser pleinement vos désirs. C'est votre privilège en tant qu'Américain d'acheter de la terre et de bâtir une maison où vous vivez dans la pleine jouissance de vos droits. Il est vrai qu'il n'y a personne d'autre ici que vous-même. Vous avez donc édifié ce sanctuaire du New Hampshire où vous êtes entouré de vos souvenirs de famille. Le samovar de votre mère est un bel objet. Il est leuh... leuh... terriblement beau. Mais il est loin, loin, loin de la ville de Toula — Toula était au samovar ce que le charbon était à Newcastle. Leuh... leuh... samovar de Toula ne s'est jamais retrouvé dans pareil lieu étranger de déracinement maximal. Quant à vous, Chick, vous faites votre déclaration des droits radicalement américaine. C'est très courageux de votre part, mais c'est dingue en même temps... Vous êtes le seul Juif à des kilomètres à la ronde. Vos voisins peuvent se reposer l'un sur l'autre. Qui avez-vous — une femme goy ? Vous avez une théorie — l'égalité devant la loi. C'est un grand réconfort que d'avoir des garanties constitutionnelles de votre côté, et vous pouvez être sûr de l'approbation d'autres fervents défenseurs de la Constitution... »

Il se faisait plaisir. Cela ne me gênait guère. Qu'on pointe une constante dans mes activités me divertissait.

« J'imagine aussi que votre note d'impôts est élevée...

— Certainement. Et il y a chaque année de nouvelles normes d'éducation. »

Il dit : « J'imagine facilement le genre d'éducation qu'ils reçoivent ici. Avez-vous jamais assisté à une réunion de ville ?

— Une fois.

— Et votre fière épouse ?

— Elle était là, elle aussi. »

Avant que le cycle de maladies obscures ou nouvelles ne reprenne, Ravelstein et moi avions eu de nombreuses conversations amusantes de ce genre. Il semblait penser que j'apprécierais ses opinions sur mes activités. Dans une certaine mesure, je les trouvais effectivement utiles. Il disait, par exemple, que j'étais tout sauf précautionneux. Et il demandait : « Je suis fasciné par les mariages que vous avez contractés — vous vous souvenez de Steve Brody, n'est-ce pas ?

— Le type qui a sauté du pont de Brooklyn sur un pari.

— Exactement — un de ces gars pleins d'allant. »

Voir *La République* de Platon, e. p. le Livre IV. Je n'ai pas étudié ces grands textes en détail, mais il n'y avait aucun espoir de suivre les pensées de Ravelstein si on les ignorait entièrement. Ils ne m'intimidaient pas vraiment. À présent, je suis autant à l'aise avec Platon qu'avec Elmore Leonard.

« Je ne peux rien vous dire que vous ne compreniez immédiatement », déclarait parfois Ravelstein, mais il est possible qu'il ait cultivé l'art de la conversation avec ce bon vieux Chick et pris un soin tout particulier à aller lentement avec lui. Il est aussi possible que, éducateur de génie qu'il était, il ait su quelle intensité de trafic mon esprit pouvait supporter.

Dans le New Hampshire, il me pressait sans cesse de répéter de vieilles blagues, de vieux gags et des numéros de music-hall. «Chantez-moi cette chanson de Jimmy Savvo.» Ou bien : «C'est comment déjà, l'histoire du mari furieux ? L'homme au cœur brisé qui dit à son copain : "Ma femme me trompe."

— Ah, oui. Et le copain lui dit : "Fais-lui l'amour tous les jours. Une fois par jour au moins. Ça la tuera en moins d'un an. — Non !" Le type est stupéfait. "C'est ça, la réponse ? — Une fois par jour au moins. Elle n'y survivra jamais..." Puis on apporte un panneau sur scène. Vous devez vous souvenir comment cela se passait. Un groom avec une toque cylindrique et une livrée à double rangée de boutons apportait un chevalet avec une pancarte. En gros caractères, il était écrit : "Cinquante et une semaines plus tard." Le mari entre alors en scène dans un fauteuil roulant poussé par sa femme. Il a l'air très faible. Emmaillotté dans des couvertures comme un invalide. La femme est resplendissante. Elle est en tenue de tennis et porte une raquette sous le bras. Elle s'empresse autour de lui, rajuste la couverture et l'embrasse. Il a les yeux fermés. Il a l'air mort. Elle dit : "Repose-toi, mon chéri. Je reviens dès que j'ai fini mon set — très, très vite." Tandis qu'elle s'éloigne à grands pas, le mari éreinté porte la main à sa bouche pour dire en confidence au public, dans un merveilleux chuchotement de comédie : "Elle ne le sait pas, mais elle n'a plus qu'une semaine à vivre."»

Ravelstein en riait à gorge déployée. Fermant les yeux, il se précipitait physiquement dans le rire. Dans mon propre style, différent, j'en faisais autant. Comme je l'ai déjà dit, c'était notre sens du comique qui nous rapprochait, mais cela aurait été une manière bien mince, anémique, de le formuler. Un bruit joyeux — *un immenso giubilo* —, un gigantesque accord commun nous soulevait de concert, et cela ne vous mènerait à rien d'essayer de le définir.

En ce temps-là, Rosamund faisait de longs trajets par le métro aérien. Elle traversait la ville dans toute sa largeur, et elle disposait des visages de ses compagnons de voyage pour essayer ses pensées et ses impressions. Elle m'apportait le courrier de la semaine et les messages téléphoniques. Depuis deux ans, elle était mon assistante ; elle dactylographiait et faisait fonctionner le fax pour moi. Vela la prenait de haut et ne l'invitait même pas à s'asseoir. J'offrais une tasse de thé à Rosamund et j'essayais de la mettre à l'aise. Bien que légèrement élimée, Rosamund était impeccable, mais Vela la considérait comme une petite chose mal fagotée. Vela se donnait des airs de grandeur aristocratique. Elle s'achetait des ensembles fort coûteux taillés dans des matériaux étranges comme le cuir d'autruche. Une saison, elle n'acheta que de l'autruche — un vaste chapeau en autruche dans le style broussard australien, avec des follicules d'où les plumes avaient été arrachées. Elle avait un sac en peau d'autruche pendu à l'épaule et des bottes et des gants en autruche. Avec son salaire de professeur titulaire, elle avait beaucoup d'argent à dépenser. Sa beauté classique était le seul genre de beauté qui comptât.

Vela dit : « Ta petite Rosamund meurt d'envie de s'occuper de toi.

— Je pense qu'elle me croit heureux en ménage.

— Dans ce cas-là, pourquoi apporte-t-elle toujours un maillot de bain ?

— Parce que c'est un long voyage dans ce métro où l'on étouffe et qu'elle aime bien piquer une tête dans le lac.

— Non, c'est pour te montrer sa jolie silhouette. Sinon, elle irait nager dans son propre quartier.

— Elle se sent plus en sécurité ici.

— Tu ne passes pas tout ton temps à dicter des lettres.

— Non, pas tout mon temps.» Je lui accordai cela.

«Alors, de quoi parlez-vous — de Hitler et de Staline?»
C'étaient, pour Vela, des sujets méprisables. Comparés
à la physique du chaos, ils n'existaient même pas. Et elle
était née, tenez-vous bien, à moins d'une heure de vol de
Stalingrad, mais ses parents avaient comploté pour la garder immaculée de la Wehrmacht et des goulags. Seules
comptaient ses propres spéculations ésotériques. Néanmoins, Vela avait un curieux talent pour la politique. Elle
faisait le nécessaire pour que les gens pensent du bien
d'elle. Elle souhaitait être perçue comme une personne
chaleureuse, amicale, généreuse. Même Ravelstein disait
d'elle : «Les gens sont flattés par ses attentions. Elle fait
les cadeaux d'anniversaire les plus coûteux.

— Oui. C'est drôle de voir comment elle attire les
connaissances et les détourne de moi. Je ne me vois pas
entrer dans un concours de dépenses.

— Qu'essayez-vous de me dire, Chick — qu'elle est une
sorte de martienne?»

J'étais à présent familier des idées de Ravelstein sur le
mariage. Les gens sont finalement défaits par leurs désirs
solitaires et leur isolement intolérable. Ils ont besoin de *la*
part manquante, exacte, pour se compléter, et, comme ils
ne peuvent sérieusement espérer la trouver, ils doivent
accepter un substitut agréable. Admettant qu'ils ne peuvent gagner, ils transigent. Le mariage d'esprits accordés
advient rarement. L'amour qui se confirme jusqu'au bord
du gouffre n'est pas un projet moderne. Mais il n'y avait,
pour Ravelstein, rien qui égalât cet accomplissement de
l'âme. Les érudits nient que le sonnet 116 traite de l'amour
entre hommes et femmes et affirment que Shakespeare
parle d'amitié. Le mieux que nous puissions espérer dans
la modernité n'est pas l'amour mais une liaison sexuelle

— une solution bourgeoise, en habits de bohème. Je mentionne le bohémianisme parce que nous éprouvons le besoin de nous sentir libérés. Ravelstein enseignait que la modernité nous plonge dans un état de faiblesse. L'état fort — et là était la leçon qu'il tirait de Socrate — nous vient par la nature. Au cœur de l'âme siège Éros. Éros est irrésistiblement attiré par le soleil. J'ai probablement déjà parlé de ça. Si j'en reparle, c'est parce que je n'en ai jamais fini avec Ravelstein et qu'il n'en avait jamais fini avec Socrate, pour qui Éros trônait au cœur de l'âme, où le soleil le nourrissait et le fortifiait.

Mais, à certains égards, j'avais une meilleure opinion de Vela que Ravelstein. Il n'était pas vulnérable à son genre de charme. Moi, en revanche, je continuais de voir ce que d'autres voyaient en elle — traversant une pièce, somptueusement vêtue, les doigts de pieds si prestes que ses talons touchaient à peine le sol. Elle avait des idées bien particulières sur la façon de marcher, de parler, de bouder, de sourire. Nos relations américaines pensaient qu'elle était l'incarnation même de la grâce et de l'élégance européennes. Rosamund elle-même le pensait. J'expliquais qu'à la base il y avait réellement une sorte de maladresse attachante. Mais tout le prestige, sa réputation dans sa spécialité en physique, le coquet salaire qu'elle touchait, son inimitable chic renversant étaient trop lourds à affronter pour une autre femme. Rosamund disait : «Quelle femme exceptionnelle — la poitrine, les jambes, tout !

— Certes. Mais il y a quelque chose d'artificiel là-dedans. Comme un stratagème. Comme un manque d'affect.

— Même après un si long mariage ?»

J'avais espéré y arriver avec Vela parce que j'avais connu de précédents mariages. Mais j'avais plus ou moins abandonné le combat et, pendant une douzaine d'années environ, je n'avais rien revendiqué de Vela. Le matin, elle partait en claquant la porte et je me tournais vers les tâches auxquelles je consacrais ma journée. Ravelstein, depuis l'autre côté de la ville, venait aux nouvelles par le téléphone pour une heure ou deux. Une fois par semaine au moins, Rosamund me rendait visite en empruntant les transports publics depuis le côté Ravelstein de la ville. Je lui suggérais fréquemment de prendre un taxi, mais elle disait préférer le métro aérien. Elle me rapportait que George, son fiancé, affirmait que le métro était parfaitement sûr. Le département des Transports faisait la police beaucoup plus efficacement ici qu'à New York.

Empruntant son habitude à Ravelstein, je lui appris le mot *louche**. Rien de tel qu'un mot français pour neutraliser un danger américain.

Tout allait alors de mal en pis. J'étais rentré de l'enterrement de mon frère à Tallahassee juste à temps pour voir mon autre frère, Shimon, lors de ce qui devait être le dernier jour de sa vie. Il me dit : « Tu portes une belle chemise, Chick — elle a de la classe, avec ses rayures rouges et grises. »

Nous étions assis sur le canapé en rotin. Son visage ravagé par le cancer affichait son habituel air coquin de bonne humeur.

« Mais j'ai entendu dire que tu voulais acheter une Mercedes diesel. Je te mets en garde, dit-il. Tu n'auras que des ennuis. » Il vibrait de l'insistance ou de l'agitation des ultimes moments. Tout était fini à présent, et je promis donc de ne pas acheter le diesel. Puis il me dit, après un long échange de regards muets, qu'il voulait se remettre au lit. Il était bien trop épuisé pour le faire. Il avait été autrefois un footballeur aux jambes puissantes, mais le muscle avait entièrement fondu. Je l'observais de derrière, essayant de décider si je devais intervenir. Il n'avait plus aucun moyen d'exercer sa volonté. Sa tête pivota alors vers moi et ses yeux se renversèrent — des orbites blanches et aveugles. L'infirmière s'écria : « Il nous quitte ! »

Shimon haussa la voix et dit : « Restons calmes ! »

C'était ce qu'il lançait fréquemment à sa femme et à ses enfants quand ils avaient un différend ou commençaient à se quereller. Empêcher les choses de déraper était sa fonction dans la famille. Il n'avait pas conscience que ses globes oculaires avaient basculé à l'envers. Mais j'avais déjà vu cela chez les mourants et je savais qu'il était en train de nous quitter — l'infirmière avait raison.

Après son enterrement, la même semaine, quelques jours avant mon anniversaire, j'étais agité et furieux, donnant des coups de pied dans la porte de la salle de bains de Vela, quand je me souvins de l'appel au calme de mon frère, quasiment la dernière chose qu'il m'ait dite. Je quittai donc la maison. Quand je revins ce soir-là, je trouvai une note de Vela : elle passait la nuit chez Yelena, une autre Franco-Balkanique.

Rentrant à nouveau le lendemain soir, je trouvais l'appartement plein de larges pastilles autocollantes de couleur — les vertes identifiant mes possessions, les saumon collées à celle de Vela. L'appartement était constellé de ces gros points. Leurs couleurs étaient anormales, avec quelque chose de gazeux ou de bilieux ; la boîte d'où ils provenaient les donnait comme de « nuance pastel ». Ils produisaient l'effet d'une tempête de neige — « un blizzard de *meum-tuum* », comme je le dis à Ravelstein.

Une troupe d'étudiants à lui m'aida à m'installer dans mon nouvel appartement après mon déménagement. Rosamund en faisait partie. Elle fut naturellement intéressée par les livres que j'avais collectionnés. Dans mes cartons de déménagement se trouvaient mon Wordsworth de lycéen et mon *Ulysses* de Shakespeare and Company, avec les étranges erreurs commises par les typographes parisiens de Joyce — au lieu de «*give us a touch, Poldy. God, I'm dying for it*», Molly dit : «*give us a tough*» — «sers-nous un rude» au lieu d'«une goutte». Tout cela parce que deux chiens copulent dans la rue en contrebas. «Comment naît la vie», songe Leopold Bloom. Ce jour-là, Molly et lui conçoivent leur fils, un enfant qui ne vit pas long-temps. Dans chaque direction, les murs de la vie sont car-relés de tels faits, si bien qu'on ne peut jamais les prendre tous en compte, mais seulement en noter quelques-uns des plus singuliers. Par exemple, ce à quoi Vela devait res-sembler tandis qu'elle couvrait les objets d'autocollants vert et orange. Il y avait de quoi hurler. Pourquoi donc épouse-t-on une femme dont le dernier acte en qualité de conjoint consiste à apposer des centaines, sinon des mil-liers, d'étiquettes? D'ailleurs, pourquoi Molly avait-elle épousé Leopold Bloom? Sa réponse : «Il n'était pas plus mal qu'un autre.»

J'avais pensé à Vela comme à une beauté incomparable. Elle portait ses jupes très ajustées sur la croupe. Elle avait des fesses de cavalière, en même temps qu'une superbe poitrine, et le martèlement de ses talons lorsqu'elle entrait dans une pièce était comme un roulement de tambour, mais il ne vous donnait aucune indication quant à ce qu'elle pensait ou ressentait.

Vela avait la lèvre supérieure inflexible. J'ai toujours été porté à donner une importance diagnostique toute particulière à la lèvre supérieure. S'il y a une tendance despotique, elle se trahira là. Quand j'examine une pho-tographie, j'ai pour habitude d'isoler les traits. Que révèle ce front, ou la disposition de ces yeux? Ou cette moustache. Hitler et Staline, les dictateurs emblématiques de notre siècle, portaient des moustaches très différentes. La lèvre de Hitler, à propos, était extrêmement frappante. Un fait curieux : la lèvre de Vela piquait quand on l'embrassait.

Elle avait une façon de vous conduire, de vous montrer comment être un mâle. Cette tendance est plus répandue chez les femmes que vous ne pourriez l'imaginer. Soit elle pensait à des hommes qu'elle avait aimés autrefois, soit elle devait obéir à son propre principe masculin, un homologue mâle jungien, son animus particulier ou sa vision innée d'un homme — inconsciente, bien sûr.

Ravelstein n'avait aucune patience pour ce genre d'histoires. Il me dit : « Ce numéro jungien vient tout droit de Radu Grielescu. Vela est une grande copine du couple Grielescu. Vous dîniez avec eux une semaine sur deux. Bien sûr, vous êtes écrivain, vous avez besoin de rencontrer toutes sortes de gens. C'est parfaitement naturel pour une personne dans votre situation. Des sportifs, des gens du cinéma, des musiciens, des commerçants, des criminels aussi. Ils sont votre pain quotidien, votre aliment.

— Dans ce cas, pourquoi ne devrais-je pas dîner avec Grielescu et sa femme ?

— Aucune espèce d'objection, tant que vous connaissez les faits.

— Et quels sont les faits, dans leur cas ?

— Grielescu vous utilise. Au pays, il était un fasciste. Il a besoin de le faire oublier. L'homme était un hitlérien.

— Allons...

— A-t-il jamais nié avoir appartenu à la Garde de fer ?

— La question ne s'est jamais présentée.

— Vous ne l'avez pas soulevée. Vous souvenez-vous des massacres à Bucarest, quand on pendait des gens vivants à

146

des crocs de boucher à l'abattoir et qu'on les massacrait
— qu'on les écorchait vifs?»

On entendait rarement Ravelstein aborder de tels sujets.
Il se référait de temps à autre à l'«Histoire» en larges
termes hégéliens et recommandait certains chapitres de
la *Philosophie de l'histoire* comme particulièrement crous-
tillants. Avec lui, les conversations lugubres sur les «points
de détail» étaient extrêmement rares. «Vous savez que
Grielescu était un partisan de Nae Ionesco, le fondateur de
la Garde de fer? Vous en a-t-il parlé?

— Il lui arrive de parler de Ionesco, mais il parle surtout de son séjour en Inde et de ses études auprès d'un
maître de yoga.

— C'est son imposture orientalisante. Vous êtes beaucoup trop indulgent avec les gens, Chick, et ce n'est pas
entièrement innocent non plus. Vous savez qu'il joue la
comédie. Il y a un pacte implicite entre vous... Dois-je
l'expliciter?»

En règle générale, Ravelstein et moi étions francs l'un
avec l'autre. *Verbum sat sapienti est.* Les Grielescu avaient
une importance mondaine pour Vela. J'avais un don considérable pour comprendre ce qui se passait et j'étais
conscient que Vela me faisait crédit de ma politesse avec
Radu et de mes attentions pour madame. Mon papotage
en français avec celle-ci comblait Vela d'aise. Mais Ravelstein
abordait mes relations avec ces gens sous un angle des plus
sérieux. Alors qu'il se mourait, il semblait estimer nécessaire de parler plus ouvertement de questions que nous
n'avions jamais trouvé nécessaire de discuter.

«Ils vous utilisent comme couverture, dit Ravelstein.
Vous ne seriez jamais devenu copain avec ces antisémites.
Mais ils étaient les amis de Vela et vous vous êtes mis
en quatre pour eux, procurant à Grielescu exactement ce
qu'il cherchait. En tant que nationaliste roumain dans

les années 30, il s'est montré violent envers les Juifs. Ce n'était pas un Aryen — non, c'était un Dace[1]. »

Je savais tout cela, suffisamment bien. J'avais aussi conscience que Grielescu avait un rapport étroit avec C. G. Jung, qui se voyait lui-même comme une sorte de Christ aryen. Mais que doit-on faire avec les érudits des Balkans qui possèdent une telle infinie variété d'intérêts et de talents — qui sont des scientifiques et des philosophes, en même temps que des historiens et des poètes, qui ont étudié le sanskrit et le tamoul et professé la mythologie en Sorbonne ; qui auraient pu, questionnés avec insistance, vous parler aussi de gens qu'ils avaient « côtoyés » dans la paramilitaire et antisémite Garde de fer ?

Le fait était que je prenais plaisir à observer Grielescu. Il avait tant de tics. C'était un fumeur de pipe fébrile, qui ne cessait de curer l'objet, de le bourrer, d'enfoncer de fins écouvillons dans le tuyau ou de gratter la suie du fourneau. Il était petit et chauve, mais laissait ses cheveux pousser sur l'arrière ; ils buissonnaient sur son col. Son crâne, large comme un estuaire, était sillonné de veines ; il semblait congestionné. Très différent de la calvitie blême de melon ovale de Ravelstein. Tout en tripotant ses écouvillons laineux, Grilescu continuait de discourir sur un sujet ésotérique ou l'autre. Ses sourcils étaient broussailleux et son large visage était prêt à un échange de vues. Mais il n'y avait pas d'échange, car il était poussé intérieurement vers quelque sujet mythologique ou historique sur lequel vous n'aviez aucune lumière. Ça ne me dérangeait pas du tout. Je n'aime pas les responsabilités qui accompagnent la conduite de la conversation. Mais tout le monde a ses plates-bandes de connaissances

1. Les Daces étaient à la Roumanie ce que les Aryens étaient à l'Allemagne. *(N.d.A.)*

éparses, et c'est très agréable qu'on vous les entretienne et les arrose à votre place. Parfois Radu parlait de chamanisme sibérien ; ou alors ce pouvait être les coutumes de mariages des aborigènes australiens. Il était posé que vous étiez venu écouter ou apprendre de Radu. Mme Grielescu avait même meublé le salon dans cet esprit. « C'était ainsi qu'il maintenait la conversation à l'écart de ses états de service fascistes, disait Ravelstein. Mais ses états de service montrent néanmoins qu'il a écrit des articles sur la syphilis juive qui gangrenait la haute civilisation des Balkans. »

Il s'avéra qu'il avait raison. Grielescu s'était lié aux nazis, et non à la forme italienne, plus bénigne, du fascisme. Il est difficile de dire dans quelle mesure Mme Grielescu avait été politique. Mon intuition était qu'avant-guerre elle avait été une beauté élégante, une vamp du dernier chic. On l'imaginait facilement sortant d'une limousine sous un chapeau cloche. Les femmes qui portaient des vêtements de marque et du rouge à lèvres flamboyant n'avaient généralement pas d'opinions politiques. Ces dames européennes surveillaient le comportement social de leurs maris — des mâles du clan. Les hommes étaient là pour tenir les portes et avancer les chaises.

Mme Grielescu n'était jamais tout à fait bien. À en juger par ses rides, elle avait plus de soixante ans et en était malheureuse, tout en restant très exigeante avec les hommes — un traité d'étiquette ambulant. Il était impossible de deviner ce qu'elle savait du passé de garde de fer de son mari. À la fin des années 30, quand les Allemands avaient conquis la France, la Pologne, l'Autriche et la Tchécoslovaquie, Grielescu avait été une sorte de gros bonnet de la culture à Londres et, plus tard, il avait paradé à Lisbonne sous la dictature de Salazar.

Mais, à présent, ses engagements d'antan étaient morts

et enterrés. Quand Vela et moi dînions avec les Grielescu, la conversation ne portait pas sur la guerre et la politique, mais sur l'histoire antique et la mythologie. Le professeur, avec sa chemise à col cheminée en soie blanche sous son smoking, avançait les chaises pour les dames et leur épinglait un bouquet au corsage. Ses mains tremblaient. Il faisait tout un cirque avec le champagne. «Il a réglé l'addition en prélevant dans une liasse de grosses coupures. Pas de carte de crédit.

— Je ne l'imagine pas retirant de l'argent à la banque.

— Il doit probablement envoyer sa secrétaire encaisser un chèque. Enfin, il paie avec des billets neufs, immaculés. Il ne compte même pas, il laisse tomber un paquet de talbins et fait le geste "emportez-moi ça". Puis il se précipite de l'autre côté de la table pour allumer la cigarette de sa femme. Il y a toute la galanterie, les *hommages**, une commande permanente de roses chez le fleuriste, les baisemains et les courbettes.

— Et tout cela en français. Mais la norme est différente pour les Américains. Et vous êtes juif, en plus. Les Juifs feraient mieux de comprendre leur statut eu égard au mythe. Pourquoi auraient-ils le moindre commerce avec le mythe? C'est le mythe qui les a diabolisés. Le mythe juif est lié à la théorie de la conspiration. *Le Protocole des Sages de Sion*, par exemple. Et votre Radu a écrit des livres, des paquets de livres, sur le mythe. Qu'est-ce que vous avez à faire de la mythologie, de toute façon, Chick? Vous attendez-vous à être mis sur écoute un de ces jours et qu'on vous dise que vous êtes devenu un des Sages de Sion? Songez de temps à autre à ces gens sur les crocs de boucherie.»

Ravelstein et moi discutons interminablement du pétrin balkanique dans lequel je m'étais fourré, mais, en poursuivant cette narration, je m'aperçois que je dois commencer par en terminer avec Vela. Je dois m'en débarrasser une bonne fois pour toutes. Ce n'est pas aussi simple que vous pourriez l'imaginer. Elle était sublime, magnifiquement habillée, mémorablement maquillée. Au téléphone, elle gazouillait comme Papagena. Ravelstein était quasiment le seul à dire qu'elle s'habillait sans aucun goût. Il la voyait comme une maîtresse ordonnatrice des apparences. En termes politiques, on aurait pu dire qu'elle était partie pour susciter un raz de marée. Mais Ravelstein n'était pas d'accord. « Une fois que vous commencez à la soupçonner, tout son numéro se casse la figure, disait-il. Trop de projection rationnelle. » Mais il ajoutait ensuite : « Elle a eu raison de vous mettre dehors.

— Pourquoi dites-vous cela ?

— Parce que vous auriez fini par la tuer. » Il ne dit pas cela sombrement. Pour lui, l'idée d'un tel meurtre était une bonne chose. Il la portait à mon crédit. « Elle a jeté un sortilège sexuel sur vous, vous deviez donc nécessairement songer à une mort violente pour elle. Elle a choisi le pire moment possible, juste après la mort de vos deux frères, pour vous annoncer qu'elle demandait le divorce. »

Ravelstein me disait fréquemment : « Il y a quelque chose qui me touche dans votre manière de raconter les anecdotes, Chick. Mais vous avez besoin d'un vrai sujet. J'aimerais que vous me tiriez le portrait, quand je serais parti...

— Ça dépend, n'est-ce pas, de qui tirera sa révérence le premier ?

— Regardons les choses en face. Vous savez parfaitement que je suis sur le point de mourir... »

Bien sûr que je le savais. Certainement.

«Vous pourriez réellement composer un excellent portrait. Ce n'est pas une simple requête, ajouta-t-il. Je vous en charge comme d'une obligation. Faites-le à votre manière de propos de table, quand vous avez bu quelques verres de vin, que vous êtes détendu et livrez vos remarques. J'adore vous écouter quand vous divaguez sur Edmund Wilson, John Berryman, ou Whittaker Chambers quand il vous a engagé à *Time* le matin et vidé avant le déjeuner. Je me suis souvent dit que vous aviez un réel talent de conteur quand vous étiez détendu. »

Il m'était impossible de lui refuser cela. Il ne souhaitait manifestement pas que je parle de ses idées. Il les avait lui-même exposées dans leur ensemble et elles sont accessibles dans ses ouvrages théoriques. Je me tiens donc pour responsable de la personne et, puisque je ne peux le dépeindre sans une certaine part d'implication personnelle, ma présence marginale devra être tolérée.

La mort fondait sur lui en transmettant les habituels rappels par anticipation, me disant tout d'abord qu'en préparation de sa fin je ne devrais pas oublier que j'étais son aîné d'un certain nombre d'années. À mon âge avancé, je *devais* me préoccuper de la mort. Mais la chose étrange, c'est que j'étais à présent le mari de Rosamund, une des étudiantes de Ravelstein. Et Ravelstein était un personnage tellement paradoxal, voyez-vous, que l'un des effets de son amitié était de me rendre inconscient de l'étrangeté de ma situation — à plus de soixante-dix ans, j'étais marié à une jeune femme. «Ça n'est étrange que vu de l'extérieur, disait Ravelstein. Elle est tombée amoureuse de vous et c'est la raison pour laquelle il était impossible de l'arrêter. »

En me choisissant ou me piégeant pour que j'écrive ce portrait, il m'obligea à songer à ma mort outre la sienne. Et non seulement à sa mort du zona, du syndrome de

Guillain-Barré, etc., mais à bien d'autres morts aussi. L'heure était venue pour toute une génération. Par exemple : le jour même de cette conversation, j'étais assis avec Ravelstein dans sa chambre somptueuse et extravagante. Les rideaux étaient ouverts à la fenêtre est et nous faisions face à l'immensité bleue du Lac sans rive.

« À quoi pensez-vous quand nous regardons dans cette direction ? demanda Ravelstein.

— Je songe au bon vieux — ou mauvais vieux — Rakhmiel Kogon.

— Il a plus de prise sur vous qu'il n'en a sur moi », dit Ravelstein.

Peut-être bien. Néanmoins, je ne pouvais regarder dans cette direction — l'est — sans voir l'immeuble de Kogon, puis, en comptant de bas en haut ou de haut en bas, essayer de déterminer lequel était le dixième étage, mais on ne pouvait jamais être certain de regarder la bonne fenêtre. Rakhmiel, qui jouait un rôle dans ma vie depuis les années 40 et dans celle de Ravelstein depuis les années 50, faisait partie de cette foule qui partirait à intervalles. On ne savait jamais qui serait le suivant. Il avait subi plusieurs opérations lourdes : on lui avait retiré la prostate l'année passée — Rakhmiel disait qu'il n'en avait jamais tellement eu l'usage. Je n'avais pas l'impression d'appartenir à la catégorie des personnes menacées, car j'étais tombé amoureux d'une jeune femme et l'avais épousée. Je n'étais donc guère disposé à faire face au contingent des partants. C'était l'un de ces étranges moments d'illumination où je n'ai pas l'impression de pouvoir mourir. Rakhmiel était très savant, mais à quelles fins ? Le moindre coin de son appartement était bourré de livres. Chaque matin, il s'installait et écrivait à l'encre verte.

Rakhmiel n'était ni imposant ni éclatant de santé, mais il était néanmoins physiquement remarquable — compact et dense, autoritaire, tyrannique dans ses obsessions et ses opinions. Son avis était tranché une fois pour toutes sur des centaines de sujets et peut-être était-ce le signe qu'il avait achevé son parcours. Je sentais que je le récapitulais pour une nécrologie. Peut-être cherchais-je à remplacer Ravelstein par Rakhmiel afin de ne pas avoir à penser à la mort de Ravelstein. Je préférais de beaucoup penser à la mort de Rakhmiel. Je passais donc en revue sa vie et ses œuvres pour les résumer tandis que Ravelstein reposait sur son oreiller, les yeux clos, pensant des pensées à lui.

Rakhmiel était, ou avait été autrefois, un rouquin, mais la rousseur avait disparu et il ne restait qu'un teint rougeaud — sanguin, dans la physiologie médiévale : chaud et sec. Ou, mieux encore, cholérique. Son visage affichait une expression policière et il avait souvent l'air, avec sa démarche pressée, d'être sur une affaire — en route pour délivrer un mandat ou faire une prise. Sa conversation, trouvais-je, avait une tonalité d'interrogatoire. Très délié, il s'exprimait par phrases complètes, à grande vitesse et avec impatience. Lorsque vous appreniez à mieux le connaître, vous compreniez qu'il y avait manifestement deux éléments étrangers dans son tempérament — l'un allemand, l'autre britannique. La part allemande en lui était une dureté à la mode de Weimar. J'imagine que je ne connaissais de Weimar que sa version de boîte de nuit. L'Europe d'après-guerre des années 20 était toquée de dureté. Les anciens combattants étaient durs, les leaders politiques étaient durs. Les plus dur de tous était, bien sûr, Lénine, ordonnant pendaison et fusillades. Hitler entra dans la compétition quand il prit le pouvoir dans les années 30. Aussitôt, il fit abattre Roehm et d'autres collègues nazis. Rakhmiel et moi discutions fréquemment de ces choses-là à une certaine époque.

Quantité de faits âpres, trop horribles pour que nos contemporains les affrontent. Nous ne pouvons réellement nous résoudre à les reconnaître. Nos âmes ne sont pas assez fortes pour supporter cela. Et, cependant, on ne peut se défiler. Un homme tel que Rakhmiel se sentirait obligé de faire face au fait que cette méchanceté était universelle. Il pensait que chacun d'entre nous en détenait une part. On pouvait trouver ces pulsions meurtrières chez tout individu d'âge mûr. Dans certains cas, comme celui de Rakhmiel, on pouvait les identifier dans sa structure physique comme des équivalents, non pas nécessairement de la guerre, mais de communes honteuses énormités russes, allemandes, françaises, polonaises, lituaniennes, ukrainiennes et balkaniques.

Bien, il y avait son côté allemand. Puis il y avait la composante britannique. Rakhmiel, dont le nom peut se traduire par «Sauve-moi, mon Dieu» ou «Aie pitié de moi, Seigneur», avait aussi pris modèle sur les Oxfordiens et il en était devenu un à son tour. Il avait été en Angleterre pendant la guerre. Il avait vécu le blitz à Londres, où il s'occupait de renseignement. Puis il enseigna à la London School of Economics. Plus tard, il occupa une chaire à Oxford et divisa son temps entre l'Angleterre et les États-Unis. Il était l'auteur de nombreux livres savants. Il écrivait quotidiennement, copieusement, interminablement, et sans hésitation, de son encre verte. «Les Intellectuels» étaient son sujet principal et, par le style, il était johnsonien. Il pouvait parfois faire penser à Edmund Burke, mais le plus souvent c'étaient les accents de Samuel Johnson que l'on entendait. Je n'y vois rien de mal. La liberté moderne, ou la combinaison d'isolement et de liberté à laquelle nous devons faire face, nous met au défi de nous grimer. Le danger est qu'on risque de ressortir de ce processus sous la forme d'une créature pas tout à fait humaine.

Les arts du déguisement sont si bien développés qu'on peut être certain de sous-estimer le nombre de salopards que l'on a connus. Même un génie comme Rakhmiel n'était pas capable de masquer la fulminance ou, si vous préférez, la méchanceté de sa nature. Il avait son idée des convenances, qui remontait aux romans de Dickens, mais il avait de terribles REM — j'emprunte le terme aux spécialistes du sommeil —, une fébrilité du regard. Il ressemblait à un hobereau anglais irritable et prêt à exploser, au visage très sanguin. En Amérique, où les gens ne sont pas familiers de tels personnages, ses idiosyncrasies étaient vouées à l'incompréhension. Les gens voyaient un homme trapu, courtaud, légèrement bedonnant, mais énergique, habillé de tweeds défraîchis. Être mal habillé est une tradition professorale qui remonte au Moyen Âge et, à Oxford et Cambridge, on voyait encore des trous dans les toges rafistolées au scotch. Il émanait une aigreur distinctive des vêtements de Rakhmiel Kogon. Il ressemblait à un tyran, à la tyrannie incrustée dans le visage. Elle n'était pas habilement dissimulée par la bonhomie et la tolérance chrétienne, ou par la courtoisie. Il portait un feutre quand il sortait, et un fort bâton — « pour corriger les manants », disait-il en plaisantant. Et c'était une plaisanterie, parce que son point fort était la courtoisie. Avec la courtoisie, il avait découvert un nouveau filon et le monde universitaire tout entier l'exploitait.

Rakhmiel était tout sauf simplet. Mon idée est qu'il avait son petit jardin secret de sentiments bons et généreux. Il espérait, en particulier quand il courtisait un nouvel ami, pouvoir passer pour quelqu'un de bien. Il était aussi très savant. Quand vous découvriez son appartement, votre estime pour lui faisait un bond. Ses rayonnages recelaient les œuvres complètes de Max Weber et de tous les Gumplowicz et les Ratzenhofer. Il possédait les œuvres de Henry James et de Dickens et les histoires de Rome de Gibbons et de l'Angleterre de Hume, ainsi que des encyclopédies religieuses et des tas de livres de sociologie. Fort utiles pour bloquer la fenêtre quand le cordon de la guillotine cassait, disais-je pour ma part. Il y avait aussi l'encre verte. Il n'utilisait aucune autre couleur. Le vert était sa marque de fabrique exclusive.

Ravelstein hurla de rire quand nous en arrivâmes à ce point. Il dit : « C'est comme cela que je veux être traité, moi aussi. C'est ça. Je veux que vous me montriez tel que je suis, sans adoucissant ni assouplissant. »

Après avoir lu mon portrait de Kogon, Ravelstein dit que j'aurais dû aborder sa vie sexuelle — une omission majeure, pensait-il. Il me dit d'un ton péremptoire : « Vous êtes passé à côté — Kogon est attiré par les hommes. » Quand je lui demandai un élément de preuve, il me répondit que Machinchose, étudiant de troisième cycle, lui jurait ses grands dieux qu'un soir où ils avaient trop bu, Rakhmiel avait essayé de l'embrasser. C'était difficile d'imaginer Kogon en embrasseur et je répliquai que jamais de la vie je ne pourrais m'imaginer Kogon tentant de s'imposer à quelqu'un. « Alors vous avez subi un lavage de cerveau », dit Ravelstein. Rien de ce genre n'était trop improbable pour lui, mais j'échouai dans toutes mes tentatives de me représenter Rakhmiel en train d'embrasser quelqu'un. Je ne pouvais même pas l'imaginer en train d'embrasser sa vieille mère. Il la vitupérait sans ménagement et disait : « Elle est sourde... » Mais je ne crois pas qu'elle ait été sourde du tout, sa maman abasourdie.

À son retour de l'hôpital, Ravelstein se portait raisonnablement bien. Bien sûr, il ne pouvait vaincre son infection, mais il disait : « Je ne suis pas pressé de mourir. » Sa vie sociale était florissante. À sa grande époque, il planait tel un faucon, comme il le disait lui-même. « Mais à présent je volette comme ces dindes sauvages de votre campagne du New Hampshire. »

Il marchait assez bien, même s'il avait perdu le sens de l'équilibre.

Il pouvait aussi s'habiller et s'alimenter, se raser, se laver les dents (il portait un demi-dentier), nouer ses lacets et faire fonctionner la chuintante et sifflante machine à espresso — trop grosse pour l'émail cannelé de l'évier de la cuisine. Ses mains ne tremblaient jamais autant que lorsqu'il devait accomplir une opération particulièrement délicate, comme de trouver un œillet avec le bout de son lacet. Il était à peine suffisamment vaillant pour porter son manteau de cuir doublé de fourrure d'officier d'état-major, qui traînait par terre quand je l'aidais à le passer. Il ne pouvait plus remettre sa montre à l'heure et devait demander à Nikki ou à moi de le faire pour lui.

Il donnait encore des fêtes, cependant, les soirs où son équipe, les Bulls, passait à la télé. Et, de temps à autre, il emmenait ses étudiants favoris dîner à l'Acropolis, dans Halsted Street. Les serveurs lui serraient vigoureusement la main et lançaient : « Hé, les gars, c'est le prof ! » Ils le pressaient de boire de l'huile d'olive pure, au verre. « Trop tard pour vos cheveux, prof, mais ça reste la meilleure médecine. »

Il fréquentait aussi un club privé du centre, *Les Atouts**. Abe y entretenait une vieille relation mondaine avec M. Kurbanski — accent sur *ban*. M. Kurbanski, le propriétaire-gérant serbe, partait à l'étranger plusieurs fois par an. Il préparait sa retraite dans une villa de la côte dalmate.

Il affichait une belle et pleine façade — tête et ventre répondant à un très impressionnant visage pâle, large, court de nez, à la respiration contenue. Ses cheveux étaient peignés en arrière. Il portait une jaquette. Dans l'ensemble, il donnait à Ravelstein le plaisir de sentir qu'il avait affaire à un homme civilisé.

Ravelstein me demandait : « Quel est votre point de vue sur Kurbanski ?

— Eh bien, c'est un gentleman franco-serbe qui offre aux gens du cru la possibilité d'adhérer à son club de l'est de Michigan Boulevard...

— Qu'est-ce qu'il a pu faire pendant le guerre ?

— Il dit qu'il a combattu les Allemands. Il appartenait au *maquis**.

— Ils disent tous ça. Mais je ne pense pas qu'il ait été communiste, dit Ravelstein. À les entendre, ils étaient tous dans les montagnes, combattants de la liberté. Intuitivement, d'un trait, que diriez-vous de Kurbanski ?

— Que s'il était acculé, il pourrait se tirer une balle dans la tête.

— Ça y ressemble plus. Je suis d'accord avec vous. Mais il reste un hôte sans pareil, dit Ravelstein, et qui va le contester s'il affirme avoir été maquisard et lutté contre les Allemands ?

— C'est la raison pour laquelle il arbore un air aussi triste et distant.

— Que reste-t-il donc ? dit Ravelstein. La question juive.

— Ne pas être juif était fort souhaitable en ce temps-là, un précieux capital. On ne sait jamais.

— Mais le grand truc pour Kurbanski, c'est d'être français.

— Oui. Nous venons dans son établissement et il nous baratine en français. Et cette politesse est possible, bien que nous soyons juifs, parce que nous pouvons répondre dans un français acceptable...

— J'aime vous entendre quand vous êtes soûl, Chick,

vous entendre parler et divaguer librement. Vous avez raison d'insister sur l'air triste de Kurbanski... »

Ravelstein avait fini par se ranger à l'idée qu'il était important de prendre note de l'air qu'avaient les gens. Leurs idées ne suffisaient pas — leurs convictions théoriques et leurs opinions politiques. Si vous ne teniez pas compte de leur coupe de cheveux, du tombé de leur pantalon, de leur goût en matière de jupes et de corsages, de leur façon de conduire ou de se tenir à table, votre connaissance était incomplète.

« L'un de vos meilleurs passages, Chick, est celui sur Khrouchtchev à l'ONU retirant sa chaussure et martelant son pupitre avec. Et presque aussi bon est votre portrait de Bobby Kennedy quand il était sénateur de New York. Il vous emmenait lors de ses virées à Washington, n'est-ce pas ?

— Oui. Pendant une semaine entière...

— Voilà un de vos portraits qui a retenu mon intérêt, dit Ravelstein. Que son bureau de sénateur était comme un autel à son frère — un immense portrait de John au mur. Et il y avait quelque chose de féroce dans son deuil...

— Vengeur était ce que je disais.

— Lyndon Johnson était l'ennemi, n'est-ce pas ? Ils s'en étaient débarrassés en le bombardant vice-président — une sorte de garçon de courses. Mais il était devenu le successeur de John. Et Bobby avait besoin d'armes pour reprendre la Maison-Blanche. Plein de haine. C'étaient de très beaux hommes, les deux frères. Bob ne faisait que la moitié de John, dit Ravelstein, mais il n'avait pas peur de la bagarre. Le plus amusant de tout, c'était ces allées et venues entre les bureaux du Sénat et le Capitole. Il y avait ces merveilleuses questions qu'il vous posait — comme "Parlez-moi de Henry Adams", "Dites-moi pour H. L. Men-

160

cken". Il pensait que, s'il devait être président, il devrait connaître Mencken.»

Cela transportait Ravelstein de parler des gens célèbres. À Ildewild, un jour, il avait aperçu Elizabeth Taylor et passé près d'une heure à la pister à travers la foule. Il était particulièrement heureux de l'avoir reconnue. Elle était tellement défraîchie que cela demandait un certain coup d'œil. Elle semblait savoir qu'elle avait perdu tout son éclat.

«Vous n'avez pas essayé de l'aborder?

— On-hon.

— En tant qu'auteur à succès, vous étiez sur un pied d'égalité avec les autres célébrités.»

Mais non.

Lui et moi étions assis, comme nous l'avions été depuis des années, dans son salon, et il était drapé dans sa robe de chambre japonaise. Elle flottait de toutes parts. Ses jambes nues étaient comme des courges de concours, parce que ses chevilles étaient enflées — «Ce putain d'œdème!» disait-il. La moitié supérieure de Ravelstein était aussi animée que de coutume. Mais la maladie gagnait du terrain, et il le savait aussi bien que n'importe quel médecin. Non seulement parlait-il de plus en plus du mémoire que j'avais mission de rédiger, mais il avait des choses étranges à me dire. Au sujet de la persistance des désirs sexuels, par exemple. «Je n'ai jamais été si chaud, disait-il. Et il est trop tard dans la journée pour trouver un partenaire. Je dois me soulager...

— Qu'est-ce que vous faites?

— Une branlette. Qu'y a-t-il d'autre? À ce stade, humainement, je suis hors course.»

Cette idée me fit frémir.

«Je suis mortellement infecté. Je pense beaucoup à ces jolis garçons parisiens. S'ils attrapent la maladie, ils se tournent souvent vers leur maman, qui prend soin d'eux. Ma vieille mère est une pauvre chose à présent. La dernière fois que je l'ai vue, je lui ai demandé : "Tu me reconnais?" et elle m'a répondu : "Bien sûr. Tu es le type qui a écrit ce satané best-seller dont tout le monde parle."

— Vous m'avez déjà raconté ça.

— Ça vaut la peine d'être répété. Son second mari est aussi dans une classe terminale pour nonagénaires. Je les battrai tous les deux, cependant. À ce rythme, j'atteindrai la ligne d'arrivée avant ma maman. Peut-être l'attendrai-je.

— Je suis visé, là, non?

— Eh bien, Chick, vous avez souvent parlé de la vie future.

— Et vous êtes un athée déclaré, car nul philosophe ne peut croire en Dieu. Mais ce n'est pas une conviction chez moi. Il se trouve seulement que mon enquête informelle montre que neuf personnes sur dix s'attendent à voir leurs parents dans l'au-delà. Mais suis-je prêt à passer l'éternité avec eux? Je soupçonne que non. Ce que je préférerais, ce serait d'être autorisé à étudier l'Univers, sous la direction de Dieu. Il n'y a rien d'original là-dedans, à moins que ce ne soit en fin de compte quelque chose de colossal que d'embrasser le désir collectif de millions de gens.

— Eh bien, nous saurons bientôt, vous et moi, Chick.

— Pourquoi? En voyez-vous des signes chez moi?

— J'en vois, oui, pour être franc avec vous. »

Comme s'il avait jamais été autre chose.

Étrangement, cela ne me dérangeait pas d'entendre cela de sa bouche. Il aurait pu, cependant, avoir une pensée pour Rosamund. Il n'était pas toujours au clair quant à ma relation avec elle — naturellement désorienté par sa maladie. Il avait assumé le rôle de l'intercesseur bienveillant, du conseiller, de l'arrangeur. C'était, pour partie, dû à l'influence de Jean-Jacques Rousseau, le théoricien politique et réformateur. Mais il avait initialement été attiré vers Jean-Jacques par sa foi en l'amour qui soude les âmes et les sociétés. Il lui arrivait de reconnaître que Rousseau, le génie novateur dont les idées — la hauteur d'esprit — avaient puissamment dominé la société européenne pendant plus d'un siècle, était (presque nécessairement) lui-même un maboul. Pour nous rapprocher un peu de notre sujet principal, il avait été dérouté d'apprendre que j'avais épousé Rosamund sans juger utile de le consulter. J'étais prêt à admettre qu'il pouvait en savoir plus sur mon compte que je n'en savais moi-même, mais je n'allais pas me remettre à sa garde et compter sur lui pour régler ma vie à ma place. Ç'aurait été injuste pour Rosamund aussi. Je ne vais pas me lancer dans des discours sur la dignité, l'autonomie et tout le reste. Elle et moi avions été ensemble pendant près d'un an avant que Ravelstein n'apprenne que nous étions ce que les journalistes de la presse à sensation appelleraient «une histoire». Je dois dire, néanmoins, que lorsque nous nous sommes mariés il le prit très bien, ne manifestant aucun ressentiment. Les gens faisaient naturellement ce que les gens avaient toujours fait. Les vieux continuaient à avoir un sursaut d'imbécillité après l'autre, jusqu'à ce que l'organisme n'y résiste plus. J'étais parfaitement disposé à l'amuser en étant typique, conforme au canon. Au cours des derniers mois, il passa en revue l'opinion qu'il avait de ses amis proches et de ses étudiants favoris et trouva qu'il ne s'était jamais trompé sur leur compte. Je ne lui avais jamais dit que j'étais tombé amoureux de Rosamund, parce qu'il aurait éclaté de rire et m'aurait traité d'idiot. Il est très important, cependant, de comprendre qu'il n'était pas de ces gens pour qui l'amour a été descendu de son piédestal et mis à la casse — pour qui c'était un mythe historique, romantique, longtemps à l'agonie, mais enfin complètement mort. Il pensait — non, il *voyait* — que chaque âme était en quête de son autre singulier, désireuse de son complément. Je ne vais pas décrire Éros, etc., tel qu'il le voyait. Je l'ai déjà trop fait : mais il y a une certaine splendeur irréductible là-dedans sans laquelle nous ne serions pas tout à fait humains. L'amour est une des plus hautes fonctions de notre espèce — sa vocation. Cela ne peut simplement pas être mis de côté en traitant de Ravelstein. Il n'oubliait jamais cette conviction. Elle apparaît dans tous ses jugements.

Il parlait souvent en bien de Rosamund. Il disait qu'elle était sérieuse, dure à la tâche, qu'elle avait l'esprit bien conformé. C'était une jolie jeune femme pleine d'allant. Les jeunes femmes, disait-il, étaient handicapées par ce qu'il appelait la « maintenance de la séduction ». La Nature, en outre, leur donnait un désir d'enfants, et donc de mariage, de la stabilité nécessaire à la vie familiale. Et cela, joint à une masse d'autres choses, les disqualifiait pour la philosophie.

« Il y a des jeunes femmes qui pensent pouvoir maintenir un mari en vie éternellement, dit-il.

— Croyez-vous que ce soit le cas de Rosamund ? Je ne pense presque jamais à mes années calendaires. J'avance toujours sur un même palier dont je n'aperçois pas la fin.

— Il y a des faits significatifs avec lesquels il faut vivre, mais vous n'êtes pas obligé de vous laisser absorber par eux. »

Lorsqu'il évoquait sa maladie, c'était presque toujours de cette manière oblique. Ravelstein prenait ses dernières dispositions. Personne ne s'offrait à en parler avec lui. L'unique exception était Nikki. Mais Nikki était, en un certain sens, un membre de la famille. Si Ravelstein avait une famille, elle serait exotique, car il n'avait rien à faire des familles. Nikki, le beau prince chinois, hériterait. Le reste d'entre nous, à un degré ou un autre, n'était pas des héritiers mais des amis.

Au cours des derniers mois de sa vie, Ravelstein fit comme il avait toujours fait. Il donna ses cours, il organisa des colloques. Quand il n'avait pas la force de faire une conférence, il invitait un ami à la prononcer : l'argent des fondations était toujours disponible. Son crâne chauve au milieu de la première rangée trônait sur ces occasions. Quand une conférence s'achevait, il était invariablement le premier à poser une question.

Cela devint un protocole. Tout le monde attendait qu'il lance la discussion. Au début du premier trimestre, il était encore très actif, même si, lorsque je l'escortais au campus depuis son appartement, il devait s'arrêter tous les quelques pas pour reprendre son souffle.

Je me souviens que des bandes de perroquets s'étaient abattues sur un bouquet d'arbres où poussaient des baies rouges comestibles. Les perroquets, que l'on pensait être les descendants d'un couple d'oiseaux échappés de captivité, construisaient leurs longs nids en forme de sac dans le parc au bord du lac et colonisaient les allées. Dans ces taudis aviaires qui pendaient aux poteaux électriques, vivaient des centaines de perroquets verts.

« Que regardons-nous ? demanda Ravelstein, tournant vers moi ses yeux globuleux.

— Nous regardons des perroquets.

— Certes, certes, mais je n'en ai jamais vu de pareils. Qu'est-ce qu'ils font comme boucan !

— Eh bien, il n'y avait autrefois que des rats, des souris et des écureuils gris — maintenant il y a des ratons-laveurs dans les parcs et même des opossums — une nouvelle chaîne écologique fondée sur les ordures dans les grandes villes...

— Vous voulez dire que la jungle urbaine n'est plus une métaphore, dit-il. Cela me met les nerfs en pelote d'écouter ces bruyants oiseaux verts des Tropiques. La neige ne les flingue pas ?

— Il ne semble pas. »

Rien n'avait raison d'eux. Les bruyants oiseaux verts qui se chamaillaient et se battaient dans les branches, faisant tomber de la neige, se repaissant de baies rouges, retinrent l'attention de Ravelstein plus longtemps que je ne l'avais attendu. Il avait peu d'intérêt pour la nature. Les êtres humains l'absorbaient entièrement. Se perdre dans les herbes, les feuilles, les vents, les oiseaux ou les bêtes, c'était déroger à des obligations supérieures. Et je pense que les oiseaux retinrent son attention un temps inhabituellement long parce qu'ils ne se contentaient pas de se nourrir, mais qu'ils festoyaient, et lui-même était un mangeur vorace. Ou l'avait été. À présent, ses repas étaient principalement des occasions mondaines, des supports de conversation. Il dînait dehors tous les soirs. Nikki ne pouvait pas faire la cuisine pour tous les gens qui affluaient voir Ravelstein.

Abe prenait la médication communément prescrite pour son affection, mais il ne voulait pas que ça se sache. Je me souviens combien il avait été choqué quand son infirmière était entré en lançant — la pièce était pleine d'amis : « C'est l'heure de votre AZT. »

Il me dit le lendemain : « Je l'aurais tuée. » Il en tremblait encore. « Ces gens-là n'ont aucune formation ? »

— Ils sortent du ghetto, dit Nikki.

— Ghetto, mon cul ! dit Ravelstein. Les Juifs du ghetto avaient une sensibilité hautement développée, un courage civilisé — des milliers d'années de formation. Ils avaient des communautés et des lois. "Ghetto" est un terme de pisse-copie ignorant. Ce n'est pas d'un ghetto qu'ils viennent, c'est d'un ramdam bruyant, aveugle et nihiliste. »

Un jour, il me dit : « Chick, j'ai besoin de faire établir un chèque. Ce n'est pas grand-chose. Cinq cents dollars.

— Pourquoi vous ne l'émettez pas vous-même ?

— Je ne veux pas avoir d'ennuis avec Nikki. Il le verrait sur le talon.

— Très bien. Sous quelle forme, le versement ?

— Mettez ça en liquide. »

Il n'y avait aucun besoin de demander à Ravelstein d'entrer dans les détails. « Je vous ai noté l'adresse, dit-il en me tendant un bout de papier.

— Considérez la chose comme faite.

— Je vous ferai un chèque.

— Hors de question », dis-je.

Je me demandai si quelque visiteur n'avait pas piqué un briquet ou quelque autre *bibelot**, et si Ravelstein payait une rançon. Mais je décidai que cela ne méritait pas qu'on s'y attarde. Il m'avait déjà parlé de la hausse brutale de son désir sexuel. Il disait : « Je bande, et qu'est-ce que je suis censé en faire ? Certains de ces gosses ont une compassion extraordinaire pour vous. Ils connaissent tout le tableau. Je n'aurais jamais imaginé que la mort soit un aussi étrange aphrodisiaque. Je ne sais pas pourquoi je vous lâche tout ça. Peut-être me semble-t-il que c'est une information nécessaire. »

J'ai l'habitude depuis toujours de remettre les choses au lendemain. Bien sûr, je savais que Ravelstein était en phase terminale, qu'il n'en avait plus pour longtemps. Mais quand Nikki me dit que Morris Herbst venait en ville, je me sentis enjoint de me ressaisir.

Ravelstein et Morris Herbst se parlaient au téléphone tous les jours. Avec l'aide de Ravelstein, Morris, qui était veuf, avait réussi à élever deux enfants. Ravelstein était, à sa façon, amoureux de leur défunte mère, et il parlait d'elle avec un respect et une admiration tout particuliers. Il me décrivit son «visage d'une blancheur théâtrale, ses yeux noirs, une nature splendide et sexuellement ouverte, mais pas promiscuitaire». Rien de sexuel n'est plus prohibé, mais le défi est de tenir son cap face à l'anarchie générale. Ravelstein admirait la défunte épouse de Herbst, l'aimait. Elle était la seule femme dont il eût la photo dans son portefeuille. Il était donc parfaitement naturel qu'il soit un deuxième père pour ses enfants. Il leur dénichait des bourses d'études et des jobs d'étudiant, contrôlait leurs fréquentations et s'assurait qu'ils lisaient les classiques indispensables.

Ce fut Nikki qui me parla de la photo de Nehamah. «Elle s'y trouve, à côté de ses cartes de crédit et de sa carte d'assuré social, dit-il. Vous savez qu'il est attiré par les gens qui ont des passions fondamentales — qui lui font monter les larmes aux yeux. Pour Abe, cela compte plus que tout.»

Si Ravelstein ne parlait pas souvent de Nehamah Herbst, la raison en était qu'au cours des derniers mois de sa vie Morris et lui avaient bâti une sorte de culte autour d'elle. Abe avait passé beaucoup de temps avec elle au cours des dernières semaines, et elle lui avait parlé librement de secrets et de questions intimes. Bien qu'il ne fût pas homme à respecter les confidences, il ne me dit jamais de quoi Nehamah et lui avaient parlé.

La mère de Nehamah vint de Mea Sha'arim et supplia sa fille de faire célébrer une cérémonie orthodoxe.

«Quoi, sur mon lit de mort?

— Oui. Pour le bien de tes enfants, tu dois le faire. Je suis ici pour les sauver.»

Mais on n'obtient presque jamais la chose vraie, disait

parfois Ravelstein. Ce qui importe réellement doit être révélé, jamais accompli. Mais seule une poignée d'êtres humains ont l'imagination et les qualités de caractère nécessaires pour vivre selon le véritable Éros. Nehamah refusa non seulement de voir le rabbin orthodoxe que sa mère avait amené auprès de son lit de mort, mais elle ne lui adressa plus jamais la parole, et, sans l'adieu de sa fille, la vieille femme s'en retourna à Mea Sha'arim. «Nehamah était pure et elle était inébranlable», dit Ravelstein de la voix sourde de l'infini respect.

J'essaie du mieux que je peux de communiquer le lien singulier entre Ravelstein et Morris Herbst. Durant trente ou quarante ans, ils avaient été en contact quotidien. «Maintenant que j'ai plus de fric qu'il ne m'en faut, j'ai la satisfaction de garder le contact avec Morris, de lui parler sans songer à la dépense», me dit Ravelstein. De toute façon, il ne regardait jamais les factures de téléphone, disait Nikki. Celles-ci étaient payées par Legg Mason, le gros cabinet de courtage de l'Est qui gérait son argent. Abe dit à Nikki, qui ouvrait son courrier : «Je n'aime pas les imprimés électroniques et je ne vais certainement pas me pencher dessus. Ne me parle de rien, ne me montre pas de relevé de compte à moins que le capital ne tombe en dessous de dix millions.» Là, la réserve orientale de Nikki était soufflée. Il ne pouvait s'empêcher de rire. «Dix briques, pas un centime de moins», disait-il. Il était franc avec moi parce que je ne le harcelais jamais — nous ne parlions jamais d'argent. Il aurait été — voyons voir, qu'aurait-il été? «Offusqué» est le mot qui convient. Il avait sa propre forme de clémence asiatique et princière, mais si vous alliez l'offenser, Nikki vous arracherait la tête.

Morris Herbst, pour revenir à lui, était au premier rang de la liste des invités de Ravelstein à chaque colloque qu'il organisait. Il était le premier à être invité, et le premier à accepter. Il lisait une communication à chacune des manifestations de Ravelstein. Il avait un air réfléchi, posé, équilibré, et s'exprimait calmement, sans précipitation ni nervosité. Avec sa barbe blanche carrée — pas de moustache — il ressemblait à un fermier du Michigan que j'avais connu cinquante ans plus tôt. Herbst avait lui aussi étudié avec le professeur Davarr, mais, sans grec, il ne pouvait être un réel poulain de Davarr. Il enseignait Goethe, il avait écrit un livre sur *Les Affinités électives*, mais le fait étrange était — et il y avait toujours des faits étranges — qu'il avait aussi une faiblesse pour les cartes et les dés et allait souvent à Las Vegas. Ravelstein avait une considération particulière pour les casse-cou impénitents. Et j'avais, moi aussi, une haute opinion de Herbst. Je n'aurais su dire pourquoi. Il jouait, il perdait son sang-froid à la table de vingt-et-un, et, bien qu'il pleurât son épouse, il pourchassait aussi les femmes, mais il ne se faisait jamais d'illusions sur son propre compte.

Oui, il avait maintenu la famille, tout comme il l'avait promis à Nehamah, mais les enfants n'ignoraient rien de ses affaires de cœur, de sa chasse aux femmes. Après la mort de Nehamah, il y avait toujours une femme ou une autre installée dans la maison, et des femmes l'appelaient des quatre coins du pays. Il avait une attitude calme — une manière inébranlable de s'asseoir. Ses cheveux blancs étaient à la fois bouclés et ondulés, et son teint vif. Il avait belle allure mais il devait sa vie à la chirurgie cardiaque. Et quand vous lui posiez une question, vous deviez attendre le temps qu'il rassemble et organise ses éléments. Il pouvait rester immobile, méditant sa réponse (je l'avais chronométré plusieurs fois) jusqu'à cinq minutes. C'était un causeur sobre et circonspect. D'origine allemande, il s'était spécialisé dans les penseurs allemands. Il ne s'était jamais autant passionné pour eux qu'il ne l'était des femmes, mais depuis la mort de son épouse il avait eu une liaison durable avec une femme dont le mari peu accommodant avait dû tolérer leurs longs échanges téléphoniques nocturnes. Sans téléphone, qu'aurait été la vie spirituelle de Morris ? Ravelstein préférait l'expression française. Il disait : « Je ne traiterais pas Morris de coureur. C'est un véritable *homme à femmes**. C'est une authentique vocation. »

Cinq ans plus tôt, les chirurgiens avaient dit à Herbst que son cœur était fichu. Il avait attendu une transplantation en tête de liste des receveurs. Il ne lui restait pas plus d'une semaine à vivre quand un motocycliste du Missouri s'était tué dans un accident. Les organes du gamin avaient été récoltés. Techniquement, ces transplantations sont une immense réussite. Le côté humain de la chose est que Morris porte le cœur d'un autre homme dans sa poitrine. On peut accepter une greffe de peau d'un étranger compatible. Mais le cœur, avons-nous tendance à penser, est une autre affaire. Le cœur est un mystère. Si vous avez vu votre propre cœur sur un écran vidéo, comme ce fut le cas de millions d'entre nous aujourd'hui, se convulsant et s'ouvrant en cadence, vous avez pu vous demander pourquoi ce muscle obstiné est si fidèle dans son fonctionnement depuis l'utérus jusqu'au dernier souffle. Cette contraction-détente rythmée se poursuit aveuglément. Pourquoi ? Comment ? Et qui était-ce qui prolongeait à présent la vie de Morris Herbst — une tête de linotte assoiffée de vitesse de Cape Girardeau, Missouri, dont Herbst ne savait rien. Rien ne colle ici, excepté le vieux slogan industriel : « Les pièces sont interchangeables. » Cela nous fait saisir la réalité moderne.

Durant la guerre, il me revenait souvent que les troupes russes qui repoussaient les armées hitlériennes à travers la Pologne carburaient au porc en conserve de Chicago.

Pourquoi du porc? Eh bien, c'est pertinent en l'occurrence. Morris était un juif croyant — pas entièrement orthodoxe, mais plus ou moins pratiquant. Et ce juif acrobatique devait son existence au cœur tiré des entrailles d'un jeune homme qui avait perdu le contrôle de sa moto — je ne connais pas les circonstances exactes de sa mort. Tout ce que je sais réellement, c'est que des techniciens en chirurgie ont extrait le cœur du garçon et qu'il remplace à présent celui, défaillant, de Herbst dans sa poitrine. Herbst me disait qu'il introduisait des pulsions et des sensations étrangères dans sa vie.

Je lui demandai ce que cela signifiait.

Assis et circonspect, les mains posées sur les genoux, sa pâleur disparue avec le cœur faiblard qui l'avait tué à petit feu, les cheveux blancs ondoyant autour de son visage à présent rougeaud, il disait de lui-même qu'à cet instant précis il se sentait comme un père Noël de grand magasin demandant aux enfants ce qu'ils voulaient comme cadeaux. Parce que au centre de son «implantation physique» (ses propres termes) son cœur d'emprunt avait pris le pouvoir, et il sentait qu'un tempérament différent l'avait accompagné — infantile, insouciant, non seulement acceptant, mais heureux de prendre des risques. «Je me sens un peu comme ce gaillard qui s'appelle Evel Knievel et qui saute avec sa Honda par-dessus seize tonneaux de bière.»

Je comprenais cela, étrangement, parce que, à l'époque, j'étais en traitement chez une physiothérapeute qui m'expliquait que les principaux organes du corps étaient entourés par des énergies électriques et qu'elle, la thérapeute, était en contact avec ma vésicule biliaire. Je lui dis : «Mais je n'ai plus de vésicule biliaire. On me l'a retirée.

— Oui, mais ces énergies subsistent — et elles resteront là aussi longtemps que vous vivrez», me répondit-elle.

J'évoque cela, avec un brin d'agnosticisme, parce qu'on me demandait de croire que ce n'était pas seulement le cœur du jeune homme qui avait changé de corps. Les organes sont aussi les reposoirs des ombres ou des pulsions assertives — anxieuses ou heureuses, c'est selon, et celles-ci étaient entrées dans le corps de Herbst en même temps que le nouveau cœur. Elles devraient maintenant trouver un arrangement avec les forces de leur nouvel environnement.

S'il s'était agi d'une transplantation rénale ou pancréatique, tout aurait été différent. Mais le cœur charrie tant de connotations ; c'est le siège des émotions d'un homme — de sa vie supérieure.

En tout cas, Morris, un juif allemand, fut sauvé par ce gamin du Missouri. Et je devais me retenir de l'interroger à propos d'un cœur d'origine chrétienne, goy, avec ses énergies secrètes et ses rythmes — comment s'adaptait-il à des besoins ou des particularismes juifs, des souffrances et des idées juives ? À ce stade, je ne pouvais discuter de la question avec Ravelstein. Il n'était pas en état de tourner ses pensées dans cette direction.

Je me risquai tout juste à interroger Morris, avec la plus grande prudence, sur la transplantation. Il me répondit que, dans tous les États où on vous délivrait un permis de conduire, on vous demandait de cocher une case selon que vous acceptiez ou non d'être un donneur d'organe. «En un quart de seconde, le gosse a fait une croix — ouais, pourquoi pas ? Si bien que le cœur a été envoyé sur la côte Est et que j'ai été opéré à l'hôpital général du Massachusetts.

— Et vous ne savez rien de plus sur le gosse ?

— Très peu. J'ai écrit une lettre de remerciement à ses parents.

— Que leur avez-vous dit, si cela ne vous dérange pas ?

— Je leur ai dit, honnêtement, à quel point j'étais reconnaissant, et me suis présenté comme un bon Américain de souche pour qu'ils n'aient pas le souci de penser que le cœur de leur garçon maintenait en vie une raclure d'étranger...

— Cela doit vous donner des angoisses, sur la route, quand vous êtes soudain entouré par une bande de jeunes gaillards à moto, avec des foulards, des bonnets et des grosses lunettes.

— Je suis toujours préparé à ça.

— La famille du garçon vous a-t-elle répondu?

— Pas même une carte postale. Mais ils doivent être heureux que son cœur continue de vivre.» Il baissa le visage avec un air d'hésitation — comme s'il cherchait des réponses dans les arabesques du tapis persan de Ravelstein, ou y discernait un message particulier ayant trait à la prolongation miraculeuse qui lui avait été accordée. Je n'avais investi aucun espoir dans le tapis. Je recourus au langage de la politique des grandes villes — on avait eu recours à une sacrée combine. Ainsi la vie — c'est-à-dire ce que l'on voyait sans discontinuer, les images produites par la vie — continuait. Cela n'était pas sans rapport avec quelque chose que j'avais dit à Ravelstein.

Quand il me demanda ce que je pensais de la mort, comment je l'imaginais, je répondis que les images cesseraient. De manière évidente, je voyais comme des images ce que les Américains appellent l'Expérience. Je ne songeais pas à cet instant aux images devenues disponibles, récemment offertes par la technologie — le genre de visite que l'on peut faire à présent de notre tube digestif, ou du cœur. Le cœur — à peine un groupe de muscles après tout. Mais comme ils sont obstinés, commençant à battre dans le sein et gardant le rythme durant jusqu'à un siècle. Dans le cas de Herbst, il avait lâché au bout de cinquante ans, et la transplantation lui en accorderait trente ou quarante de plus. Il pointait à l'hôpital une fois par an pour des examens. Mais, dans l'ensemble, sa vie se poursuivait comme auparavant. Il avait l'air aimable, tolérant, ouvert. Son visage en cadran, bienveillant et silencieux, avec son bord blanc, propre et bouclé, de barbe était calme et sain. Il examinait très attentivement les femmes, inspectant leur silhouette, leurs seins, leurs jambes, leur coiffure. C'était un de ces hommes qui savent apprécier, rendre justice aux qualités des femmes. Son examen ne semblait mettre personne mal à l'aise. Il prenait un plaisir désintéressé à jauger les femmes Mais sa manière était tranquille, il n'en faisait pas étalage, et peu étaient embarrassées par son intérêt.

Quand Herbst arrivait, je m'esquivais. Amis depuis près d'un demi-siècle, Abe et Morris avaient une montagne de choses à échanger. Ravelstein appelait depuis son lit : « Faites-le venir. » Les draps Pratesi étaient défaits aux coins et le dessus-de-lit en vison, d'une sublime douceur, traînait par terre. Aux murs, les tableaux, Dieu sait pourquoi, n'étaient jamais d'aplomb. Toutes les belles antiquités de la pièce étaient chargées de vêtements, de manuscrits et de lettres. Les lettres me faisaient toujours penser aux controverses dans lesquelles il était impliqué — aux puissants ennemis implacables qu'il s'était faits dans le monde universitaire. Il se fichait complètement d'eux.

Herbst se penchait au bord du lit et serrait Ravelstein dans ses bras.

« Chick, apportez un siège à Morris, voulez-vous bien ? »

J'avançais le fauteuil crapaud en cuir italien. On avait tendance à oublier que Herbst était maintenu en vie par sa transplantation. Il semblait se porter suffisamment bien pour veiller à ses nécessités quotidiennes. Je suspectais à demi, un instant, que Ravelstein le préférait, lui, son plus vieil ami, en invalide. Mais la pensée fut très brève. Cela ne lui ressemblait pas de jouer à ce genre de jeux. Il était en train de mourir, bien sûr, mais foin des manœuvres d'infirmerie. Il avait besoin — envie — de parler.

Je sortais, laissant ensemble les amis dans ce que Ravelstein avait meublé comme une chambre digne d'un homme de son envergure. Presque aussitôt, je les entendais tous deux rire bruyamment — ils se racontaient les meilleures blagues (les plus crues, les plus obscènes) qu'ils avaient entendues récemment. L'atmosphère solennelle, façon « derniers jours de Socrate », n'était pas son style. Ce n'était pas le moment d'être quelqu'un d'autre — même pas Socrate. Vous vouliez plus que jamais être ce que vous aviez toujours été. Il n'allait pas gâcher ses derniers moments à être un autre.

Quand ils s'installaient pour leurs échanges privés, je rentrais chez moi et faisais part des événements de la journée à Rosamund. Elle avait téléphoné à la femme qui dactylographiait sa thèse. Elle donnerait sa leçon de doctorat dans quelques semaines. Elle avait étudié cinq ans avec Ravelstein, de sorte que, si je désirais savoir ce dont Machiavel était redevable à Tite-Live, je n'avais qu'à interroger cette mince et belle jeune femme aux longs yeux bleus. Je me souciais peu en ce temps-là des dettes de Machiavel. Ce qui était plus important et immensément réconfortant pour moi, c'était qu'il n'y avait rien que je puisse dire à cette femme qu'elle ne comprendrait pas.

« Herbst est arrivé ? Ils doivent avoir beaucoup de choses à se dire.

— Je n'en doute pas, mais ils avaient quelques blagues salaces à échanger pour commencer. C'est une étrange situation par quelque bout qu'on la prenne. Voilà Herbst avec le cœur d'un autre homme qui bat dans sa poitrine et Ravelstein qui lui a déjà fait ses adieux. En un sens, les blagues sont plus appropriées qu'une conversation sur l'âme et l'immortalité. Pour découvrir ce qui arrive quand on arrête de respirer, il faut prendre son billet.

— Mourir ?

— Eh bien, y a-t-il un autre moyen d'obtenir l'information ?

— Est-ce que Nikki t'a dit que le Dr Schley renvoie Ravelstein à l'hôpital ?

— C'est surprenant, dis-je. Il vient tout juste de rapprendre à marcher. J'aurais cru qu'il en avait encore pour un an ou plus.

— Vraiment ? fit Rosamund.

— Certainement, mais il n'a aucune envie de s'éterniser. À l'hôpital, il sera mieux protégé des amis et des admirateurs.

— Il est beaucoup plus sociable que toi, Chick. Il adore avoir de la compagnie. »

Ce n'était pas simplement une question de compagnie. Les gens lui apportaient aussi leurs problèmes, comme si, de son lit de mort, on pouvait attendre quelque chose approchant d'une information divine.

La porte de la chambre de Ravelstein était restée ouverte et je voyais les longs cheveux de notre ami Battle retomber sur ses épaules massives, et ses bottillons du dernier chic. Je ne percevais pas vraiment son visage, mais sa femme pleurait manifestement. Elle était pliée en deux. Ce ne pouvait être que des larmes. J'avais beaucoup de respect pour Mme Battle et j'appréciais grandement son mari.

Les Battle étaient des fans de Ravelstein. Ils n'allaient jamais à ses conférences et je doute fort qu'ils aient lu ses livres, mais ils le prenaient très au sérieux. Quand Battle avait pris sa retraite, quelques années plus tôt, lui et sa femme étaient allés s'enfouir dans les forêts du Wisconsin, vivant très simplement, à la Thoreau. Lorsqu'ils venaient en ville, Ravelstein aimait dîner avec eux à notre club franco-serbe.

J'avais découvert que, si l'on plaçait les gens sous un éclairage comique, ils devenaient plus sympathiques — si vous parliez de quelqu'un comme d'un brochet humain frustre, pétomane et strabique, vous vous entendiez d'autant mieux avec lui par la suite, en partie parce que vous aviez conscience d'être le sadique qui l'avait dépouillé de ses attributs humains. En outre, lui ayant infligé quelques violences métaphoriques, vous lui deviez une considération particulière.

Après leur départ, Ravelstein me dit (il était remonté par quelque amusement intérieur) que le motif de leur visite était de solliciter son conseil.

«À quel propos?

— Il sont venus me parler de leurs projets de suicide. Il se sont excusés de me déranger. Je crois qu'ils étaient sérieux. À un tel moment...

— C'est incroyable, dis-je.

— Ne soyez pas dur avec eux, Chick. Les fantasmes de suicides sont assez communs chez les vieilles gens.

— *Eux* pensaient qu'ils étaient sérieux.

— Comme je suis en train de mourir, je me suis dit la même chose, naturellement. Ce n'est vraiment pas le moment pour que les gens me chargent de leurs problèmes. Ils me l'ont présenté sous la forme du "imaginez que". Étais-je d'avis, *in abstracto*, qu'à ce stade de leur vie, et tout le reste, il serait préférable...?

— Un pacte de suicide?

— Battle m'a exposé l'idée générale, puis elle a complété et ajouté les commentaires pratiques. Ils m'ont dit

178

que j'étais la seule personne en qui ils aient suffisamment confiance et qui ne se moquerait pas d'eux.

— Vous allez donc trouver un homme qui préférerait ne pas mourir et vous lui exposez vos projets de suicide.

— Battle y faisait allusion depuis des semaines. C'est un homme très intelligent, mais il a trop de caractère à surmonter. Son caractère l'empêche de s'exprimer. C'est elle la plus sensée, et elle est venue vêtue d'un ensemble bleu uni avec des rangées de boutons sur le devant. C'est une petite chose. Ou est-ce le mari surdimensionné qui la fait paraître minuscule ? Enfin, elle a ce joli petit visage à l'anglaise avec des regards par en dessous. Je pense que lorsque des gosses la croisent, ils doivent voir un visage adorable et bienveillant...

— De quoi se plaignent-ils donc ?

— Ils se plaignent de vieillir. Tous les gens instruits font la même erreur — ils croient que la nature et la solitude sont bons pour eux. La nature et la solitude sont un poison, dit Ravelstein. Le pauvre Battle et sa femme sont déprimés par la forêt. C'est la première observation à faire.

— Que leur avez-vous dit ?

— Je leur ai dit qu'ils avaient bien fait de m'en parler. Les gens devraient plus s'ouvrir quand ils sont suicidaires. Ils ont ces idées parce qu'ils n'ont pas de communauté, personne à qui parler.

— Peut-être est-ce leur idée de l'hommage — comme s'ils affirmaient ainsi que la vie sans leur ami Ravelstein perdrait sa valeur, dis-je.

— Oui, ce sont des gens adorables, dit Ravelstein. Ils ont inventé ce moyen détourné de me faire savoir que je n'étais pas obligé d'y passer seul.

— Manifestement, ils parlent sans cesse de vous, et vous êtes peut-être devenu leur secret arbitre.

— De sorte que si je mourais, ils pouvaient tout aussi mourir, eux aussi », dit Ravelstein, mais c'était sa manière de traiter le sujet à la légère. Il adorait les commérages, mais l'intérêt qu'il portait aux gens serait difficile à décrire. Il avait une étrange capacité intuitive, mais ce n'était pas tant l'analyse que la divination que l'on sentait chez lui quand il parlait des personnalités, ou cherchait à les cerner.

« Ce que j'ai dit, c'est que c'était une erreur de faire du suicide un sujet de querelle ou de débat. Raisonner pour ou contre la vie est de l'enfantillage.

— Vous avez une grande influence sur les deux Battle, et si vous leur avez dit de ne pas le faire, ils ne le feront pas.

— Ce n'est pas mon genre, Chick, de dire la loi. »

Voilà qui était certainement faux.

« Ils voulaient être pris au sérieux, dit-il. Mais, bien sûr, ils ne l'étaient pas. Ils voulaient m'amuser avec leur numéro du double suicide. »

Cela y ressemblait plus.

« Je leur ai dit qu'ils vivaient une grande histoire d'amour. Un classique.

— Et qu'ils ne devraient pas jeter le discrédit sur l'amour, dis-je.

— Quelque chose de ce genre, dit Ravelstein. Vous connaissez l'histoire. Après une seule danse avec Battle, qu'elle n'avait jamais rencontré auparavant, elle a quitté son mari. Elle est entrée dans les bras de Battle et la cause était entendue. Au même instant, les deux parties ont su que leurs mariages respectifs étaient terminés... Il était fort sur un court de tennis et sur une piste de danse, mais ce n'était pas un séducteur, et elle n'était pas une femme infidèle. Il lui a dit qu'il l'attendrait à l'aéroport...

— Où était-ce déjà ?

— Au Brésil. Et ils ont mené une vie heureuse.

— Je m'en souviens à présent. Leur avion a été frappé par un éclair.

— C'est cela, et ils ont dû atterrir en Uruguay. Ils ont donc passé de nombreuses années ensemble — quarante ans sans une défaillance. Les Battle comptent sur moi pour résumer les choses, je leur ai donc fait ce plaisir et leur ai raconté leur propre histoire. Parmi des millions ou des centaines de millions de gens, eux seuls ont eu de la veine. Ils ont eu une grande histoire d'amour et des décennies de bonheur sans effort. Chacun amusait l'autre par ses excentricités. Comment pouvaient-ils supporter l'idée de tout rabaisser par un suicide... ? Je voyais bien que Mme Battle entendait ce qu'elle avait espéré entendre. Elle voulait que je plaide en faveur de la continuation de la vie.

— Mais Battle n'était pas entièrement satisfait — c'est bien ça ?

— C'est exact, Chick. Il voulait débattre du suicide et du nihilisme. Je me suis souvent dit que les fantasmes de suicide et les fantasmes de meurtre s'équilibrent dans l'économie mentale des personnes civilisées. Battle n'est pas professeur jusqu'au bout des ongles, mais il se sent obligé de régler ses comptes avec le nihilisme. Il ne sait pas grand-chose du nihilisme, mais c'est dans l'air. Il m'a parlé de l'inclination au suicide des gens célèbres — qui verraient les illusions de la réussite et en finiraient...

— Quand on n'aime pas la vie, la mort est la délivrance. On peut appeler cela du nihilisme si on veut.

— Oui. À l'américaine — sans le gouffre, dit Ravelstein. Mais les Juifs pensent que le monde a été créé pour chacun d'entre nous, autant que nous sommes, et que détruire une vie humaine, c'est détruire un univers entier — l'univers tel qu'il existait pour cette personne. »

Tout d'un coup, Ravelstein était fâché contre moi. Du moins parlait-il avec une intensité rageuse. Peut-être souriais-je toujours de Battle et il avait pu lui sembler que je me dissociais de l'idée que l'on détruisait un univers entier en se détruisant soi-même. Comme si je menaçais de détruire un univers — moi qui vivais pour observer ce phénomène, qui croyais que le cœur des choses apparaît à la surface de ces choses. Je disais toujours — en répondant à la question de Ravelstein : «À quoi imaginez-vous que la mort puisse ressembler? — Les images cesseront.» Impliquant, une fois de plus, qu'à la surface des choses on voyait le cœur des choses.

Jusqu'à la fin, Ravelstein attira des masses de visiteurs. Peu arrivaient jusqu'à sa chambre — Nikki y veillait. Mais, parmi ceux qui comptaient, il y avait Sam Pargiter, dont la présence était étrangement significative. Il était l'un de mes amis proches. À mon initiative, il avait lu le célèbre livre d'Abe et suivi ses conférences; il s'était aussi rendu à certains de nos séminaires communs. Il avait une haute estime pour les opinions de Ravelstein et pour ses plaisanteries. Surmonté d'une large pancarte *Non fumeur*, Ravelstein allumait des cigarettes avec son briquet Dunhill tout en causant, disant : «Si vous partez parce que vous haïssez le tabac plus que vous n'aimez les idées, vous ne nous manquerez pas.» Il lançait cela avec un mélange d'âpreté et de bonhomie si comique que Pargiter tomba amoureux de lui et me demanda de le présenter à cet homme spirituel. Je dis à Ravelstein que mon ami Sam Pargiter désirait le rencontrer.

«Eh bien, nous formerons pour vous un couple d'amis totalement chauves», dit Ravelstein. Il ne me fit aucun reproche, mais il était clair à la manière dont il l'exprima que, son temps étant maintenant compté, je ne devais pas lui présenter de nouvelles connaissances.

«Vous disiez que c'était un prêtre catholique?

— Autrefois, dis-je. Il a fait une demande de suspens. Il

reste catholique… Vous avez vous-même un ami jésuite — Trimble.

— Trimble et moi avons partagé un appartement à Paris et nous sommes souvent sortis ensemble. Mais c'était un élève de Davarr comme moi et nous parlions le même langage.

— Eh bien, je n'ai pas discuté de cela avec Sam Pargiter, mais vous pouvez être certain qu'il est venu ici parce qu'il vous a lu et vous pouvez être certain aussi qu'il n'essaiera jamais de vous arracher une conversion *in extremis.* »

Je découvre, rétrospectivement, que j'étais étrangement préoccupé des gens qui venaient voir Ravelstein lors de ses derniers jours et, rangés le long des murs de la chambre, formaient le groupe des témoins largement silencieux. Il n'avait plus la force d'accepter ou de rejeter les visiteurs. De certains d'entre eux, je savais qu'il n'avait aucune envie de les voir là. L'un de ses vieux rivaux, Smith, fit son apparition, escorté d'une nouvelle épouse qui entraîna le professeur jusqu'à la tête du lit : « Dis-lui que tu l'aimes. Vas-y — dis-le-lui. » Et l'homme dit piteusement : « Je vous aime », alors qu'il était parfaitement clair qu'il le haïssait. Ils se haïssaient mutuellement. Ravelstein traversa ce moment impossible avec un sourire radieux, mais il n'était plus capable d'intervenir. Manifestement, Smith était en colère contre sa dernière épouse. Personne n'avait d'autorité pour chasser les Smith de la chambre. Il n'était donc pas plus mal que Pargiter, dont j'aurais bien accueilli la présence à mon lit d'agonie, fût assis à côté de la porte. Pargiter venait pour réconforter ou témoigner — très simplement, pour s'installer contre le mur et s'employer, tacitement pour l'essentiel, à être là.

Ceux dont il avait réellement besoin venaient régulièrement. Les Flood, par exemple, mari et femme, un couple auquel Ravelstein et Nikki étaient très attachés. Flood appartenait à l'administration de l'université — il s'occupait en particulier des relations extérieures. Il représentait l'université auprès de la municipalité et supervisait le système de sécurité du campus — la police de l'université lui faisait ses rapports. La gestion des scandales faisait partie de ses missions. C'était un homme complexe, sensible, sérieux et généreux. Dieu sait combien de questions désagréables il avait dû régler pour le compte de la communauté universitaire. Et il n'était même pas nécessaire d'appartenir à cette communauté pour qu'il s'occupe de vous. Il y avait un restaurateur grec dont Flood avait sauvé la fille en lui ménageant une opération à l'ultime instant où c'était encore possible. Il avait dans toute la ville la tranquille réputation d'être « un homme vers qui on pouvait se tourner en cas de coup dur ». Il nous avait rendu des services à Ravelstein et à moi. La porte de l'appartement des Flood, comme celle de Ravelstein, était toujours ouverte. Les gens allaient et venaient avec un minimum de formalités ou de cérémonie. Gilda Flood et son mari s'aimaient très simplement. Ravelstein faisait plus grand cas de ce rapport naïf (mais indispensable) que de tout autre lien humain. Il est inutile de s'étendre sur cela. Je prends simplement note de la diversité des visiteurs qui étaient attirés au chevet de Ravelstein, si bien que, lorsqu'il se redressait pour regarder leur alignement le long des murs, il était réconforté de voir des gens dont il était familier, avec qui il avait des affinités — quelque chose comme des parents —, ce qu'il y avait de plus proche d'une famille.

Vers la fin, Ravelstein était souvent impatient avec moi. Il avait appris du professeur Davarr que les hommes modernes — et, par certains aspects, j'étais un homme moderne — se facilitaient trop la vie. Et cela ne leur faisait

184

aucun mal d'être sommé de rendre des comptes — d'élaguer le foisonnement persistant des illusions. Il pouvait donc être franc sans qu'il y ait offense.

Souvent les mourants deviennent extrêmement durs. Nous serons toujours là quand ils seront partis et il ne leur est pas facile de nous pardonner. Si je ne méritais pas la règle pour l'opinion X, Y réclamait sans nul doute un bon coup sur le bout des doigts. Plus on devenait vieux, plus les découvertes que l'on faisait sur soi-même devenaient graves. Il aurait eu meilleur usage des années qui m'étaient allouées, à *moi*. Accepter les faits était bien le moins que l'on pût faire. Il pensait que j'étais cavalier avec le péché du suicide quand je lui disais qu'il avait donné aux Battle une réponse très juive. Mais il s'adoucit, disant : «Enfin, vous pouvez me faire crédit d'avoir sauvé deux vies.»

J'ai, en tout cas, avec l'aide de Rosamund, tenu ma promesse à Ravelstein. Il est mort il y a six ans, à l'entame de la nouvelle année juive. Quand je dis le kaddish pour mes parents, je pensai à lui aussi. Et, durant le service des morts — yizkor —, je commençai même à songer au mémoire que j'avais promis de rédiger et à me demander comment j'allais m'y prendre — comment faire avec ses lubies, ses quiddités, ses excentricités, ses façons de manger, de boire, de se raser, de s'habiller et d'éreinter espièglement ses étudiants. Mais ce n'est guère plus que son histoire naturelle. D'autres le percevaient comme bizarre, pervers — souriant, fumant, pontifiant, arrogant, impatient, mais à mes yeux il était brillant et charmeur. Déterminé à saper les sciences sociales ou d'autres spécialités universitaires. Il était condamné à mourir à cause de ses pratiques sexuelles non conformes. À leur sujet, il était parfaitement franc avec moi, avec tous ses amis proches. Il était considéré, pour utiliser un terme du passé, comme un inverti. Pas comme un «gay». Il méprisait l'homosexualité cabotine et avait une piètre opinion de la «gay pride». Il y avait des fois où je ne savais tout simplement pas quoi faire de ses confidences. Mais, il m'avait choisi pour exécuter son portrait et, quand il me parlait, il me parlait personnellement, mais aussi pour la postérité. Perdre la tête était le geste auguste qui s'imposait. J'imagine que, même en cette ère, les gens comprendront le mot « auguste », bien qu'il ne représente plus le défi permanent qu'il incarnait. Ravelstein, en tout cas, ne doutait pas de ma capacité à le décrire. « Vous n'aurez aucun mal », me disait-il. J'acquiesçais — plus ou moins.

La règle avec les morts est qu'ils devraient être oubliés. Après l'enterrement, il y a une tendance universelle à l'oubli. Mais avec Ravelstein cela ne marchait pas du tout. Il revendiquait et remplissait un espace bien plus notable dans la vie de Rosamund comme dans la mienne. Elle se souvenait d'un texte remontant à ses années d'étude, qui disait : « Frayez avec les personnes les plus nobles que vous puissiez trouver ; lisez les meilleurs livres ; vivez avec les puissants ; mais apprenez à être heureux seul. »

Aux yeux de Ravelstein, cela n'aurait été que l'ordinaire kabibble à haute valeur spirituelle ajoutée.

Néanmoins, à sa manière brouillonne, Ravelstein avait sans aucun doute été l'une de ces « personnes les plus nobles ». Mais, pour moi, le défi de le dépeindre (comme « dépeindre » est devenu un mot vieillot) tourna peu à peu au fardeau. Rosamund, cependant, pensait que j'étais tout désigné pour cela. Et, de fait, je me lançai dans un passage en revue de la mort à ma façon. Mais, à cette époque, nous envisagions seulement la mort de Ravelstein.

« Le tout est d'arriver à démarrer, disait-elle. Comme il disait, c'est *le premier pas qui coûte**.

— Oui. Quelque équivalent franco-ravelsteinien d'un acte authentique ou *sur papier timbré**, en bonne et due forme, estampillé par l'État.

— Et voilà — exactement le ton blagueur qu'il espérait que tu prendrais. Tu peux t'en remettre à d'autres pour gloser ses idées.

187

— Oh, c'est bien mon intention. Je vais laisser les questions intellectuelles aux experts.

— Tout ce qu'il te faut, c'est adopter la bonne position.»

Mais, tandis que passaient les mois — les années —, je n'arrivais désespérément pas à trouver ce point de départ. «Cela devrait être facile. "Facilement ou pas du tout, comme disait Machinchose, si ça ne coule pas comme un chant d'oiseau, ce n'est pas ça."»

Rosamund répondait parfois : «Est-ce que Ravelstein et les chants d'oiseaux font bon ménage? On dirait que non.»

Les années passèrent, lardées d'échanges de ce genre, et il devint manifeste que j'étais incapable de commencer, que je faisais face à un obstacle colossal. Rosamund ne m'offrait plus d'encouragements ni de conseils. Il était sage de sa part de me laisser en paix.

Nous continuions cependant de parler presque quotidiennement de Ravelstein. C'était moi qui évoquais ses soirées basket, les dîners estudiantins dans le quartier grec, ses boulimies de shopping et les séminaires piquants mais sérieux qu'il donnait. Une autre femme aurait pu exercer sur moi des pressions déplaisantes. «Après tout, il était un ami très cher et tu lui as juré de le faire», ou bien : «Dans l'au-delà, il est déçu.» Mais Rosamund ne savait que trop bien que j'y pensais moi-même, et bien trop souvent pour mon confort. Je l'imaginais parfois dans son linceul, reposant à côté du père qu'il avait haï. Ravelstein disait toujours : «Ce bonhomme hystérique qui me fessait le cul nu et hurlait du charabia — et, plus tard, quoi que je fasse de bien, m'en voulait de n'être pas entré à Phi Beta Kappa. "Comme ça, tu as publié un livre qui a connu un grand succès — mais Phi Beta Kappa n'a pas voulu de toi?"»

Rosamund disait seulement : « Si tu te contentais de son histoire de Phi Beta Kappa, Ravelstein serait ravi dans l'au-delà. »

Et ma réponse à cela était : « Ravelstein ne croyait pas à l'au-delà. Et s'il existe quelque part, quel plaisir cela pourrait-il lui faire de se souvenir de son abruti de père ou d'un quelconque épisode de ce que nous appelons notre temps sur terre ? C'est moi qui imagine retrouver mes parents morts de l'autre côté. Et les frères, les amis, les cousins, les oncles et les tantes... »

Rosamund hochait souvent la tête. Elle avouait avoir la même tendance. Et ajoutait parfois : « Je me demande ce qu'ils font dans l'au-delà.

— Si tu pouvais faire un sondage sur la question, tu découvrirais que la majorité d'entre nous s'attend à revoir ses morts, ceux qu'ils ont aimés et continuent d'aimer — ceux-là même qu'ils ont de temps à autre trompés et parfois méprisés ou haïs, ou auxquels ils ont menti sans relâche. Pas toi, Rosamund, tu es d'une honnêteté exceptionnelle. Mais, même Ravelstein, un homme qui était trop *dur* pour entretenir pareilles illusions, disait... Il s'est trahi quand il m'a dit que, parmi tous ses proches, j'étais celui qui avait le plus de chances de le suivre rapidement — de le suivre *où* ? Allais-je le rattraper et nous verrions-nous ?

— Il ne faut pas trop échafauder sur des remarques de ce genre, dit Rosamund.

— C'est facile de plaider que l'amour infantile est la source de ces illusions. C'est ma manière de reconnaître qu'un demi-siècle plus tard j'ai l'impression de ne pas en avoir fini avec ma mère. Freud aurait traité ça de sentimentalité et d'inanité. Mais Freud était un médecin, et les médecins du xixe ne prenaient pas de gants avec les sentiments. Ils disaient que l'être humain était un assemblage de composants chimiques d'une valeur d'environ soixante-deux cents — c'étaient de purs rationalistes et des durs à cuire.

— Mais Ravelstein était loin d'être simplet, dit Rosamund.

— Bien sûr que non. Mais avançons un peu — je vais te mettre dans la confidence d'une idée biscornue. Je me demande ce qui pourrait arriver. Si je devais écrire mon portrait de Ravelstein, il n'y aurait plus de barrière entre la mort et moi. »

Rosamund éclata de rire en entendant cela. « Tu veux dire que tu serais arrivé au terme de tes obligations et qu'il n'y aurait plus de raison de continuer à vivre ?

— Non, non. Heureusement, je t'aurais toujours pour raison de vivre, Rosamund. Ce que je dois essayer de vouloir dire, c'est que, dans l'esprit de Ravelstein, je n'ai sans doute plus rien d'autre à faire dans cette vie que de le commémorer.

— *Voilà* une étrange pensée !

— Il avait le sentiment de me donner un grand sujet — le sujet des sujets. Et ça, c'est une étrange pensée. Mais je n'ai jamais imaginé être quelqu'un de rationnel et de moderne. Un être rationnel n'affronterait pas la mort au crépuscule — où que soit le crépuscule.

— Tout de même, dit Rosamund, le fait que ça te poursuive en fait quelque chose avec quoi tu dois compter.

— Mais pourquoi moi ? En moins d'une minute, je peux te trouver cinq personnes mieux qualifiées.

— Au sujet de ses idées, oui. Mais ils n'ont peut-être pas de couleur à y mettre. Et puis — vous deux êtes devenus amis tardivement et, en règle générale, les gens âgés ne nouent pas de tels liens... »

Peut-être voulait-elle dire aussi que les vieux ne tombent pas amoureux. Ils ne sont pas capables de s'aventurer dans le champ magnétique où ils n'ont rien à faire.

« Pendant un an ou deux, Ravelstein m'a harcelé parce que Vela et moi voyions trop souvent Radu Grielescu et sa femme, dis-je à Rosamund.

— Ils vous recevaient ?

— Ils nous emmenaient dans de bons restaurants — les plus chers, en tout cas. Vela adorait les baisemains, les courbettes, le tralala autour des dames, les petits bouquets et les toasts. Elle était terriblement contente. Grielescu faisait un tel cirque ! Ravelstein était extrêmement curieux de ces soirées. Il disait que Radu avait appartenu à la Garde de fer. Je n'y prêtais pas d'attention particulière. Je ne voyais pas où il voulait en venir et cela l'agaçait.

— Tu n'avais pas compris que c'était un nazi ? demanda Rosamund.

— Ravelstein a fait un pas de plus et m'a raconté que Grielescu aurait dû donner une conférence à Jérusalem il y a une dizaine d'années, mais que l'invitation avait été annulée. Là encore, ça n'a pas fait tilt chez moi. Je devais être trop occupé pour faire les rapprochements. Il m'arrive parfois de fermer mes récepteurs et de décider, en quelque sorte, de ne pas voir ce qu'il y a à voir. Ravelstein s'en rendait compte, naturellement. J'étais le seul à ne m'apercevoir de rien.

» Ravelstein voulait seulement savoir à quoi ressemblait le numéro de Grielescu et je lui ai raconté que lors de ces dîners il dissertait sur l'histoire antique, bourrait sa pipe et grattait des tas d'allumettes. On s'accroche à sa pipe pour l'empêcher de vibrer et la main qui tient l'allumette tremble deux fois plus. Il n'arrêtait pas de bourrer sa pipe avec un tabac indiscipliné. Quand il s'échappait, il n'avait pas assez de force dans le pouce pour le retasser. Comment un tel personnage pouvait-il être politiquement dangereux ? Les manches de sa veste lui arrivaient jusqu'à mi-longueur des doigts. »

Rosamund dit : « Mon impression est que s'afficher en public avec toi valait son pesant d'or pour lui. Mais tu sais bien comme tu es, Chick : les observations que tu fais occultent l'essentiel.

— C'est exactement ce que Ravelstein a fini par me dire. Et à quel point il était étrange que je me laisse utiliser de la sorte.

— Tu voulais faire plaisir à ta femme. Tu voulais qu'elle soit satisfaite de toi. Et Ravelstein a dû sentir que tu te laissais mener par le bout du nez. Choisissant la solution de facilité…

— Il faut croire que je me disais qu'il s'agissait de quelque absurdité franchouillo-balkanique. Je n'ai jamais réussi à prendre au sérieux les fascistes balkaniques. Quand l'addition arrivait, Radu bondissait de sa chaise pour s'en saisir. C'était devenu un jeu entre nous que je ne règle jamais l'addition. Et l'une des choses qui me sidéraient, c'était sa manière de toujours payer avec des billets flambant neufs, droit sortis de la banque, sans jamais regarder le montant de la note. Quand on a grandi à l'époque de la Dépression, c'est impossible à manquer.

— Et tu divertissais Ravelstein par tes descriptions.

— J'essayais. Mais il n'avait que faire des pipes et des petites manies. Il attendait que je sorte du brouillard.

— Eh bien, tu étais son biographe désigné. Que tu aies été lent à la comprenette ne devait pas lui faire plaisir.

— Bien sûr que non. Quand il m'a dit que l'invitation de Radu à Jérusalem avait été annulée, je ne lui ai même pas demandé de détails. Je me rends compte que je suis passé largement à côté.

— Bon, quand il t'a choisi pour écrire sur lui, il ne pensait pas que tu n'avais aucun défaut, dit Rosamund.

— Sur les questions fondamentales, nous étions d'accord autant que nous le pouvions, étant donné mon ignorance, lui dis-je. Il s'appuyait sur les classiques. Moi non, bien évidemment, mais quand j'avais tort, je ne m'enferrais pas à toute force. J'ai appris plus tard dans la vie combien il était vain d'insister qu'on avait eu raison.

— Tu avais besoin d'avoir raison et tu ne pouvais pas te débrouiller pour avoir raison, donc, dit Rosamund.

— Le plan de Vela était que Grielescu remplace Ravelstein. À Paris, quand Abe a fait irruption dans notre chambre et l'a surprise en petite tenue, elle a couru se réfugier dans la salle de bains — elle avait une drôle de manière de courir en sautillant sur la pointe des pieds — et elle a verrouillé la porte. Peu après, elle m'a dit que nous ne pouvions plus voir Ravelstein.

— C'était très étrange », dit Rosamund. Quand elle parlait de Vela, elle était toujours pleine de retenue et de circonspection. « Est-ce la fois où Vela a fait venir sa mère ? L'avait-elle amenée à Paris ?

— Non, non. La vieille dame était morte depuis quelques années. Ton intuition est juste, cependant. Elle se reposait sur sa mère pour traiter des — comment devrais-je dire ? — des relations humaines. Elle-même n'avait aucun talent en la matière. Enfin, la vieille dame me méprisait. Avoir un gendre juif a empoisonné ses vieux jours.

— Là, tu as mis le doigt sur la vraie question, dit Rosamund. Tu as beaucoup réfléchi à toutes sortes de problèmes, sauf au plus important. Tu as commencé par la question juive, dit-elle.

— Bien sûr que c'est autour de ça que tourne la conversation — ce que cela signifie pour les Juifs que tant d'autres, des millions d'autres, aient voulu leur mort. Le reste de l'humanité les expulsait. Hitler aurait dit qu'une fois au pouvoir il ferait dresser des échafauds, des rangées entières, sur la Marienplatz à Munich et que tous les Juifs, jusqu'au dernier, y seraient pendus. Ce sont les Juifs qui ont été le marchepied de Hitler vers le pouvoir. Il n'avait pas d'autre programme, et n'en avait aucun besoin. Il est devenu chancelier en rassemblant l'Allemagne et une bonne part du reste de l'Europe contre les Juifs. Enfin, dans la mesure où il est question de Grielescu, je ne pense pas qu'il ait été un antisémite virulent, mais quand il a été sommé de prendre parti, il a pris parti. Il avait un vote et il a voté. Selon Ravelstein, je refusais de faire le pénible travail d'examiner tout cela en détail.

— Tu ne savais pas par où commencer?

— Eh bien, j'avais une vie juive à mener dans le langage américain, et ce n'est pas un langage qui se prête aux idées noires.

— As-tu jamais parlé à Ravelstein de cette puissance du vice?

— Peut-être. La caractère d'Abe était beaucoup plus joyeux que le mien — un regard ouvert et lumineux sur le monde extérieur. Il ressemblait plus à une personne normale. Mais il était aussi tout sauf innocent.

— J'ai étudié Thucydide avec lui, dit Rosamund. Et je me souviens de ce qu'il disait de la peste à Athènes et de l'abandon de parents morts ou de sœurs sur les bûchers funéraires d'étrangers. Mais établir un lien avec les masses de morts du xxe siècle — ce n'était pas quelque chose qu'il faisait en cours. As-tu le souvenir qu'il ait dit quelque chose?

— Comment imagines-tu, demandai-je à Rosamund, qu'un homme comme Ravelstein puisse associer son existence — sa conscience aiguë qu'il est en train de mourir — au fait que son attention est à présent attirée vers les nombreux millions de victimes de ce siècle? Je ne pense pas ici aux combattants, aux koulaks, aux bourgeois, aux membres des partis ni à tous ceux qui sont marqués

194

comme bons pour le travail forcé, pour la mort au Goulag ou dans les camps de concentration fascistes — des gens faciles à rassembler et à expédier dans des wagons à bestiaux. Ceux-là n'auraient normalement pas attiré l'attention de Ravelstein. Ils étaient les "perdants" habituels, des gens dont les gouvernements n'avaient aucune raison de se soucier — dans ce que quelqu'un avait appelé "une société des sables mouvants", qui aspirait ses victimes et les noyait ou les asphyxiait. Le moyen le plus expédient avec ces gens-là était de s'en débarrasser, d'en faire des cadavres. Il y avait aussi les Juifs, qui avaient perdu le droit d'exister et se le voyaient signifier par leurs bourreaux — "Il n'y a pas de raison pour que tu ne meures pas". Ainsi, du Goulag sibérien jusqu'à la côte Atlantique, il y avait un passé de destruction ou de quelque chose comme une anarchie semeuse de mort. Il fallait penser ces centaines de milliers de millions détruits pour des motifs idéologiques — c'est-à-dire sous quelque prétexte habillé de rationalité. Un raisonnement présente une valeur considérable comme manifestation d'ordre ou de fermeté de propos. Mais les formes de nihilisme les plus folles sont les plus strictement allemandes et militarisées. Selon Davarr, qui était un très grand analyste, le militarisme allemand avait produit le nihilisme le plus extrême et le plus horrible. Pour l'homme de la rue, cela débouchait sur les formes les plus sanguinaires de zèle meurtrier *revanchard*. Parce qu'il était implicite quand on exécutait des ordres que toutes les responsabilités remontaient au sommet, à la source de tous les ordres. Et que tout le monde était ainsi absous. Ils étaient totalement cinglés. C'était la manière qu'avait la Wehrmacht d'éluder la responsabilité de ses crimes. Imaginons qu'il y ait des méthodes civiles pour excuser les conduites coupables, me disait Ravelstein. Ajoutant : "Mais là, je dis n'importe quoi." Sur tous les sujets, il avait des idées carrées, mais vers la fin, quand il faisait indirectement allusion à son état, il était plus souvent triste qu'ironique, n'est-ce pas, Rosie?

— Il ne se permettait pas non plus de sombrer dans la tristesse.

— Oui, mais il y avait une disposition générale à vivre avec la destruction de millions de gens. C'était dans l'humeur du siècle que de l'accepter. Les morts au combat sont couvertes par les pertes provisionnées. Mais je pense aux immenses masses de morts du Goulag et des camps de travail allemands. Pourquoi le siècle — je ne sais comment le dire autrement — a-t-il souscrit à tant de destruction? Il y a une débilité qui nous envahit quand nous songeons à ces faits. »

Je fais remonter cette conversation à environ deux ans après la mort de Ravelstein. Après le syndrome de Guillain-Barré, il avait travaillé dur pour réapprendre à marcher et retrouver l'usage de ses mains. Il savait qu'il devrait s'avouer vaincu, décliner, mais il le faisait de manière sélective. Peu importait qu'il fût incapable de se servir du moulin à café, mais il avait besoin de ses mains pour se raser, pour prendre des notes, pour s'habiller, pour fumer, pour signer des chèques. Rares sont ceux qui ne se rendent pas compte que si l'on ne s'applique pas à guérir, on est un mort vivant, en sursis. Le matin du jour où lui et moi étions tombés sur les buissons de houx remplis de perroquets qui se nourrissaient de baies rouges et faisaient tomber la neige, on démontait le lit d'hôpital au triangle d'acier pour le déménager de la chambre de Ravelstein. « Merci à Quelqu'un, dit-il en le voyant disparaître dans le monte-charge. Je ne veux plus jamais revoir cette chaise de calfat. »

Il marchait sans aide — pas franchement stable, mais

un véritable Lazare s'il en fut. Vous êtes tout juste revenu d'entre les morts, et vous tombez sur une tribu complète de perroquets verts, des animaux tropicaux survivant dans un hiver continental. Ravelstein me fit un sourire et dit : « Ils ont même un petit quelque chose de juif. » Puis, bien qu'il n'eût quasiment aucun intérêt pour les sciences naturelles, il me demanda une nouvelle fois comment ils avaient pu se multiplier ainsi. Soudain, je devins l'expert en choses de la nature. Donc, je les décrivis à nouveau : c'étaient des sacs étroits, qui pendaient aux arbres et aux traverses des poteaux électriques. Tels des bas en nylon distendus, ces nids où les œufs étaient couvés pendaient parfois sur dix mètres. « Ça rappelle les taudis de l'East Side, lui dis-je.

— Demandons à Nikki de nous emmener y jeter un coup d'œil. Où est le quartier général ?

— Dans Jackson Park. Mais il y en a une grosse colonie dans une ruelle qui débouche sur la 54e Rue. »

Mais nous ne sommes jamais allés voir les habitations des perroquets, les tubes ondoyants et superposés où ils nichaient. Au lieu de cela, lorsque je revis Ravelstein, il m'annonça que Nikki et lui partaient pour Paris.

« Quel besoin avez-vous d'aller à Paris ? »

Je vis aussitôt que j'avais posé une question stupide et blessante, et que Ravelstein était déçu. Mais il avait l'habitude de couvrir ses amis les plus proches. Et il était donc naturel qu'il me couvre. « Les gens de l'hôpital me disent qu'ils n'ont aucune objection.

— Vraiment ? » fis-je.

Le raisonnement des médecins était transparent. Bien que Ravelstein fût mourant, il était encore en état de prendre l'avion. Paris était l'un de ses plus grands plaisirs : il y avait des amis proches et toutes sortes d'affaires en cours. S'il désirait tant y aller, pourquoi l'en priver ?

Les médecins pensaient qu'un voyage d'une dizaine de jours ne pourrait pas faire beaucoup de dégâts. Pour ce qui était de moi, vingt-cinq heures de vol auraient été trop fatigantes, mais Ravelstein parcourrait les couloirs des aéroports en fauteuil roulant et, contrairement à moi, il volait en classe affaires. Pour creuser un peu plus profond, je crains devoir reconnaître que cela me semblait une chose peu sérieuse à faire de la part d'un mourant. Personne ne savait ce que «voler» signifiait dans un cas comme celui de Ravelstein. Volait-il à bord d'un 727, ou avait-il de puissantes ailes cachées sous son manteau?

Et, bien que je pense réellement que Ravelstein avait été déçu de ma réaction, je ne crois pas qu'il ait été surpris. C'était un principe acquis entre nous que rien ne devait rester caché ou être trop honteux pour être avoué, et il n'y avait rien que je ne puisse dire à Ravelstein. Pour partie, cela signifiait aussi qu'il n'y avait pas grand-chose qu'il n'aurait pas décelé de lui-même. Il aurait donc aussi compris que je méprisais Paris, plutôt. Il y a une expression de libre-penseur juif à propos de Paris — *wie Gott in Frankreich.* Comme si Dieu, lui aussi, passait ses vacances en France. Pourquoi? Parce que les Français sont athées et que, parmi eux, Dieu lui-même pouvait être délivré de tout souci, devenir un *flâneur**, comme n'importe quel touriste.

Ce que je n'avais pas réussi à comprendre, même vers la fin, c'était que Ravelstein avait une deuxième vie, supplémentaire, à Paris. Il revint plus gai de son bref séjour d'adieu, ne disant rien de ses amis français, mais avec un air d'avoir fait ce qu'il avait à faire.

On me rapporta, cependant, que le Dr Schley avait demandé à Ravelstein de réintégrer l'hôpital pour «de nouveaux examens». Nikki me le confirma, ajoutant que la chambre que voulait Ravelstein serait indisponible jusqu'au début de la semaine suivante. Le dimanche après-midi, il donna une fête — pizzas et bière, style pique-nique, avec des gobelets et des assiettes en carton. Il avait acheté un nouvel équipement vidéo — le *dernier cri**, disait-il (même moi, je préférais cela à « la pointe de la technique ») — et il y eut de grandes exhibitions de chanteurs et de musiciens, d'une immédiateté qui rappelait la lumière d'une jungle tropicale. Le film que Ravelstein avait choisi de passer était l'un de ses favoris — *L'Italienne à Alger* de Rossini. Les panneaux sur lesquels acteurs et chanteurs apparaissaient étaient plats, minces, hauts, larges, intolérablement réels — l'art réarmé par la technologie, comme disait Ravelstein. Les visages des chanteurs colorés comme des verres de Murano et la caméra vous faisant plonger dans leurs magnifiques yeux sombres et jusque dans leurs dents. Ravelstein, dans sa robe de chambre en poil de chameau, trônait dans son fauteuil de repos, admirant et expliquant le nouvel équipement — se moquant aussi de l'ignorance des non-initiés. Mais il manquait de forces et ne cessait de couper le son pour arriver à se faire entendre. À la fin, c'en était tout simplement trop pour lui, et Nikki l'aida à se lever et à sortir, disant : « C'est trop d'agitation. Il pensait pouvoir sauter sa sieste pour une fois. Mais il ne peut pas. »

La vidéo mise en sourdine et Ravelstein lui-même, silencieux et examinant peut-être les choses de la maladie et de la mort depuis un angle peu familier, obéirent à Nikki. Nous le reconduisîmes dans sa chambre, jusqu'à son lit bateau et ses courtepointes en soie bourrées de plumes. Quand il s'adossa aux oreillers, je le couvris avec les draps et les courtepointes.

L'appartement se vida rapidement. Lorsque des retardataires pointèrent leur nez, Nikki pressa sur le bouton de l'ascenseur pour que les portes restent ouvertes et dit :

« Abe aurait été tellement ravi de vous voir, mais il prend toutes sortes de médicaments et il ne sait plus où il en est. »

Le lendemain, quand Ravelstein souleva la question, je dis : « Nikki a été plein de tact. Il a refusé de répondre à toutes les questions. Mais la fiesta s'est achevée assez rapidement.

— Il ne répond jamais aux questions, n'est-ce pas ? Il y a des questions muettes dans tous les coins, mais il refuse de les voir. Cela demande une certaine force.

— Il a éteint la nouvelle vidéo. Je ne crois pas que j'aurais su le faire. »

Durant les derniers jours de Ravelstein chez lui, je lui tenais souvent compagnie le matin. Comme j'habitais le même block et n'avais pas d'horaire bien défini, je venais après le petit déjeuner. Nikki, qui se couchait généralement à 4 heures du matin, dormait à poings fermés jusqu'à 10 heures, tandis que Ravelstein somnolait faute de compagnie, ses gros genoux écartés. Les médecins le droguaient (tranquillisaient), mais cela ne l'empêchait pas de réfléchir — considérant divers problèmes sous leur aspect crépusculaire. Et même quand il somnolait, on pouvait apprendre bien des choses sur lui en observant son singulier visage juif. On ne pouvait imaginer contenant plus bizarre pour son bizarre intellect. D'une certaine manière, sa calvitie étrange, totale, presque géologique, impliquait qu'il n'y avait rien de caché chez lui. Il disait — préférant comme toujours le dire en français — qu'il avait eu un *succès fou**, mais qu'il faisait maintenant face au cimetière.

Bien que je fusse son aîné de quelques années, il se voyait comme mon professeur. Effectivement, c'était sa partie — il était un éducateur. Il ne se présentait jamais comme un philosophe — les professeurs de philosophie n'étaient pas des philosophes. Il avait reçu une formation philosophique et appris comment une vie de philosophe devait être conduite. C'était de cela que parlait la philosophie et c'était la raison pour laquelle on lisait Platon. S'il devait choisir entre Athènes et Jérusalem, pour nous les deux sources principales de vie supérieure, il choisissait Athènes, tout en conservant un respect inentamé pour Jérusalem. Mais, dans ses derniers jours, c'était des Juifs qu'il voulait parler, pas des Grecs.

Quand je lui fis observer ce changement, il fut agacé. « Pourquoi ne pas parler d'eux ? dit-il. Dans le Sud, ils parlent toujours de la guerre de Sécession, qui remonte à plus d'un siècle, mais de notre propre temps des millions ont été détruits, la plupart guère différents de vous. De nous. Nous ne devons pas leur tourner le dos. Moïse communiquait avec Dieu, qui lui donnait des instructions, et cette relation a duré des millénaires. »

Ravelstein continua un bon moment sur cette voie. Il dit que les Juifs avaient été habitués à donner à l'espèce tout entière une mesure du vice humain. « Vous dites aux gens qu'une nouvelle ère de prospérité naîtra si l'on abolit la classe dominante ou la bourgeoisie, si l'on rationalise les moyens de production, si l'on euthanasie les incurables. À des esprits ainsi préparés, vous proposez alors la destruction des Juifs. Et ils s'y mettent sérieusement. Ils tuent plus de la moitié des Juifs européens — et vous et moi, Chick, appartenons à ce qui en reste. » Ce ne sont pas les termes exacts de Ravelstein. Je paraphrase. Ce qu'il disait, c'était que nous, en tant que Juifs, savions à présent ce qui était possible.

« Impossible de dire de quel coin viendra le coup suivant — le coin français ? Non, non, pas la France. Ils ont eu leur dose de sang au XVIIIe et cela ne les dérangerait pas si cela arrivait, mais je ne les vois pas s'y mettre. Pourquoi pas les Russes ? Le *Protocole des Sages de Sion* était un faux russe. Et, il n'y a pas si longtemps, vous me parliez de Kipling.

— Oui, c'était Kipling. Un merveilleux écrivain. Mais on m'a signalé une édition de sa correspondance, et dans l'une de ses lettres il piquait une crise contre Einstein. C'était au début du siècle. Il disait que les Juifs avaient déjà distordu la réalité sociale pour leurs desseins juifs. Mais, non content de cela, Einstein défigurait la réalité physique avec sa théorie de la relativité et voilà que les Juifs essayaient de donner une tournure juive falsificatrice à l'univers physique.

— Il va donc falloir que vous expulsiez Kipling de la liste de vos auteurs favoris, dit Ravelstein.

— Non, nous ne pouvons pas nous permettre de constituer un Index juif. Pour commencer, nous ne pourrions jamais l'imposer, pas même aux lecteurs juifs. Qui pourrez-vous faire renoncer à Céline ? Au fait, je vous avais prêté mon exemplaire de son opuscule, *Les Beaux Draps*...

— Je ne l'ai pas ouvert.

— Vous avez une faiblesse pour les nihilistes, dis-je.

— Je pense que la raison en est qu'ils ne racontent pas toutes sortes de mensonges éthérés. J'aime ceux qui acceptent le nihilisme pour un état et vivent dans cet état. Ce sont les nihilistes intellectuels que je ne supporte pas. Je préfère ceux qui vivent avec leurs démons, franchement. Les nihilistes naturels.

— Céline recommandait que les Juifs soient exterminés comme des bactéries. C'était le médecin en lui, j'imagine. Dans ses romans, l'art avait une influence modératrice sur lui, mais dans ses textes de propagande, c'est un véritable tueur. »

Sur quoi la conversation s'arrêta temporairement, car une fois de plus la tranquille ambulance s'était garée à la porte de Ravelstein et son personnel, familier des lieux, appelait le monte-charge. Ravelstein avait fait tant d'aller-retour à l'hôpital qu'il avait trouvé le moyen de ne plus le remarquer.

Le Dr Schley n'avait jamais parlé avec moi de la maladie de Ravelstein. C'était un de ces praticiens hyper-consciencieux — petit, raide, aquilin, efficace. Ce qui lui restait de cheveux était peigné vers le haut, raidement, à l'iroquoise. Il ne me devait aucune explication médicale. Je n'avais aucun lien de parenté avec Ravelstein. Mais Schley avait compris que Ravelstein et moi étions très proches et il commença à me faire des signaux muets — ce qu'une Parisienne que j'avais rencontrée quelques dizaines d'années plus tôt dans la salle de concert de l'ABC m'avait appris à appeler une *chanson à la carpe**. Personne d'autre ne semble avoir jamais entendu cette expression, mais je ne jurais que par elle — deux gros poissons au milieu de bulles transparentes communiquant silencieusement en ouvrant la bouche. Ce fut ainsi que le Dr Schley me notifia que les jours de Ravelstein étaient comptés. Et Rosamund, elle aussi, avait dit : «Ce pourrait être le dernier voyage de Ravelstein jusqu'à l'hôpital.» J'acquiesçai. Et Nikki, naturellement, était parvenu à la même conclusion. Il consacrait de très longues heures à faire des commissions et répondre au téléphone. C'était Nikki, et non les infirmières, qui rasait Ravelstein avec son rasoir électrique, tandis que celui-ci, les yeux fermés, renversait la tête pour présenter son menton. Un petit godet en plastique placé sous son nez l'alimentait en oxygène.

«Ça ne se présente pas très bien, n'est-ce pas? me dit Nikki dans le couloir.

— Non, pas vraiment.

— Il a un message pour son notaire. Et il m'a demandé de faire venir Morris Herbst.»

Oui, il était impossible de guérir de cette maladie,

comme nous le savions tous. La dernière fois que Ravelstein avait été hospitalisé, il avait tenu des séminaires impromptus depuis son lit, présidant brillamment. Le numéro de l'enseignant fonctionnait encore alors. À présent, même ses étudiants faisaient tapisserie dans la salle d'attente sous une vaste tabatière — attendant d'être appelés — mais, même s'il posait des questions, nommément, sur l'un ou l'autre d'entre eux, il n'enseignait plus ni ne tenait sa cour. Le fait était que je voyais déjà les premiers signes de la mort approchante dans ses mouvements — sa tête devenue un fardeau pour son cou et ses épaules, un changement de couleur, en particulier sous les yeux. Ses opinions étaient abrégées, et il y avait beaucoup moins de souci de vos sentiments, si bien qu'il était fortement conseillé de s'en tenir à des sujets neutres. Il disait de Vela : «Vous avez renoncé — vous avez essayé de me vendre un découpage colorié de la femme, semblable aux figurines en carton qui étaient accrochées autrefois dans les entrées des cinémas. Vous savez, Chick, vous affirmez parfois qu'il n'y a rien que vous ne puissiez me dire. Mais vous avez falsifié l'image de votre ex-femme. Vous allez dire que tout ça était fait pour le bien du mariage, mais quel genre de moralité est-ce *là*?

— C'est parfaitement vrai», répondis-je. Il m'avait eu là, proprement épinglé. Il aurait pu ajouter, quand je l'accusai de préférer les nihilistes à ses collègues universitaires «pleins de principes», qu'au moins les nihilistes ne présentaient pas des difformités et des falsifications petites-bourgeoises comme des exemples de haute moralité et même de beauté.

Nikki, le fils chinois de Ravelstein, qui n'avait strictement rien à voir avec ces conversations, était là pour lui essuyer le visage. Nikki ne s'écartait que pour laisser la place aux techniciens qui passaient Ravelstein aux rayons X ou prenaient des échantillons de sang. De temps à autre, je posais la main sur le crâne chauve de mon ami. Je voyais qu'il souhaitait être touché. Je fus surpris de découvrir un duvet invisible sur sa tête. Il semblait avoir décidé que la calvitie intégrale lui allait mieux que des cheveux clairsemés et se rasait la tête comme les joues. Enfin, cette tête roulait vers la tombe.

« Le jour est-il sombre, me demanda Ravelstein, ou est-ce mon humeur qui est lugubre ?

— Ce n'est pas votre humeur. Il y a une épaisse couverture nuageuse. »

Cela ne ressemblait pas à Ravelstein de se préoccuper du temps ; le temps n'avait qu'à s'adapter à ce que pensaient les gens qui comptaient et il lui arrivait de me critiquer de « contrôler les paramètres extérieurs » — garder un œil sur les nuages. « Vous pouvez compter sur la nature pour faire ce qu'elle fait depuis toujours. Imaginez-vous aborder la nature et lui soutirer un éclairage ? » disait-il. Mais ces saillies se faisaient rares à présent. Le plus souvent il paraissait comateux — et Rosamund murmurait anxieusement : « Il est toujours là ? »

Il y avait des fois où je ne pouvais répondre avec certitude. Il avait été dit et redit qu'il ne pouvait survivre et il gisait, respirant irrégulièrement, avec une table de nuit pleine de flacons de pharmacie à côté de la tête, près de ses immenses oreilles. Parfois, on se disait qu'il préférait aller à la mort en somnolant. Peut-être suivait-il le fil d'une idée dont il ne souhaitait pas discuter. Il s'était consacré principalement aux deux pôles de la vie humaine, la religion et le gouvernement, comme l'avait formulé Voltaire. Ravelstein ne pensait pas que Voltaire fût un penseur sérieux, mais il lui arrivait de temps à autre de résumer les choses adéquatement. Et Ravelstein, à présent, aurait ajouté que Voltaire, célèbre pour les campagnes qu'il avait menées — « *Écrasez l'infâme* !*» —, haïssait violemment les Juifs. Il y avait encore une autre différence physique à relever. Le corps étendu de Ravelstein était imposant, il mesurait près de deux mètres et sa chemise de nuit, qui arrivait aux chevilles des patients ordinaires, s'arrêtait juste au-dessus de ses genoux. Et puis son épaisse lèvre inférieure avait une courbure affectueuse, mais son gros nez était sévère. Il respirait par la bouche. Sa peau avait la texture de la polenta.

Je voyais bien qu'il suivait une piste d'idées juives ou d'essences juives. Il était devenu rare à présent qu'il mentionne même Platon ou Thucydide dans la conversation. Il était plein de l'Écriture maintenant. Il parlait de religion et du difficile projet d'être homme au plein sens du terme, de devenir homme et rien d'autre qu'homme. Parfois il était cohérent. La plupart du temps, il me perdait.

Quand j'en parlai à Morris Herbst, il me dit : « Oui, bien sûr, il continuera de parler tant qu'il lui restera un souffle de vie — et pour lui c'est la priorité numéro un parce que c'est lié au grand mal. » Je compris parfaitement ce qu'il voulait dire. La guerre avait clairement établi que presque tous étaient d'accord que les Juifs n'avaient pas le droit de vivre.

Cela vous pénètre jusqu'aux os.

D'autres peuples ont le choix — leur attention est sollicitée par telle ou telle question, et, étant assaillis de questions, ils font leurs choix selon leurs inclinations. Mais, pour les « élus », il n'y a pas de choix. On n'a jamais vu ni ressenti une telle masse de haine, de déni du droit de vivre, et la volonté qui a voulu leur mort a été confirmée et justifiée par un vaste acquiescement collectif que le monde serait amélioré par leur disparition et leur extinction. Le « rismus », qui était le mot du professeur Davarr pour désigner la malveillance, la haine, la détermination à se débarrasser de cette population importune dans des fours ou des fosses communes. Inutile de nous appesantir. Mais la conclusion qu'en tiraient des gens comme Herbst et Ravelstein était qu'il était impossible de se délivrer de ses origines, impossible de ne pas rester un Juif. Les Juifs, pensaient Ravelstein et Herbst, suivant la voie tracée par leur maître Davarr, étaient historiquement les témoins de l'absence de rédemption.

Ainsi, en même temps qu'il mourait, en réfléchissant à ces questions, Ravelstein formulait ce qu'il dirait mais n'était pas capable de livrer ses conclusions. Et l'une de ces conclusions était qu'un Juif devrait se plonger dans l'histoire des Juifs — dans leurs principes de justice, par exemple. Mais tous les problèmes ne peuvent pas être résolus. Et qu'est-ce que Ravelstein aurait *pu* faire ?

Mais, de toute façon, il ne serait pas là pour le faire. Dans ce cas, quelle était la suggestion la plus significative qu'il pût faire à des amis ? Il commença à parler de la nouvelle année approchante et m'ordonna d'emmener Rosamund à la synagogue. Herbst était certain que Ravelstein indiquait le chemin qui était le meilleur pour les Juifs, qui n'avaient rien de plus précieux que cet héritage religieux.

Herbst et Ravelstein avaient été proches quand ils étaient étudiants quarante ans plus tôt, et il y avait pire solution que de se tourner vers Herbst pour un avis. Mais si je commençais à poser des questions, je serais amené à m'expliquer et je n'en avais pas le courage. Ravelstein se mourait — il gisait, enveloppé de tout son long, les yeux fermés. Il était soit endormi, soit absorbé par les méditations qui étaient indiquées en ces derniers jours. Mon impression était qu'il essayait de faire tout ce qui pouvait être fait en ces derniers instants — fait, je veux dire, pour ceux qui étaient sous sa responsabilité, pour ses élèves. En ce qui me concernait, j'étais trop âgé pour être un élève, et Ravelstein ne croyait pas en la formation permanente. Il était trop tard pour moi pour platonifier. Et ce que les gens appelaient culture n'était rien d'autre qu'un terme plus chic pour désigner leur ignorance. Ravelstein disait parfois que j'étais un somnambule par choix, mais cela ne signifiait pas que je fusse sourd à tout enseignement, seulement qu'il me revenait de décider quand je serais prêt à bouger.

Vous pouviez me dire quelque chose de capital, et je le comprendrais clairement, tout en refusant absolument d'en tirer les conclusions. Ce n'était pas un entêtement ordinaire.

Bien, il y a peu de gens avec qui l'on puisse discuter de telles questions. Dommage. Comme nous sommes si souvent appelés à émettre des jugements, nous les caricaturons naturellement par un usage ou un abus constant. Et puis, bien sûr, on ne voit rien d'original, rien de neuf ; on n'est, en fin de compte, plus ému par aucun visage, par aucun individu. Et voilà que Ravelstein était apparu. Il vous amenait à vous tourner de nouveau vers l'original. Il vous obligeait à rouvrir ce que vous aviez fermé.

J'allais un jour jusqu'à dicter quelques notes sur le sujet et celle qui était alors ma secrétaire, Rosamund, fit un commentaire personnel inhabituel. Elle affirma : «Je crois comprendre ce que vous voulez dire.» Je fus bientôt convaincu que tel était le cas.

Nikki, l'héritier de Ravelstein et le meneur de son deuil — les rivaux étaient nombreux —, occupait son appartement, juste à l'angle. Il y avait un carré d'herbe entre son immeuble et le nôtre, où de petits enfants se bousculaient et apprenaient à lancer et attraper une balle. Depuis la fenêtre de ma chambre à coucher, je voyais ce qui avait été autrefois le logis de Ravelstein. Il n'y avait plus de fêtes. Pis encore, Rosamund disait à juste titre : « Tout le quartier est devenu un cimetière. La communauté de tes morts. Tu ne peux même pas faire une promenade sans pointer les portes et les fenêtres de tes anciens amis et connaissances. Nous ne pouvons faire le tour du block sans que tu te souviennes de tes vieux copains et de tes bonnes amies. Ravelstein était un ami très cher — un sur un million. Mais il aurait dit que tu es accablé par une surcharge de dépression. »

Il lui semblait que nous devrions nous éloigner. Nous avions la maison du New Hampshire et une invitation pour trois ans d'une université de Boston à donner les cours (aussi bien que je pouvais le faire, seul) que Ravelstein et moi avions faits ensemble. On nous offrait, à Rosamund et moi, une agréable résidence dans la région de Back Bay. Elle s'occuperait du déménagement, je n'avais aucun souci à me faire de ce côté-là. L'appartement de Back Bay étant entièrement meublé, nous pourrions sous-louer celui du Midwest. Il serait toujours possible de revenir si l'Est ne nous convenait pas. Et nous n'avions aucun besoin d'appréhender la vision des fenêtres de Ravelstein de l'autre côté du carré d'herbe.

« Et, à titre de faveur spéciale… » Rosamund brandit la brochure d'agence de voyages sur papier glacé — plages ensoleillées, collines boisées, palmiers, pêcheurs indigènes. Elle proposait des vacances dans les Caraïbes. Nous irions nous installer à Boston et jeter les vieux cartons dans lesquels nos affaires étaient emballées. Puis nous nous envolerions pour Saint-Martin via San Juan. Et nous baguenauderions, rêverions dans la mer chaude, rechargeant nos batteries vitales.

« D'où sors-tu toute cette rutilante propagande de

voyage, Rosamund? Saint-Martin, eh? N'est-ce pas là que vont les Durkin?

— Peu importe. Ce sont de bons amis. Ils savent exactement ce dont tu as besoin.

— Les Antilles vont détacher toutes ces couches de stress, et soudain je serais rétabli, et suffisamment solide et fort pour écrire le mémoire Ravelstein.

— Je n'envisage pas des vacances de travail, dit Rosamund. J'imagine que tu as déjà été aux Caraïbes.

— Oui.

— Et tu n'aimes pas?

— Ce n'est qu'un vaste taudis tropical… Mais je connais surtout Porto Rico. De vastes salles de jeu, un immense lagon malodorant, sombre et boueux — des foules d'indigènes malheureux mûrs pour l'aide sociale. Puis les Européens débarquant de leurs charters. Et le sentiment qu'ils en rapportent, c'est que les Américains ont tout gâché et que Castro mérite le soutien des Scandinaves et des Bataves intelligents et indépendants d'esprit. »

Mais, en fin de compte, Rosamund l'emporta. Je découvris, cependant, aux tout premiers jours de notre mariage que, en l'emportant, elle plaçait mes intérêts avant les siens. Les Durkin recommandaient un petit appartement sur la plage. Les bagages furent vérifiés en détail — toutes les tenues estivales, les papiers, les maillots de bain, les écrans solaires, les sandales, les lotions antimoustiques. San Juan semblait plus séduisant, le bord de mer en tout cas. Nous avions du temps à tuer entre deux avions et nous le tuâmes au bar du grand hôtel. Nous étions assis à côté d'un Américain à la dalle en pente qui nous raconta que sa femme avait été terrassée par une maladie non identifiée. Cet homme nous dit qu'il faisait l'aller-retour entre Dallas, où il possédait une société, et l'hôpital d'une taille industrielle de San Juan où elle était traitée. Durant quelques semaines, elle avait été incapable de parler, peut-être d'entendre — qui pouvait le dire? Elle était inconsciente. Elle ne voulait pas, ne pouvait peut-être pas, ouvrir les yeux. « Elle réagit pas. Je me sens idiot quand je lui parle. »

Quand notre car arriva, nous le laissâmes au bar. Il ressemblait tout à fait à une falaise de grès surmontée d'une saillie d'herbe décolorée. Rosamund était malade de l'abandonner ainsi, si malheureux — elle est comme ça. Mais il ne répondit pas à nos adieux.

Environ une demi-heure plus tard, atterrissant à Saint-Martin, nous passâmes par le hangar de l'immigration, un vaste édifice préfabriqué en tôle ondulée verdie — sous les Tropiques, tout me semblait avoir un caractère provisoire. Devant un comptoir officiel, sous des lumières grésillantes, nous fîmes la queue pour payer une taxe et faire tamponner nos passeports. Puis nous grimpâmes dans un taxi et fûmes conduits à l'extrémité française de l'île. Notre logeuse se montra brusque avec nous parce que nous l'avions fait veiller tard. Peu après, alors que nous nous étions couchés, un homme furieux arriva et martela sa porte de coups de pied et de poing en hurlant qu'il allait la tuer. Je dis : « Si la chaîne de sécurité ne tient pas, cela risque de finir par un meurtre. » Mais les flics arrivèrent dans une voiture à gyrophare et l'emmenèrent.

« Que penses-tu? » demanda Rosamund.

Je me souviens d'avoir dit que c'était peut-être normal dans ce climat. Somptueux mais instable.

Je refusais d'être captivé par le lieu. Peut-être était-ce l'âge. J'avais été un voyageur heureux, mais à présent je renifle la literie dans laquelle je me couche. Ici, je sentais le détergent dans les draps et les taies d'oreiller, et la fosse septique derrière la salle de bains.

Mais nous nous réveillâmes dans un clair matin tropical avec des lézards et des coqs. Sur l'océan, droit devant nous, les yachts remorquaient leurs dinghies. Des avions décollaient et atterrissaient au terrain d'aviation. Mais la plage était belle, ferme, large, avec une bordure d'arbres et des buissons en fleur, et il y avait des foules de mites jaunes qui zonzonnaient. Sur le côté de la maison qui était tourné vers la terre, il y avait un arbre magnifique, surchargé de citrons verts. Plus loin, s'élevait une colline abrupte.

Pour notre café du matin, nous allâmes jusqu'à l'autre bout de la rue principale. Il se baragouinait une sorte de français dans les bistrots et les boulangeries. Nous nous assîmes à une terrasse pour contempler la vue. Qu'y avait-il à voir ici ? Ou à faire ? Pour commencer, nous achèterions quelques articles indispensables. Puis nous irions nager. On voyait rarement des vagues dans la baie. On pouvait passer des heures à faire la planche ou à se sécher sur le sable. On pouvait aussi se promener le long de la mer et examiner les femmes aux seins nus — les faisant bronzer, ou les exhibant. Étant naturelles, j'imagine. Mais les yeux de ces femmes vous informaient que si vous leur adressiez la parole, elles ne répondraient pas.

Lorsque nous revînmes, les restaurants ouvraient. Travers de porc, poulets et langoustes étaient offerts dans une vingtaine de grills bondés, où des flammes s'élevaient, plus de flammes qu'il n'était raisonnablement nécessaire. Chaque endroit avait son propre rabatteur, qui criait, riait, brandissait des langoustes vivantes, les tenant par les antennes ou par la queue. Si une partie de la créature se détachait et tombait au sol, cela faisait partie du divertissement.

« Partons de là », dit Rosamund. Elle se plaignait de la fumée. Elle lui piquait les yeux. Mais ce qu'elle ne pouvait supporter, c'était la torture des langoustes. Dans le New Hampshire, quand elle voyait des salamandres sur la route, elle les ramassait pour les mettre en sûreté. Je lui disais : « Elles n'ont peut-être pas envie d'être là où tu les poses. » J'avais tort de l'asticoter sur ses pulsions humanitaires. La compassion est un problème difficile pour toutes les parties concernées. Les compassionnés laissent aux moins sensibles le soin de dire : « C'est la loi de la vie. Il faut bien se nourrir. Les crustacés ne sont-ils pas eux-mêmes cannibales ? » Mais ce n'est qu'une fuite en avant. On saupoudre ses « interprétations » de science de manuel scolaire. Est-ce que ces langoustes blindées voient repousser les antennes qu'elles perdent ? Cela semble la raison d'être des cours de sciences naturelles, de fournir une couverture à notre insensibilité. Ou de l'affiner, au moins. Polonius est à un dîner, non pas où il mange mais où il est mangé par des vers — la rançon d'une vie de soupers.

Le mètre humain ne nous est d'aucun secours. Avant que vous ne puissiez les repousser, vos morts vous ont soudain encerclé. Qu'aurait dit Ravelstein de cela ? Il aurait dit : « Nausée de fillette. » Entendant peut-être par là : « C'est une créature à l'esprit tendre qui doit déchiffrer les choses par elle-même. Une telle question doit être méditée par chaque adulte. Quant aux salamandres rouges, peut-être pourraient-elles entrer dans une sauce pour les spaghettis… »

À Saint-Martin, nous étions sur le bord le plus bas — oriental — de la baie, dans une maison à un étage. Au-dessous de nous, des touristes venus du nord de la France avaient pris possession du jardin. Ils étaient *en famille**, tandis que nous n'en avions aucun besoin particulier. C'était la plage qui nous intéressait, juste après le muret.

Nous étions à une dizaine de mètres du bord de l'eau. Un bateau à fond transparent emmenait les touristes à heures fixes jusqu'au récif corallien qui se trouvait juste au nord.

J'étais heureux de la baie. Elle nous procurait un cadre. J'apprécie les frontières. J'aime qu'il y ait des lignes tracées autour de moi. Je n'étais pas là pour lutter contre les flots, mais pour nager et flotter tranquillement. Pour ouvrir mon esprit à Ravelstein. Souvent, Rosamund me tirait ou me portait dans une eau qui nous arrivait aux épaules. Elle passait les bras sous moi et marchait de long en large. Ce n'était pas une jeune femme forte — elle n'avait pas besoin de l'être. L'eau de mer semble porter mieux, il n'y a aucun effort à faire pour flotter, comme il en faut dans un lac ou un étang. Rosamund est svelte, ni maigre ni abrupte. Ses cheveux bruns tombent sur ses épaules. C'est comme un capital illimité. Ses longs yeux s'avèrent être bleus et non bruns comme ses cheveux sombres le laisseraient attendre. La musique qu'elle chantait tandis qu'elle faisait voguer mon corps sur l'eau provenait du *Salomon* de Haendel. Nous l'avions entendu à Budapest quelques mois auparavant. «Vis éternellement, chantait-elle. Heureux-heureux Salomon.» Ce chœur chanté par sa seule voix était soutenu par le bruissement de la mer. Appuyé sur ses avant-bras, je voyais les mites, jaune pâle, en amas tourbillonnants de centaines d'individus. Ce devait être leur période de reproduction. Et, au-dessus de la grand-rue, planait un nuage de fumée de barbecue, et les rabatteurs, les fils de Bélial, riant dans l'aveuglement du soleil agitaient des langoustes vivantes qu'ils tenaient par les antennes pour faire saliver les touristes.

Je sentis que ce paradis tropical ne toucherait jamais mon cœur. Au contraire, tandis que Rosamund chantait de sa belle voix «Vis-é-ter-nel-le-ment», je songeais à

Ravelstein dans sa tombe, à tous ses dons, à son personnage infiniment divertissant, à son intellect totalement immobile. Je n'imagine pas que lorsqu'il m'avait enjoint d'écrire un récit de sa vie il se soit attendu que je me contente de ce qui était caractéristique — caractéristique de moi, veux-je dire, naturellement.

Rosamund et moi échangeâmes à présent nos positions, et je la portai sur l'eau, le sable sous mes pieds sillonné comme la surface de l'eau était ridée, et, à l'intérieur de la bouche, le dur palais avait ses ondulations aussi. « On s'arrêterait au *Forgeron* en revenant, réserver une table pour ce soir ? C'est à cinq minutes environ de la plage. »

Doxie Durkin nous avait donné un mot pour M. Bédier, qui était le patron de l'établissement. Rosamund nous avait déjà inscrits pour le dîner. Question restaurants, on pouvait faire confiance aux Durkin. Ils avaient beaucoup vu Ravelstein au cours de ses dernières années. Nous dînions souvent ensemble dans le quartier grec ou au club de Kurbanski.

Les Durkin avaient été très prévenants. Ils n'avaient demandé qu'un seul service en retour. Durkin, qui était avocat, avait emporté quelques forts volumes à Saint-Martin et il avait oublié de recopier plusieurs passages pertinents pour une affaire qui passerait bientôt en jugement. Il nous avait demandé, à titre de faveur, de les rechercher et de les lui envoyer par e-mail. Rosamund m'avait plusieurs fois rappelé l'existence de ces livres. Notre logeuse les fit porter par un domestique dans notre petit appartement.

Ce soir-là, nous marchâmes jusqu'au *Forgeron* le long de la plage d'où la chaleur se retirait. Chaussures et sandales étaient dans un réticule que portait Rosamund. Nous les enfilâmes avant de passer le portillon ouvrant sur la mer.

Il y avait de l'eau qui ruisselait agréablement dans le jardin — des plantes grimpantes et buissonnantes, des fleurs. Mme Bédier, qui travaillait en cuisine, ne nous prêta aucune attention. M. Bédier considéra le mot plaisamment familier de Roxie sans réel intérêt. C'était un homme imposant, chauve, lourdement bâti, dont l'organisation physique dégageait un sentiment de violence. Son message, s'il pouvait être formulé par des mots, était : «Je suis prêt à faire tout le nécessaire pour satisfaire *un client**, mais je suis soumis à une pression considérable et je risque d'exploser à tout instant. » Il était l'unique serveur, et l'établissement était plein. Il n'y avait aucune aide. Sa femme était seule en cuisine. Mais les touristes, était-on amené à comprendre, n'étaient pas leurs égaux socialement.

J'avais conscience de l'influence de Ravelstein en dressant un tel portrait. Je veux bien reconnaître qu'il était souvent présent dans les menus événements du quotidien. C'était le fait de la puissance de sa personnalité. C'était aussi parce que sa vie était mieux structurée intérieurement que la mienne, et j'étais devenu dépendant de sa capacité à ordonner l'expérience — il se peut aussi qu'il ait voulu perdurer. Et, de son côté, il avait aussi besoin de moi. Et puis, beaucoup de gens veulent se débarrasser des morts. Moi, au contraire, j'ai une manière de m'accrocher à eux. Ma durable intuition — elle devrait être claire à présent — est qu'ils ne sont pas partis pour de bon. Ravelstein, lui, aurait écarté pareille idée comme infantile. Eh bien, peut-être. Mais je ne plaide pas une cause, je rends simplement compte. Je sais qu'on perd sa respectabilité intellectuelle en reconnaissant pareils fantasmes. Même moi, voyez-vous, je cède à l'opinion établie. Mais il peut y avoir des explications simples à la persistance de Ravelstein dans ma vie quotidienne. Quand il est mort, je me suis aperçu que j'avais pris l'habitude de lui raconter tout ce qui s'était passé depuis notre dernière rencontre.

Il avait néanmoins d'étranges manières de réapparaître et je ne vais pas prétendre qu'il ne surgissait pas obliquement du lieu, quel qu'il fût, où il continuait d'exister. Cela ne devrait pas prendre la forme d'une discussion sur la vie après la mort. Je ne suis pas porté à la dispute. Il y a seulement que je ne peux pas m'asseoir sur une information pour la simple raison qu'elle n'est pas intellectuellement respectable.

Bon — que nous conseillait de prendre M. Bédier du *Forgeron*? La vive, servie froide avec de la mayonnaise. Rosamund choisit un autre poisson. Ni l'un ni l'autre n'était bien préparé. La vive, à température ambiante, était moite. La mayonnaise ressemblait à de la pommade antiseptique.

«Comment c'est? demanda Rosamund.

— Pas cuit.»

Ayant goûté, elle fut d'accord que le poisson n'était pas bien cuit. Il était même cru à cœur.

«Dis-le au *patron**. Tu peux lui parler français.

— Son anglais est meilleur. Les gens n'aiment pas être pris au piège dans des conversations factices. Pourquoi est-ce qu'il me ferait la causette en français? Je n'ai qu'à suivre les cours Berlitz, voilà ce qu'il se dira.»

Je n'ai pas pu finir la vive. Le dîner fut interminable.

Rosamund dit: «C'est une soirée ratée — c'est incroyable qu'ils puissent si mal cuisiner dans un aussi bel endroit.»

C'était impossible de servir des dîners incomestibles au bord de ces eaux tropicales calmes et chaudes, avec une lune à la hauteur du cadre. Un restaurant à dix minutes à pied de l'appartement aurait été un rêve de jeune épouse

217

— pas de courses, d'épluchage, de cuisine, de service, de vaisselle ni d'ordures.

Vers minuit, il y avait une accalmie dans le trafic aérien. J'avais constaté très vite la quantité d'avions privés qui venaient sur le terrain d'aviation local — témoignage de la richesse et des talents de pilotage d'une considérable troupe d'Américains, de Mexicains, de Vénézuéliens, de Honduriens, et même de Français et d'Italiens — toutes gens qui aimaient que leur réalité obéisse à leurs pensées. On songeait à un endroit et, quelques heures plus tard, on pouvait y être. Au XVIe siècle, les galions espagnols mettaient parfois des mois. Aujourd'hui, on pouvait faire un golf au Venezuela et dîner le soir même dans le Yucatan. De retour à Pasadena le matin, à temps pour suivre l'Orange Bowl.

Quand on commence à avoir de telles pensées à propos de gens suffisamment riches pour s'affairer de-ci de-là, établir leurs itinéraires et calculer leur consommation de kérosène, on risque très vite de se rendre compte que la fatigue des heures de vol que l'on va éprouver est la *sienne*.

Le fait était que Bédier du *Forgeron* m'avait infecté.

Quand je me plaignis de lassitude et de manque d'énergie, Rosamund me dit que c'était l'accumulation de fatigue, aggravée par le souci et le chagrin. Elle, aussi, pleurait le pauvre Ravelstein, démoli par ses pratiques sexuelles imprudentes. Rosamund n'écartait pas vos doléances — elle leur prêtait toute son attention sans mauvaise humeur. Elle dit que les vacances commençaient souvent par un sentiment d'accablement et de préoccupation. Elle me caressa le visage affectueusement et me dit que j'avais du sommeil à rattraper.

C'est ce que je fis, mais sans me sentir mieux. La toxine

véhiculée par le poisson était résistante à la chaleur, devais-je apprendre, et une cuisson plus poussée n'aurait pu la neutraliser. Comme on me l'expliqua plus tard à Boston, la cigua était rapidement excrétée par le corps, mais non sans avoir radicalement dévasté le système nerveux. Tout à fait comme le Guillain-Barré de Ravelstein. Parmi les premiers symptômes, il y a un dégoût soudain pour la nourriture. Je haïssais même sa vue. J'en vins à détester toute odeur de nourriture. Pour dîner, je ne pouvais absorber que des corn flakes avec un peu de lait. Je ne cessais de répéter à Rosamund que c'était tant mieux. Je perdais un excès de poids. Comme tout le monde aux États-Unis, dis-je, j'étais scandaleusement suralimenté.

La famille française qui occupait l'appartement du dessous était venue de Rouen prendre du bon temps et se la couler douce, relax sous les Tropiques. Ils nageaient dans la mer lisse ; Rosamund et moi aussi. Nous nous séchions sur la plage en bavardant agréablement. Mais les odeurs qui s'élevaient de leur cuisine devenaient intolérables. Je dis à Rosamund : « Quel genre de saloperies est-ce qu'ils mitonnent ?

— C'est si grave que ça ? » demanda-t-elle.

Je lui servis alors ma tirade sur le déclin de la cuisine française. « On trouvait un repas convenable dans n'importe quel *bistrot**. Peut-être est-ce le tourisme qui a fait baisser la qualité. Ou bien, est-il possible que ce soit la disparition de la paysannerie qui ruine la cuisine française ?

— L'un des plaisirs de vivre avec toi, Chick, c'est que tu as tant d'idées sur tous les sujets. Mais tu sembles avoir complètement perdu ton appétit. J'ai moi-même une théorie : que tu as été tellement tendu — surtendu, surmené — que ce lieu paisible est trop paisible pour toi. Tu es tout simplement trop remonté. » Elle était manifestement préoccupée par la force et la violence de mes réactions.

« Il faut que je m'éloigne de cette horrible puanteur.

— Sortons alors.

— Oui, sortons. *Toi*, tu as besoin d'un repas, Rosamund — tu mérites un bon dîner. Je n'ai aucun appétit, mais j'aimerais que tu manges. »

Mes nuits sur cette île avaient été agitées — mon cœur faisait des siennes. J'avais augmenté les doses de quinine prescrites par le Dr Schley, le cardiologue. J'avalais mes cachets avec un verre d'eau de quinquina. J'avais la tête assez claire, mais je me plaignais de ne plus sentir la plante de mes pieds. « J'ai des sortes de frissons désagréables qui me traversent les pieds, dis-je.

— C'est peut-être ta manière de t'asseoir. Essaie de travailler debout. Et tu ne forcerais pas un peu sur la quinine ? dit Rosamund.

— Le Dr Schley m'a dit que je pouvais en prendre autant que je voulais pour l'arythmie — les fibrillations — bon Dieu ! On dirait que tout le monde est médecin aujourd'hui. »

Nous marchâmes sur la plage pour éviter la puanteur des étalages de poulets et de langoustes sur la rue principale. Au *Forgeron*, le *patron**, qui se prélassait devant son établissement, fit semblant de contempler la mer et ne répondit pas à mon salut. « Cinq mille kilomètres de la France et il est émancipé de la *politesse**, dis-je.

— Nous avons cessé de venir y manger…

— *Macht's nichts*. C'est un porc à qui on a appris des manières, mais sans succès. Des gens épouvantables partout. Impossible de faire une bourse en soie avec le cul d'une truie. »

J'ignorais à quel point j'étais malade. Tout ce que je savais, c'était que j'étais par moments irritable et passablement déglingué — un peu dérangé. J'avais conscience de me répéter et que Rosamund était affligée. Elle se demandait quoi faire. Peut-être s'en voulait-elle de m'avoir amené ici. L'une de mes obsessions vaut peut-être la peine d'être décrite. Je disais souvent à Rosamund que l'un des problèmes du vieillissement était l'accélération du temps. Les jours passaient « comme des stations de métro traversées par un express ». Je me référais souvent à *La Mort d'Ivan Ilitch* afin d'illustrer cela pour Rosamund. Les jours des enfants sont très longs, mais, dans le vieil âge, ils filent « plus vite que la navette du tisserand », comme dit Job. Et Ivan Ilitch mentionne aussi la lente ascension d'une pierre jetée en l'air. « Quand elle retourne à la terre, elle est accélérée de dix mètres par seconde par seconde. » Nous sommes régis par le magnétisme gravitationnel et l'univers tout entier est impliqué dans cette accélération de votre fin. Si seulement nous pouvions retrouver les journées pleines que nous connaissions étant enfants. Mais nous sommes devenus trop familiers avec les données de l'expérience, me semble-t-il. Notre manière d'organiser les données qui affluent sous forme de *Gestalt* — c'est-à-dire de manière de plus en plus abstraite — accélère les expériences en une dangereuse dégringolade de comédie. Notre précipitation élimine les détails qui enchantent, retiennent ou retardent les enfants. L'art est un moyen d'échapper à cette accélération chaotique. Le mètre en poésie, le tempo en musique, la forme et la couleur en peinture. Mais nous sentons bien que nous filons vers la terre, vers l'enfouissement de la tombe. « Si ce n'étaient que des mots, dis-je à Rosamund. Mais je le ressens tous les jours. Une méditation impuissante dévore elle-même ce qui reste de la vie… »

Pauvre Rosamund, elle devait écouter pareils discours soir après soir, au dîner — et ce séjour aux Caraïbes aurait dû être des vacances romantiques — une sorte de lune de miel supplémentaire.

« Tu as parlé de ça avec Ravelstein ? demanda-t-elle.

— Eh bien… oui, j'en ai parlé.

— Qu'est-ce qu'il t'a dit ?

— Il disait qu'Ivan Ilitch avait conclu un *mariage de convenance** et que si sa femme et lui s'étaient aimés les choses auraient paru différentes.

— Les pauvres se haïssaient carrément, dit Rosamund. Lire cette histoire est comme traverser une montagne de verre brisé. C'est une épreuve. » Elle était très intelligente, Rosamund. Nous pouvions non seulement parler ensemble, mais compter aussi être compris.

Nous nous tournâmes à présent vers les volumes que notre ami Durkin nous avait prié de consulter, travaillant ensemble sur les pages qu'il nous avait demandé de recopier pour lui. Ce n'était pas grand-chose, vraiment, et Rosamund fit l'essentiel du travail. Il n'y avait pas de photocopieur pour des volumes de cette taille. Je lisais les extraits à voix haute, et elle les dactylographiait sur son traitement de texte. Je m'y étais mis sans grand intérêt pour le sujet, mais je fus très rapidement captivé. Non pas par l'aspect légal, la plainte en droit d'auteur déposée par le client de Durkin. L'auteur du journal sur lequel le livre était fondé était un médecin américain qui avait passé des années dans la forêt tropicale humide de Nouvelle-Guinée avec une bourse de recherche de l'Institut national de quelque chose, et parlait le sabir local. Le fait qu'il écrive bien rendait ses comptes rendus d'autant plus frappants — fascinants par endroits. Il décrivait une falaise couverte de grosses fleurs comme une « cascade cramoisie d'orchidées ». Il y avait de nombreux quasi-morceaux de bravoure, mais on sentait qu'il réagissait à la bravoure de la nature. Il avait un but scientifique bien déterminé et l'article était important — humainement attachant. Il commençait par décrire le déficit en protéine du régime alimentaire des tribus qu'il avait étudiées. Il disait que dans les guerres primitives les indigènes ne pouvaient pas se permettre de gâcher le corps de leurs ennemis.

Pareilles spéculations scientifiques n'étaient pas mon principal intérêt. J'ai plusieurs fois signalé que les détails ordinaires de la vie quotidienne sont ma spécialité. Ravelstein l'avait aussi plusieurs fois relevé, pas les noumènes, ni les « choses en soi » — je laissais tout ça aux Kant et consorts. Des corps noirs sans tête dans une jungle où des orchidées rouges cascadaient sur des centaines de mètres *seraient* un phénomène, n'est-ce pas? Les hommes venaient d'être tués et décapités. Les têtes étaient mises de côté. Le chercheur qui rapportait tout cela disait qu'elles étaient une monnaie servant à l'achat d'une épouse. C'était la raison pour laquelle les chasseurs de têtes chassaient les têtes. Mais ce chercheur américain avait été attiré vers l'embuscade au bord d'un ruisseau non pas par les bruits du combat, mais par l'odeur de la viande en train de rôtir. « Semblable à une odeur de cuisine à la maison — un rôti bien juteux dans le four. Ou une dinde de Noël. Tout aussi appétissant. La chair humaine aussi peut activer les glandes salivaires… les guerriers m'ont offert de partager leur chiche-kebab humain. Les victimes étaient retournées sur le ventre. La terre était poisseuse de sang rouge. Les vainqueurs trouvaient les expressions de mon visage à mourir de rire. Ils disaient : "Mais quoi, ce n'est que de la viande, semblable à n'importe quelle autre viande." » Et, à vrai dire, l'auteur s'étendait plus qu'il n'était nécessaire sur les appétissantes fragrances. Les chasseurs disaient que si eux avaient été victimes de l'embuscade, ce seraient les autres qui les feraient cuire et les mangeraient. Pour nous, cela aurait pu être une rationalisation. Pour eux, c'était une réalité. La jungle est pauvre en gibier. Les chasseurs sont souvent affamés, épuisés, littéralement proches de mourir de faim. L'Américain continue en spéculant sur le siège de Leningrad par les nazis et en parlant aussi des soldats japonais isolés dans la jungle des Philippines, qui mangeaient leurs propres morts, mentionnant aussi les footballeurs chiliens dont l'avion s'était écrasé dans la cordillière des Andes. Et, certainement, nos propres nihilistes, qui vous disent que tout est permis, auraient dû admettre que le cannibalisme est parfaitement logique. «Mais ce qui constituait la difficulté pour moi, écrit le chercheur américain, était l'odeur savoureuse de cuisses humaines rôties découpées sur des corps qui saignaient encore dans ce paradis floral. C'était cela le plus dur pour moi. Pas les têtes que les combattants portaient quand ils allaient faire leur cour et balançaient en les tenant par leurs cheveux poussiéreux.»

Rosamund, constatant à présent que j'étais vraiment malade — même si je le niais — parcourut des kilomètres à travers la fumée et le feu des barbecues de trottoir à la recherche d'une dinde de Thanksgiving. Impossible à trouver. Les étiques poules locales semblaient avoir des poils et non des plumes. Au fond d'un congélateur, au marché, elle trouva des paquets d'ailes et de pilons maigrelets. Elle dit qu'ils étaient encore bien pires une fois décongelés. Sur cette île d'ignames et de noix de coco, on ne trouvait pas de légumes verts. Elle parvint néanmoins, après des heures d'efforts, à fabriquer une soupe au poulet. Par gratitude, j'essayai de faire une plaisanterie de mon incapacité à l'absorber — me souvenant d'une mère immigrée de mon enfance qui s'écriait : «Mon Joey ne peut pas manger sa glace. Il détourne la tête. S'il ne lèche pas sa glace, c'est qu'il va mourir !»

Peut-être parce que je ressentais les Tropiques comme une menace de mort, mon instinct était de rechercher l'aspect comique dans toute question qui devait être envisagée. Pour commencer, je ne cessais de me dire que le sol était plus poreux ici. Il n'était pas aussi compact que chez nous. Il devait être difficile d'enterrer quelqu'un dans ce sol de corail pourrissant. Je n'allais pas aborder cette question démente avec Rosamund. Elle s'en voulait de m'avoir fourgué ces merveilleuses vacances — mais je savais pouvoir compter sur elle pour faire ce qui convenait. Je me sentais très bizarre, mais je me disais que c'était un malaise que j'avais ramené du Nord — une sorte de trouble ou de décalage —, quelque chose comme une misère métaphysique. Des années plus tôt, quand je m'étais retrouvé en rade un long moment à Porto Rico, j'avais éprouvé le même genre d'inconfort face à un environnement tropical — odeurs d'eau salée piégée et de matières maritimes pourrissantes s'élevant des lagons — les étranges puanteurs de la végétation luxuriante et d'animaux en décomposition. À Porto Rico, les mangoustes étaient aussi communes que les chiens errants ailleurs. On n'aurait pas imaginé que des animaux aussi gros puissent vivre au bord des routes et des ruelles de villages.

La nuit, il y avait des explosions de musique tribale dans la ville. Les coqs vous réveillaient aux aurores. Mais je ne dormais pas beaucoup, et ne pouvais manger que des corn flakes. Je me plaignais de l'eau du robinet et Rosamund, à présent très soucieuse, se rendait souvent à l'épicerie pour en rapporter de lourdes bouteilles d'eau de source.

J'étais manifestement malade, mais je ne pouvais laisser dire que je l'étais. Je sentais que j'avais des pensées anormales et, petit à petit, il apparut que je m'inquiétais de la question de l'évolution. Bien sûr que je croyais à l'évolution — qui pouvait refuser d'accepter les milliers de preuves ? Ce qui était moins clair, c'était qu'elle fût le produit de changements aléatoires comme tant de fidèles adeptes de la science en étaient convaincus. « *Tout* peut arriver, avec suffisamment de temps, et des milliards d'années vous donnent le temps pour toutes les erreurs et les impasses.» Watson, le généticien, avait formulé la loi sur la question. Mais, comme je le disais à Rosamund, disputant toujours avec Watson, si l'on prenait en compte les subtiles ressources du corps, qui se comptent par milliers, trop subtiles pour être accidentelles, Watson parlait d'un grossier travail de menuiserie — d'un bricolage d'enfant, ou d'un travail d'apprenti, mais pas d'une délicate ébénisterie.

Rétrospectivement, je suis navré — j'ai de la peine pour Rosamund, qui voyait à présent que j'étais malade. Elle essayait de confectionner des remèdes dans sa petite cuisine. Elle préparait des dîners que j'aurais normalement mangés avec plaisir. Mais la viande que l'on trouvait au marché était médiocre. Quand elle faisait des soupes, je n'arrivais pas à en avaler une cuillerée. La famille française du rez-de-chaussée continuait de mitonner des plats de merde dont l'odeur me rendait fou.

«Comment des gens aimables, convenables, agréables, polis, courtois peuvent-ils arriver à cuisiner — et manger! — pareille puanteur?»

Rosamund dit : «Ils seraient vexés si je leur demandais de fermer leurs fenêtres. Mais tu ne penses pas que tu devrais consulter un médecin? Il y a un toubib français au bout de la route. On a vu sa plaque des dizaines de fois.»

Nous étions sur la véranda et buvions un verre de vin avant le dîner que je serais incapable d'avaler. Je mangeais les olives fourrées que Rosamund me tendait. Je les aimais bien fourrées aux anchois, à l'espagnole. Ici, on en trouvait seulement au piment. On ne pouvait étudier un ciel de couchant aux Caraïbes sans penser à Dieu, découvrais-je. Ni penser à Dieu sans que ses propres morts ne s'insinuent. Alors on renouvelait son lien avec ses morts et finissait par faire un bilan aussi honnête qu'on pouvait le supporter — passant en revue une vie entière d'activités, d'affections, d'attachements. En cela, je n'excellais pas du tout.

Et, comme je devais à Rosamund de faire tout mon possible pour aller au fond scientifique des choses, le lendemain, j'allai voir le médecin. Les Américains ne font pas grand cas de la médecine étrangère. Ils tendent à penser qu'un médecin français va vous dire que vous avez une *crise de foie** et devez réduire votre consommation de vin rouge. Le médecin du bout de la route n'avait rien à objecter au vin. Il me dit, cependant, que j'avais contracté la dengue. Bon, ce n'était pas trop grave. La dengue est une maladie tropicale transmise par les moustiques ; elle se traite à la quinine. J'ajoutai donc de la quinine locale au Quinaglute que le médecin américain — Schley, celui-là même qui avait réprimandé Ravelstein parce qu'il fumait à peine sorti de réanimation — m'avait prescrit pour empêcher mon cœur de me lâcher.

Rosamund se rendit une fois de plus à la pharmacie — un trajet aller-retour de cinq kilomètres sans aucune protection contre le soleil. Elle semblait partiellement rassurée par le diagnostic du médecin français. Si grave que puisse être la dengue, elle était curable.

Les voisins, dont les relents culinaires me rendaient dingue, offrirent leur aide. Ils se disaient prêts à me conduire à l'hôpital de la ville de M., à quarante kilomètres de là. C'était un trajet magnifique, mais je savais pertinemment que la route était encombrée par les vieux véhicules agricoles poussifs et les *guaguas* (autocars).

Le médecin était un homme doux, «mesuré», comme nous disons, peu enclin à poser des diagnostics mélodramatiques. Je décidai donc d'accepter ma dengue sans faire d'histoire et de boire la mixture de quinine qu'il m'avait prescrite. Rosamund et moi lûmes ensemble *Antoine et Cléopâtre*, en nous remémorant la maxime de Ravelstein selon laquelle il était impossible de représenter les passions sans la haute politique. Rosamund pleura quand Antoine disait : «Je me meurs, Égypte, je me meurs», et quand Cléopâtre portait l'aspic à son sein. Après cela, nous nous couchâmes et dormîmes, mais pas longtemps.

Sur le carrelage frais de la salle de bains, je m'évanouis. Il faisait sombre et je venais de m'arracher à la chambre quand je tombai. Rosamund était incapable de me soulever ou de me ramener sur le lit. Elle courut réveiller la logeuse, qui appela immédiatement une ambulance. Quand on m'annonça que cette ambulance était en route, je dis que je refusais d'aller à l'hôpital. Je les avais suffisamment fréquentés. La médecine coloniale, en particulier sous les Tropiques, était très hasardeuse.

Rosamund dit : «Tu *dois*.» Mais lorsqu'elle vit à quel point j'étais obstiné, elle redescendit appeler le médecin sur le téléphone de la logeuse. Il était à cinq minutes de là. Prenant très bravement le fait d'avoir été tiré de son lit, il braqua sa torche vers le fond de ma gorge et dans mes yeux. Deux ambulanciers solidement charpentés firent leur apparition dans l'encadrement de la porte avec une civière repliée. Ces Noirs en bleu de travail avaient déjà commencé à déplier la civière quand je les arrêtai en disant : «Je ne vais nulle part.»

Rosamund sollicita l'opinion du médecin, et celui-ci dit : «Eh bien, ce n'est pas absolument *nécessaire**, s'il y est à ce point opposé.» Il renvoya l'ambulance. Cela ne faisait pas une grande différence pour les ambulanciers. Le moteur de leur véhicule se chargea des protestations.

Nous parvînmes à nous débarrasser du restant de la nuit et, le matin venu, sans même l'évocation d'un petit déjeuner, je m'assis sur la véranda pour contempler les sombres récifs — l'atmosphère et l'eau faisant ce qu'ils font toujours. L'une des attractions de la saison était les nuages de mites pâles, une variété d'un jaune douceâtre. Elles n'étaient pas particulièrement grosses ni joliment marquées, et tourbillonnaient au-dessus de la mer avant de replonger dans la végétation.

Rosamund était en bas, usant du téléphone de la logeuse, qui ne nous avait jamais été accessible jusque-là. La logeuse refusait de prendre des messages pour nous. Les hôtes n'étaient pas autorisés à passer des appels. Mais j'étais malade à présent, et elle ne voulait pas que je claque chez elle — je pensais que cela devait être clair pour Rosamund aussi et, bizarrement, cela m'était à peu près indifférent. Le soleil ne s'était pas encore levé et il y avait juste assez de lumière pour distinguer le liquide du solide — une mer — une sorte d'étendue plate, et le vide intérieur correspondant. Seulement Rosamund, normalement souple, bien élevée, déférente et comme il faut, témoignait à présent (impossible à nier) d'une dureté sous-jacente et de la volonté qui montrait combien elle était préparée à affronter la mauvaise humeur de la logeuse et l'insensibilité bureaucratique des services commerciaux de la compagnie aérienne. En remontant, elle m'annonça, avec un léger sourire : « Nous rentrons demain, tôt. Il y a toutes les places qu'on veut au départ de San Juan, parce que c'est Thanksgiving. Le problème, c'était d'aller à San Juan. Mais j'ai dit qu'il s'agissait d'une urgence médicale. Il y aura un fauteuil roulant qui t'attendra. »

Un fauteuil roulant ! Je n'aurais jamais imaginé que j'étais si malade que ça. Il s'avéra que l'inexpérimentée Rosamund voyait les choses plus clairement que tout autre. Je ne m'attendais jamais aux crises ni aux urgences.

Pouvions-nous espérer un taxi si tôt le matin ? Oui. Tout d'abord parce que notre logeuse afro-caraïbe, une femme d'âge mûr, belle et sévère, dure en affaires, avait pris bonne note de l'ambulance et du médecin. Probablement avait-elle eu un mot avec le jeune Français consciencieux mais pas entièrement fiable. Mais elle n'avait pas besoin de ses avertissements ; un seul coup d'œil à mon visage plissé, de mauvais augure et crépusculaire, sur l'escalier extérieur aurait suffi.

Rosamund, effrayée à présent, n'était que trop heureuse de partir. Son visage d'une sombre pâleur était à présent fixé sur Boston et ses milliers de médecins. Elle semblait avoir capté le message : C'était la mort assurée que de rester sur l'île. «Quels livres est-ce qu'on abandonne?» La réponse était facile. «Débarrassons-nous de tous les gros volumes. Et tout particulièrement des *Œuvres complètes* de Browning.» Je m'étais braqué contre Browning. Je le rangeais à présent aux côtés de la cuisine et des voisins français.

Ce que je ne voulais pas jeter, c'était le magazine de mon ami Durkin — l'histoire de cannibales. J'étais accro à la chair humaine rôtie, aux cannibales et aux têtes coupées posées sur une herbe souillée de sang, au sommet d'une falaise couverte d'orchidées. La consommation de chair humaine envahissait ma conscience — je l'admets — contaminée. C'était ma maladie qui me rendait particulièrement susceptible. Je n'aurais abandonné ces pages pour rien au monde. Je pouvais plaider la maladie pour excuse. Mais elles disparurent au cours du vol.

Le soulagement manifesté par notre logeuse à la beauté grave disait tout. Comme elle était heureuse, comme elle était fière de se débarrasser de moi. Qu'il aille mourir ailleurs — à bord d'un taxi ou d'un avion. Elle se leva avant l'aube pour veiller à notre départ. Les voisins français pointèrent eux aussi leur nez. Ils avaient dû être réveillés par l'ambulance la veille, avec sa sirène et son gyrophare.

Avec gentillesse et chagrin, ils nous souhaitèrent un bon retour. Des gens bien, en fin de compte. L'adieu de la logeuse signifiait : «Allez vous faire pendre ailleurs.» À sa place, j'aurais peut-être été d'accord. Dans la lumière de cinq heures du matin elle agita la main — bon débarras !

Parlant de nos vacances gâchées, Rosamund dit : «Quel cauchemar !» Dans le taxi bringuebalant, elle fit ses adieux à l'île avec une sorte de soulagement sauvage. Elle allait au moins être débarrassée du motocycliste masqué qui, une ou deux fois par semaine, prenait possession de la rue principale. Il était bardé de cuir et portait un casque à la Buck Rogers. Ses grandes dents étaient découvertes et serrées. La police disparaissait quand il faisait sa sortie. Les gens s'égaillaient devant lui. Il vrombissait dans des nuées de poussière et tuerait certainement les piétons. «Le fou du village, disait Rosamund. Je n'aurais plus à me soucier de lui en allant à la pharmacie.»

Sous le vaste auvent en métal vert de l'aéroport, qui couvrait des centaines de mètres carrés, Rosamund m'aida, l'homme malade, à m'installer dans le fauteuil roulant. J'y pris place, me sentant imbécillisé, et signai des chèques de voyage sur mes genoux pour payer les taxes de sortie. Il me semblait que je n'avais aucun besoin d'un fauteuil roulant. J'étais encore capable de marcher, dis-je à Rosamund, et je lui en fis la démonstration en escaladant la passerelle de l'avion. Puis retombée à San Juan, où je me glissai avec reconnaissance dans le deuxième fauteuil roulant qui m'y attendait. La plupart des bagages étaient empilés autour de mes pieds et sur mes genoux. Mais il fallut en passer par l'examen du passeport, pour lequel je dus me tenir debout. Le pire de tout fut le passage en douane. Rosamund dut apporter les grosses valises et les sacs depuis le carrousel jusqu'aux tables d'inspection — les ouvrir, répondre à des questions, puis les refermer et les rapporter afin qu'elles soient embarquées sur le vol vers les États-Unis. Elle n'avait pas la poigne masculine, les muscles nécessaires. Et c'est là que je découvris, une fois pour toutes, que je n'étais plus le passager bon pour le service que j'avais été. Rosamund dit aux inspecteurs que j'étais souffrant, mais ils n'y prêtèrent guère attention.

C'était Thanksgiving et l'avion était plus qu'à moitié vide. L'hôtesse me suggéra de m'étendre et nous conduisit à l'arrière, où elle releva les bras d'une rangée de sièges. Je demandai de l'eau et encore de l'eau. Je n'avais jamais eu tant soif. Le chef de cabine, qui avait eu la dengue dans le Pacifique sud au cours de la guerre, était plein de conseils judicieux. Il m'offrit de l'oxygène. Rosamund me pressa d'accepter, mais je ne voulais que toujours plus d'eau.

Elle, pendant ce temps, essayait de joindre mes médecins de Boston par téléphone. Ils étaient au nombre de deux — le «référent» et le cardiologue. Le cardiologue, à son golf, ne pouvait être joint; le «référent» était parti dans le New Hampshire pour un dîner de famille.

Je me souviens que durant le vol, je recommençai à parler du jeune ami de Grielescu qui avait été tué dans une cabine des toilettes pour hommes.

«Tu m'as déjà parlé de lui.

— Quand donc?

— Il n'y a pas très longtemps.

— On dirait que je n'arrive pas à détacher mon esprit de lui. Je n'en parlerai plus. Mais je crois que je l'ai associé à Ravelstein, d'une certaine manière. Tu comprends, je n'aimais pas Grielescu, mais je le trouvais amusant, et, pour Ravelstein, c'était une échappatoire, mais c'était aussi caractéristique de moi. Dire qu'il était amusant, c'était lui offrir un laissez-passer. Mais il était suspect — sans doute associé à des assassins. On dirait que je suis incapable de cerner les gens du genre à fricoter avec des crocs de boucherie. »

Rosamund faisait de gros efforts pour être attentive. Elle m'encourageait à parler. Elle était malade d'inquiétude.

« Il est mort au beau milieu — de se soulager. Ils l'ont abattu à bout portant. Ravelstein pensait que c'était une de mes erreurs typiques...

— Disait-il que Grielescu était lié à des meurtriers ?

— Exactement. Il disait que j'aurais dû être moins naïf.

— Mais ce meurtre a eu lieu après la mort de Ravelstein.

— Il avait néanmoins fait la bonne annonce. Ce grand érudit livresque de Grielescu, disait-il, n'était en fin de compte qu'un nazi. »

Essayant de me faire descendre du manège Grielescu, Rosamund me demanda : « Qu'aviez-vous de commun ?

— Il me citait à moi-même. » Il avait déterré une déclaration que j'avais faite sur le désenchantement moderne. Sous les débris des idées modernes, le monde était toujours là, prêt à être redécouvert. Et sa manière de le présenter était que le filet gris de l'abstraction jeté sur le monde dans le but de le simplifier et de l'expliquer d'une manière adéquate à nos objectifs culturels était *devenu* le monde à nos yeux. Nous avions besoin de visions alternatives, d'une diversité de regards — et il parlait de regards qui ne soient pas régentés par des idées. Il y voyait une question de mots : « valeurs », « modes de vie », « relativisme ». J'étais d'accord, dans une certaine mesure. Nous avions besoin de savoir — mais notre besoin humain profond ne peut être comblé par ces termes. Nous ne pouvons nous échapper du fossé de la « culture » et des « idées » qui sont censées l'exprimer. Les mots justes seraient d'un grand secours. Mais, plus encore, un don pour lire la réalité — l'élan de tourner son visage aimant vers elle et de presser ses mains contre elle.

« Mais alors, depuis le champ gauche, ou dois-je dire le champ droit, Ravelstein presse tout le monde de lire Céline. Bon, quoi qu'il en soit, Céline était prodigieusement doué, mais il était aussi prodigieusement fou et, avant-guerre, il avait publié ses *Bagatelles pour un massacre*. Dans ce pamphlet, il vilipendait et dénonçait les Juifs qui avaient occupé et violé la France. Pour beaucoup, en France, c'était la juiverie qui était l'ennemi, pas l'Allemagne. Hitler — on était alors en 1937 — libérerait la France de l'occupation juive. Les Anglais, qui étaient les alliés de la juiverie, complotaient de détruire *la France**. Elle était déjà devenue une maison de tolérance juive. *Un lupanar juif — bordel de Dieu**. L'affaire Dreyfus ressortit. Les autorités reçurent des millions de lettres anonymes d'antisémites antidreyfusards. J'étais d'accord avec Ravelstein que Céline n'allait pas prétendre qu'il n'avait pris aucune part à la solution finale de Hitler. Pas plus que je n'aurais échangé l'arrêt court Grielescu contre le champ droit Céline. Quand on l'exprime dans le jargon du baseball, on voit combien tout cela était fou.

Rosamund s'efforçait de ne pas me contrarier. Je n'avais jamais, de loin, été aussi malade que ça. Et je ne me rendais pas compte un seul instant que j'étais malade. Indisposé, oui ; il était clair que je n'étais pas en état. Mais j'avais vécu suffisamment longtemps pour être capable de dire que je n'étais pas mourant, mais souffrant. Une société secrète réactionnaire pourrait déterminer qu'il était temps pour vous de mourir — une camarilla de compatriotes votant en faveur de votre assassinat. Et donc une étude était faite de votre programme. Cela serait présenté comme un acte politique, mais ce n'était en réalité qu'un désir de malveillance. Un play-boy fantasque et lettré, aux habitudes réglées, s'asseyait pour satisfaire à des besoins naturels — l'acte quotidien — et était abattu par un assassin installé dans la cabine voisine, mourant dans l'instant.

Rosamund était partisane d'aller directement à l'hôpital depuis l'aéroport.

Mais j'insistais pour rentrer à la maison. Une fois couché, je serais bien. Bien sûr, je ne me voyais pas. Je n'étais plus capable de déceler à quel point j'étais fiévreux — acharné à montrer combien j'étais en pleine forme. Rosamund céda et entassa sacs et valises dans le coffre du taxi. Au terme du trajet, il était manifestement hors de question de faire monter les bagages après le paiement de la course, et le chauffeur, sentant la difficulté, prit son argent et s'en alla rapidement. Notre difficulté était manifeste pour lui, mais pas pour moi. Je montai tant bien que mal et me glissai au lit.

« Heureux d'avoir quitté cette île maudite, dis-je à Rosamund. Est-ce toujours le même jour ? Est-il environ midi ? Nous avons décollé à l'aube. "La main du temps est sur le dard de midi", comme disait Mercutio — une des citations de Shakespeare favorites de Ravelstein. »

Me sentant en sécurité sous mes couvertures, je dis à Rosamund que j'avais seulement besoin de dormir un bon coup. Mais c'était le début de l'après-midi — pas l'heure de se coucher. Rosamund ne pouvait être d'accord que le sommeil était la réponse. Par quelque faculté invisible de moi, elle discerna que j'étais au péril de ma vie. « Tu serais mort dans ton sommeil », me dit-elle plus tard, et elle continua d'essayer de joindre les médecins. « Thanksgiving est un jour de retrouvailles familiales — c'est un jour de détente, un jour de golf. »

Rosamund se maintenait en forme. Elle méditait, elle suivait des cours de yoga. Elle était capable de toucher ses tempes avec ses doigts de pieds. Mais elle s'était exténuée avec les bagages de Saint-Martin. Elle avait réussi à les hisser par l'escalier jusqu'à notre troisième étage. On n'aurait jamais cru qu'elle avait assez de muscles pour ça.

Cela avait été plus facile à faire, dit-elle, que d'obtenir l'aide de l'hôpital. Aucun de ses appels n'avait reçu de réponse. Les jours fériés, quand les médecins sont en congé, les internes sont censés les suppléer. «Eh bien, ce n'est pas aussi urgent que tu le penses, dis-je. Tu pourras parler aux médecins demain.» Mais il était clair pour Rosamund que je ne savais pas ce que je disais. Si j'étais resté à Saint-Martin, je serais mort avant l'aube. Si j'avais raté la correspondance avec le vol de Porto Rico, je serais mort à San Juan. Et si j'avais eu gain de cause quant à une nuit de sommeil dans mon propre lit, j'aurais été cuit. Rosamund dit que sans oxygène je n'aurais pas passé la nuit.

Tandis que le soleil se couchait, les corbeaux faisaient retentir leurs klaxons. Ici, ils sont devenus des oiseaux des villes. Un poète français les avait appelés *les corbeaux délicieux** — mais lequel? Je doute que même Ravelstein aurait su. Mon esprit ne se suivait plus lui-même. Mais j'étais certain que mes oreillers et ma courtepointe me sauveraient.

Rosamund avait appelé son père, dans la partie rurale de l'État de New York. «Cherche quelle est la personne la plus influente que tu puisses joindre, lui dit-il. Demande son aide.»

Dans mon carnet d'adresses, Rosamund avait heureusement trouvé le numéro de téléphone personnel du Dr Starling, l'homme qui nous avait fait venir à Boston. Quand elle lui raconta ce qui se passait, il dit : «D'ici dix minutes, vous aurez un appel d'Andras, le directeur de l'hôpital. Gardez votre ligne libre.» Peu après, le Dr Andras, un très vieux monsieur, interrogeait Rosamund sur mes symptômes ; puis il annonça qu'il envoyait une ambulance pour me ramener. Rosamund lui dit qu'aux Caraïbes j'avais refusé de monter dans l'ambulance. Le vieux directeur lui demanda s'il lui serait possible de m'en parler ? Eh bien, oui, lui dis-je, j'étais très bien là où j'étais, dans mon lit, mais pour faire plaisir à ma femme j'accepterais de me faire examiner par des médecins. Cependant, je refusais d'être emmené sur une civière. Me débattant sottement, je finis par accepter de voyager en passager.

« C'est bon ! dit le Dr Andras. On veut vous voir tout de suite. »

Et donc, assis à côté du chauffeur, je fus emmené aux urgences par une ambulance aux feux tourbillonnants et aux sirènes plaintives et gutturales. Là, je fus placé sur un chariot et emmené dans un coin où plusieurs médecins vinrent m'examiner. Je n'ai aucun souvenir cohérent de ce qui suivit. Je sais seulement que je fus aussitôt placé sous oxygène. Il y eut ensuite un long intervalle de temps. Certains disaient que je devrais aller immédiatement en soins cardiaques intensifs. D'autres situaient le problème au niveau des poumons. L'infirmière plaquait un masque à oxygène contre mon visage, et je ne cessais de le repousser. Rosamund était là pour veiller sur moi. Elle disait : « Tu as besoin de l'oxygène, Chick, et je ne veux pas qu'on t'attache les mains.

— Mais je suffoque », dis-je.

J'ai ma propre version de ce qui se passait. Il y avait un médecin responsable qui ne portait pas de blouse blanche mais était en manches de chemise. Volubile et technique, il avait le teint fleuri et décrivait mon état sans se gêner. En pareilles circonstances, les hommes et les femmes apparaissent, surgissent, se matérialisent. Ce médecin volubile semblait parler de détails techniques qui n'avaient rien à voir avec mon état. Mais je ne comprenais rien à ce qui se passait. Je fus envoyé en soins cardiaques intensifs et là, le soir même, j'eus un arrêt cardiaque. Mais je n'en ai aucun souvenir. Ni de l'unité de soins pneumologiques intensifs où je fus transféré. Rosamund me dit que j'avais, pour utiliser le terme clinique, « un poumon blanc bilatéral ». Une machine se chargeait de respirer pour moi — des tubes dans la gorge, dans le nez.

Je ne savais pas où j'étais, pas plus que je n'avais conscience que Rosamund dormait à côté de moi dans un fauteuil de repos. Elle passait souvent ses nuits parmi les parents qui campaient dans le service de réanimation durant les crises des fils ou des sœurs. Les deux premiers jours, Rosamund ne mit pas le pied à la maison. Elle se nourrissait des restes qu'elle trouvait sur les plateaux repas. Elle refusait de se rendre à la cafétéria, de crainte que je ne meure durant son absence. Quand les infirmières s'en rendirent compte, elles entreprirent de la nourrir.

Tout cela, je l'appris plus tard. Je n'avais certainement pas conscience que je luttais pour la vie. Durant ces semaines-là, j'étais abreuvé de Valium. L'un des effets de cette drogue est de suspendre toute vie mentale. Je ne me posais pas la question de savoir si j'étais mort ou vivant. Toutes les apparences (le monde extérieur) étaient abolies. Mes défunts frères, tous deux, s'approchèrent, un jour. Ils portaient comme à l'habitude chemise, cravate, chaussures, les costumes que leurs tailleurs leur avaient confectionnés. Mon père était à l'arrière-plan. Il ne s'avança pas. Mes frères indiquèrent qu'ils étaient satisfaits de leur situation. Je n'interpellai pas mon père. *Lui* savait quelles étaient les règles. Je ne voyais pas de raison de poser des questions. Me sentant plus qu'à mi-chemin de là-bas, je n'étais pas pressé par la curiosité. Je désirais des informations, mais les réponses pouvaient attendre.

Puis mes frères se retirèrent, ou furent retirés. Je ne pensais pas à moi-même comme à un mourant. Ma tête était pleine d'illusions, d'hallucinations, de relations de cause à effet patraques. Le Valium est réputé tuer la mémoire. Mais la mienne a toujours été tenace. Je me souviens d'avoir été fréquemment retourné. Un infirmier ou un aide-soignant qui savait ce qu'il faisait me martelait le dos en m'ordonnant de tousser.

J'avais rendu visite à Ravelstein et d'autres amis et connaissances dans les services de réanimation de divers hôpitaux et, avec la stupidité naturelle du bien-portant, j'avais parfois imaginé que je pourrais un jour être la personne qui était sanglée là, branchée sur un respirateur artificiel.

Mais j'étais à présent le mourant. Mes poumons avaient défailli. Une machine respirait à ma place. Inconscient, je n'avais pas plus d'idée de la mort que n'en ont les morts. Mais ma tête (j'imagine que c'était la tête) était pleine de visions, d'illusions, d'hallucinations. Ce n'étaient pas des rêves ni des cauchemars. Les cauchemars ont une issue de secours...

Surtout, je me souviens de mes errances, qui furent pénibles. Dans l'une de mes visions, je suis dans la rue à la recherche de l'endroit où je suis censé passer la nuit. Je le trouve enfin. J'entre dans ce qui, il y a longtemps, dans les années 20, fut une salle de cinéma. Le guichet est muré. Juste derrière, sur un sol carrelé en pente ascendante, il y a des lits pliants de l'armée. Aucun film n'est projeté. Les centaines de fauteuils sont vides. Mais je comprends que l'air ambiant reçoit un traitement spécial et que cela fera du bien à mes poumons de le respirer. On obtient des points de guérison en passant la nuit là. Alors je me joins à une douzaine d'autres et m'allonge. Ma femme est censée venir me chercher le lendemain matin.

La voiture est sur un parking voisin. Aucun des hommes qui sont ici n'a envie de dormir. Ni envie de parler. Ils se lèvent. Ils marchent en traînant les pieds ou s'assoient au pied d'un lit de camp. Le sol n'a pas été balayé depuis cinquante ans ou plus. Il n'y a pas de chauffage. On dort tout habillé dans son manteau boutonné jusqu'au cou. On garde chapeau, casquette et chaussures.

Avant même ma sortie du service de réanimation, je descendis de mon lit, pensant que j'étais dans le New Hampshire et que l'une de mes petites filles skiait autour de la maison. J'étais agacé que ses parents ne l'aient pas amenée voir son grand-père. C'était un matin d'hiver, du moins le pensais-je. En fait, ce devait être le milieu de la nuit, mais le soleil semblait briller sur la neige. J'escaladai la barrière du lit sans remarquer que j'étais attaché par des tubes et des aiguilles à des poches contenant toutes sortes de mixtures intraveineuses. Je vis, comme s'ils appartenaient à un autre, mes pieds nus sur le sol ensoleillé. Ils ne semblaient pas disposés à porter mon poids, mais je les obligeai à se plier à ma volonté. Puis je tombai en arrière, atterrissant sur le dos. Au début, je n'éprouvai aucune douleur. Ce qui me fâchait, c'était d'être incapable de sortir du lit et d'aller jusqu'à la fenêtre. Un aide-soignant accourut et me lança : « On m'avait bien dit que vous étiez un emmerdeur ! »

L'un des médecins dit que mon dos était si enflammé qu'il ressemblait à un feu de forêt vu d'hélicoptère. On me fit passer un scanner. J'eus l'impression d'être déposé sur un chariot encombré, d'être étouffé et poussé par-derrière. Je suppliai qu'on me laisse en paix. Mais personne ne semblait disposé à m'être agréable.

J'étais alors sous de fortes doses d'anticoagulant et ma chute était périlleuse. J'avais des hémorragies internes. Les infirmières me placèrent dans une camisole de force.

Je demandais à mes fils adultes d'appeler un taxi. Je dis que je serais mieux chez moi à tremper dans un bain. «Je pourrais y être dans cinq minutes, disais-je. C'est à deux pas d'ici.»

Souvent, il me semblait être au-dessous de Kenmore Square, à Boston. L'étrangeté de cet environnement hallucinatoire était en un sens libératrice. Je me demande parfois si, au seuil de la mort, je n'étais pas en train de me divertir d'un cœur léger, comme une personne normale, goûtant ces illusions absurdes — des fictions qui n'avaient pas à être inventées.

Je me trouvais dans une vaste cave. Ses cloisons de brique avaient été peintes une éternité plus tôt. Par endroits, elles étaient toujours aussi blanches que du fromage frais. Mais le fromage s'était piqué. Le lieu était éclairé par des tubes au néon — table après table après table d'articles de brocante, des vêtements de femme, principalement, donnés par l'hôpital pour être revendus : sous-vêtements, bas, pulls, foulards, jupes. Une infinité de tables. L'endroit me faisait penser au sous-sol d'une solderie, où les clients ne tarderaient pas à se bousculer et se disputer les bonnes affaires. Mais personne n'était ici pour se battre. Au loin, il y avait des jeunes femmes qui semblaient être des bénévoles des œuvres de charité. J'étais assis, piégé, au milieu de centaines de fauteuils en cuir. Il était hors de question de s'échapper de ce coin de fromage crasseux. Derrière moi, d'énormes tuyaux descendaient du plafond et s'enfonçaient dans le sol.

J'étais douloureusement préoccupé de la camisole de force ou veste de contrainte qu'on m'avait imposée. Cette chaude veste de toile me serrait — elle me tuait, me paralysait à mort. J'essayais en vain de m'en défaire. Je me disais : «Si seulement je pouvais obtenir de l'une de ces charitables bénévoles qu'elle me passe un couteau ou une

241

paire de ciseaux ! » Mais elles étaient à plusieurs blocks de moi et ne pouvaient m'entendre. J'étais dans un lointain, lointain recoin, entouré de fauteuils clubs.

Une autre expérience mémorable était la suivante :

Un aide-soignant perché sur un escabeau suspend des guirlandes de Noël, du gui et des branches de sapin aux murs. Cet aide-soignant ne m'aime pas beaucoup. C'était lui qui m'avait traité d'emmerdeur. Mais cela ne m'empêchait pas de prendre note de sa présence. L'existence est — ou était — le truc. Je l'observais donc sur son escabeau à trois marches — ses épaules tombantes et son gros derrière. Puis il descendait et portait son escabeau auprès du pilier suivant. Encore des guirlandes et des branches épineuses.

Sur le côté, il y avait un autre type, un vieil homme petit, nerveux et agité, qui allait et venait en pantoufles. C'était mon voisin. Son logis donnait sur le fond de ma chambre, mais il ne voulait pas reconnaître mon existence. Il avait une barbe clairsemée, son nez ressemblait à un tampon Jex et il portait un béret. Il *fallait* qu'il fût un artiste. Mais il me semblait que son visage était parfaitement dépourvu d'intérêt.

Au bout d'un moment, je me souvenais de l'avoir vu à la télévision. C'*était* un artiste, très estimé. Il donnait des conférences tout en dessinant. Ses thèmes étaient à la mode — la protection de l'environnement, les essences florales holistiques, etc. Ses croquis étaient vagues, évocateurs de l'amour et de nos responsabilités envers la nature. Sur un tableau noir, il commençait par inscrire une sorte de mer brumeuse, puis, avec le côté de sa craie, il créait l'illusion d'un visage aux aguets — la chevelure ondulée d'une femme, comme de la rhubarbe cuite, des aperçus d'une nature qui étaient l'indice d'une présence humaine —, quelque chose de mythique ou, tout aussi bien, une projection. Peut-être une ondine, ou une fille du Rhin. On ne pouvait réellement accuser ce type de mystification ou de supercherie. La seule chose qu'on pouvait lui reprocher, c'était son autosatisfaction béate — sa *suffisance**, comme on dit en français. Je préfère *suffisance** à *smugness*, tout comme je préfère l'anglais *suffocating* au français *suffocant** — *Tout suffocant et blême**. (Verlaine?) Si vous suffoquez, pourquoi vous soucier d'être pâle?

Cet Ananias, ou faux prophète (artiste), était installé là — il avait un petit appartement le long du côté du bâtiment de l'hôpital. Sa tanière était derrière l'angle, si bien que je ne la voyais pas de mon lit. J'apercevais ses bibliothèques et une moquette verte. Le pendeur de guirlandes était plein de déférence pour l'artiste qui, de son côté, ne me prêtait aucune attention. Zéro! Je n'avais pas le droit de produire une impression. Par quoi je veux seulement dire que je n'entrais dans aucune de ses catégories.

Enfin, cet *artiste** de télé avait l'air d'être installé là depuis longtemps, mais il était bientôt évident qu'il devait partir le jour même. Des cartons quittaient son appartement — ou aile. Les déménageurs empilaient des choses. Les livres disparaissaient des rayonnages, ceux-ci étaient eux-mêmes démontés dans une hâte furieuse. Un camion venait se garer et était rapidement chargé, puis, drapée dans une longue robe de chambre mordorée, la vieille femme de l'artiste sortait, se courbait et grimpait en se faisant aider dans la cabine du camion. Elle portait un haut-de-forme. L'artiste de télé fourrait ses pantoufles dans les poches de son manteau, enfilait des mocassins et se glissait à côté d'elle.

L'aide-soignant était là pour le reconduire, puis il se tournait vers moi pour me dire : «Vous êtes le suivant. Nous avons besoin de place, et mes ordres sont de vous faire sortir à la minute.» Aussitôt, une équipe démontait les étagères et mettait tout en pièces. Les environs étaient abattus comme un décor de théâtre. Rien ne restait. Un camion de déménagement venait se garer et mes habits de ville, mon borsalino, mon rasoir électrique, mes affaires de toilette, mes CD, etc., étaient fourrés dans des sacs de supermarché. On m'installait dans un fauteuil roulant et me hissait dans un camion à remorque. Là, je trouvais un bureau — non, un poste d'infirmières, petit mais complet, avec des lumières électriques. Le hayon se refermait ; les battants supérieurs restaient ouverts et le camion partait directement dans un tunnel. Il roulait un moment à pleine vitesse. Puis nous nous arrêtions, l'énorme moteur tournant au ralenti. Il continuait de tourner au ralenti.

Il n'y avait qu'une seule infirmière présente. Elle voyait que j'étais agité et me proposait de me raser. Je reconnaissais que cela ne me ferait pas de mal. Elle me savonnait donc et faisait le nécessaire au moyen d'un jetable Schick ou Gillette. Peu d'infirmières savent raser un homme. Elles appliquent la mousse sans amollir le poil auparavant, comme le faisaient les barbiers de l'ancien temps, au moyen de serviettes chaudes. Quand on n'a pas été convenablement savonné et humecté, la lame arrache les poils et le visage vous cuit.

Je disais à l'infirmière que j'attendais la visite de ma femme, Rosamund, à quatre heures, et qu'il était largement plus tard à la grosse horloge circulaire. « Où pensez-vous que nous soyons ? » L'infirmière était incapable de répondre. Mon opinion était que nous étions sous Kenmore Square et que, s'ils avaient coupé le moteur, on aurait entendu les métros de la Ligne verte. Il était maintenant près de six heures, du matin ou du soir, qui pouvait le dire ? Nous nous rangions lentement à côté d'un passage clouté où des gens — peu nombreux — descendaient dans la rue ou en remontaient.

244

«Vous ressemblez un peu à un chef indien, disait l'infirmière. Vous avez perdu tant de poids que vous êtes tout ridé, et la barbe pousse dans les rides. Elle est difficile à attraper. Vous avez été costaud autrefois?

— Non, mais j'ai plusieurs fois changé de corpulence. J'ai toujours eu meilleure allure assis que debout», disais-je et, malgré la tristesse de mon cœur, je riais.

Elle ne comprenait rien à ces remarques.

Mais il n'y avait pas eu de camion. J'avais dû libérer ma chambre — il y avait eu une urgence — et j'avais été déplacé au cours de la nuit dans une autre partie de l'hôpital. «Où étais-tu?» demandai-je à Rosamund quand elle arriva. J'étais agacé contre elle. Mais elle m'expliqua qu'elle s'était réveillée en sursaut, pleine d'inquiétudes à mon sujet. Elle avait téléphoné au service de réanimation, avait appris mon transfert, sauté dans un taxi et était accourue.

«C'est le soir, dis-je.

— Non, c'est l'aube.

— Et où suis-je?»

L'infirmière de garde était remarquablement vive et sensible. Elle tira le rideau autour de mon lit et dit à ma femme: «Enlevez vos chaussures et grimpez avec lui. Vous avez besoin de quelques heures de sommeil. Tous les deux.»

Une brève vision de plus, à des fins d'orientation.

Vela figure dans celle-ci.

Nous voilà tous deux exposés afin que le monde entier puisse juger. Ses mains élégantes, ouvertes, attirent l'attention sur ma posture embarrassée.

Dans ce scénario, elle et moi nous trouvons debout devant le mur de pierre luisant d'un intérieur de banque

— une banque d'investissement. Nous étions alors à nouveau en bisbille. Mais j'étais venu à la banque pour satisfaire à sa demande. Elle était escortée par un homme de type espagnol, très élégant, âgé de vingt-cinq à trente ans. Un troisième homme était présent, un banquier qui s'exprimait en français. Devant nous, enchâssées dans le superbe mur de marbre, se trouvaient deux pièces. L'une, une pièce de dix cents, l'autre, un dollar en argent d'un diamètre de trois ou quatre mètres.

Vela me présentait à son compagnon espagnol. Ce n'étaient pas de fameuses présentations, car il faisait mine de ne pas me voir. Elle m'expliquait ensuite simplement : «Jusque-là, je n'avais jamais connu d'expérience de sexe sublime et j'imaginais que, dans ce que tu appelles toujours la révolution sexuelle, je devrais y goûter — afin de découvrir enfin ce dont j'ai toujours été privée avec toi.»

Je répondais : «C'est comme un immense clapier, des millions de lapins, où les lapines essaient tous les lapins.»

Mais la première phase de la rencontre s'achevait rapidement. Son but, manifestement, était de m'emplir d'un sentiment de culpabilité et de m'injecter un solvant ou un adoucissant mental.

«Peux-tu me dire où nous sommes? demandais-je. Et pourquoi nous rencontrons-nous ici, devant ces pièces? Elles signifient... quoi?»

Le banquier se manifestait alors et disait qu'avec le temps les dix cents de droite se transformeraient en ce dollar de trois mètres de diamètre.

«Combien de temps cela prendra-t-il?

— Un siècle ou un peu plus.

— Eh bien, je ne doute pas que l'arithmétique soit exacte — mais au profit de qui l'opération serait-elle réalisée?

— Pour toi-même, disait Vela.

— Moi? Et comment tu vois ça?

— Par la cryogénisation, disait-elle. Tu te fais congeler et mettre en réserve. Un siècle plus tard, on te ramène à la vie. Tu ne te souviens pas que nous avions lu dans un magazine que Howard Hughes s'était fait congeler et se ferait ranimer le jour où l'on aurait trouvé un remède à la maladie qui le tuait? C'est ce qu'on appelle la cryogénisation.

— Dis-moi donc ce que tu voudrais que je fasse. Inutile de jouer aux devinettes. Qu'est-ce que tu as en tête — quand aimerais-tu me voir congelé?

— Maintenant. Je viendrais plus tard. Nous nous réveillerions ensemble au xxiie siècle.»

Les reflets gris et le lustre des plaques de marbre étaient calculés pour persuader tout un chacun de l'éternelle stabilité du dollar. Mais c'était aussi la façade d'un entrepôt frigorifique — d'une crypte. C'était insensé, peut-être. Votre corps serait conservé au milieu de celui d'autres investisseurs derrière cette façade de marbre. Vous reposeriez dans un laboratoire avec des techniciens-prêtres qui prendraient soin de vous génération après génération, ajustant la température, le degré d'humidité, et gardant l'œil sur votre état.

«Tu vivrais à nouveau, disait Vela. Imagine l'intérêt composé sur des millions. Nous vivrions tous deux

— Compagnons de vieillesse?...»

L'homme de la banque, qui portait une veste à queue de pie, disait d'une voix travaillée : «À ce moment-là, la durée de la vie sera supérieure à deux cents ans.

— C'est l'unique chance de sauver notre mariage», me disait Vela.

Il y avait un accent charmeusement serbe (*si* bémol *la*, *si* bémol *do*) dans ce grand mot «mariage».

«Oh, bon Dieu, Vela! Ce n'est pas une façon d'aborder

la question de la mort! La reporter d'un siècle ne résout rien.»

Je dois vous rappeler que j'étais déjà mort et ressuscité, et qu'il y avait une étrange distance dans mon esprit entre l'ancienne manière de voir (fausse) et la nouvelle (étrange mais libératrice).

L'anglais n'était pas la langue maternelle de Vela et elle était incapable de reformuler quoi que ce soit, parce qu'elle avait déjà fait trop d'efforts pour trouver une première formulation. Elle ne pouvait que répéter ce qu'elle avait déjà dit. Elle réexposait les faits tels qu'elle les comprenait, ce qui ne faisait pas avancer la discussion.

Je lui disais : «Je ne peux pas faire ça.

— Pourquoi tu ne peux pas faire ça?

— Tu me demandes de commettre un suicide. Le suicide est interdit.

— Par qui le suicide est-il interdit?

— C'est contre ma religion. Les Juifs ne commettent pas le suicide à moins qu'ils ne perdent le siège comme à Massada, ou qu'ils ne soient sur le point de se faire tailler en pièces, comme lors des Croisades. Alors, ils mettent à mort leurs enfants avant de se tuer eux-mêmes.

— Tu ne reviens jamais à la religion si ce n'est pour l'emporter dans une querelle, disait Vela.

— Imagine que tu changes d'avis et attaque la banque aussitôt que je suis congelé, disais-je. Alors tu pourrais revendiquer mes biens parce que je serais mort. Ils sont incapables de prouver que je pourrais être décongelé et ramené à la vie. Ou crois-tu qu'ils me feraient revenir dans le seul but de gagner le procès? Toute l'affaire plaidée devant un bougre de juge incapable de trouver son cul avec ses deux mains?»

Dès lors qu'il était question de plainte, le représentant de la banque blêmissait et, en un sens, je sympathisais avec lui, même si je n'étais pas au mieux moi-même, mon cœur ayant chaviré.

«Tu me *dois* cela», disait Vela.

Qu'est-ce qu'elle voulait dire? Mais j'ai pour principe de ne pas essayer de m'expliquer avec les gens irrationnels. Je me contentais de secouer la tête et de répéter : «C'est impossible, impossible, et je n'en ferai rien.

— Non?

— Tu ne comprends pas ce que tu me demandes, disais-je.

— Non?

— Par ta manière de le dire, tu laisses entendre que c'est *moi* qui ne sais pas ce que *je* fais. Très bien! » Je n'avais jamais été aussi hors du coup que lorsque nous nous tenions devant le juge le jour de notre mariage. Un vieil ami d'école que j'avais invité à la célébration était très impressionné par Vela. Tandis que le juge cherchait la procédure à suivre dans son livre, il me glissa à l'oreille : «Même si cela ne dure que six mois, même si ce n'est qu'un mois, ça en vaut toujours la peine — avec une poitrine et des hanches et un visage pareils! »

Reprenant le dialogue à la banque avec Vela, je m'entendais dire, avec la conviction du sérieux le plus entier : «Je me suis préparé depuis longtemps à mourir de mort naturelle, comme tout le monde. J'ai vu mourir plein de gens et j'y suis prêt. Je ne manque peut-être pas d'imagination à propos de la tombe — l'humidité et le froid. Je me la suis représentée avec trop de détails et peut-être compatis-je un peu trop — anormalement — avec les morts. Mais tu n'as pas une chance au monde de me convaincre de me livrer à la science expérimentale. Je me sens insulté par ta proposition. Mais si tu as réussi à me faire t'épouser, peut-être imagines-tu être aussi capable de me persuader de me faire congeler pour un siècle?

— Oui, je crois que tu me dois quelque chose », disait Vela en me coupant la parole.

L'une de nos difficultés, source de bien des malentendus, était qu'elle ne comprenait rien à mes vues. Les chiens peuvent comprendre une plaisanterie. Les chats n'ont jamais, mais jamais, l'occasion de rire. Quand d'autres riaient autour d'elle, Vela en faisait autant. Mais en l'absence d'indication (« Ceci est drôle »), elle ne souriait même pas. Et quand je divertissais une tablée à dîner, elle me soupçonnait toujours de la tourner en ridicule.

Je n'avais peut-être pas conscience, quand je me croyais dans une banque, avec une petite pièce de dix cents et un énorme dollar enchâssés dans le marbre poli, que dans le monde réel ma vie était en train d'être sauvée. Les médecins par les médicaments, les infirmières par leurs soins, les techniciens par leur habileté travaillaient à m'assister. Si j'étais sauvé, quand je le serais, je poursuivrais ma vie.

Et sans l'article sur Howard Hughes, Vela n'aurait pas suggéré qu'être congelé pendant un siècle était une idée merveilleuse — qu'elle ferait des choses lubriques avec le petit copain espagnol (soit dit en passant, il ne m'avait jamais même dit bonjour) pendant que je serais au frigo, bloc de glace attendant sa réanimation ou sa résurrection.

Et je ne doutais pas de la réalité de cette banque, de ces pièces, de ces compagnons — Vela, son étalon espagnol, le conseiller en investissements, et les remarques de Vela sur la révolution sexuelle.

« Cette rencontre à la banque à laquelle tu crois, me dit plus tard ma femme, Rosamund, la vraie, après que je lui eus raconté l'épisode. Pourquoi faut-il toujours que ce soient les choses les *pires* qui te paraissent réelles ? Je me demande parfois si j'arriverai un jour à te dissuader d'être sadique avec toi-même.

— Oui, reconnus-je. Il y a une forme particulière de satisfaction là-dedans, l'âpreté garantit la réalité de l'expérience. C'est ce que nous éprouvons, et c'est ce à quoi ressemble l'existence. Le cerveau est un miroir et reflète le monde. Bien sûr, nous voyons des images, pas les véritables choses, mais ces images nous sont chères, nous en venons à les aimer bien que nous connaissions toutes les distorsions qu'introduit le miroir-cerveau. Mais ce n'est pas le moment de devenir métaphysique. »

J'étais le genre de patient de service de réanimation sur lequel le personnel aurait pris des paris s'il avait été joueur. Mais ces gens étaient trop sérieux pour miser sur ma mort ou ma survie. Je les avais croisés par la suite dans d'autres services de l'hôpital et ils m'avaient dit : « Ah, vous vous en êtes donc sorti — fantastique ! Je n'y aurais pas cru. Eh bien… vous avez sacrément lutté. Je n'aurais pas misé deux sous sur votre vie. »

Et donc… *hasta la vista*. Nous nous reverrons dans l'au-delà.

Si ces rencontres avaient été plus longues (même si je les préférais aussi brèves que possible), j'aurais dû mentionner ma femme, lui rendre l'hommage qu'elle méritait. Çà et là, un spécialiste se matérialisait, qui l'avait remarquée : « Quelle jolie femme ! », « Quel dévouement ! » Souvent les parents des mourants sont comme des oiseaux éblouis par les projecteurs du stade, volant à l'aveuglette. Mais ce n'était pas le cas de Rosamund. Pour me sauver, elle aurait fait tout ce qui était nécessaire. C'était pourquoi, pour elle, l'équipe de réanimation appliquait souplement les consignes. Ils avaient une vaste et complexe connaissance des frères, des sœurs, des mères, des maris et des épouses. Dans mon cas, la survie était des plus improbables et elle semblait miser sur un cas désespéré. Pour quelques autres, surtout des femmes, il semblait que Rosamund me maintenait de ce côté de la frontière.

Ces femmes pensaient-elles l'amour capable de sauver des vies ? Si elles avaient répondu à un sondage, elles l'auraient nié. Selon la célèbre formule de Ravelstein, le nihilisme américain était un nihilisme sans abîme. L'amour devrait de droit — ou selon les lumières modernes — être vu aujourd'hui comme une passion discréditée, mais les infirmières de réanimation, en première ligne face à la mort, étaient plus ouvertes aux sentiments purs que celles qui travaillaient dans des ailes plus tranquilles. Et Rosamund, cette mince beauté aux cheveux sombres et au nez droit, était paradoxalement reconnaissable comme faite pour cela. Bien que d'une formation supérieure — un doctorat, trop fine pour se faire rouler —, elle aimait son mari. L'amour trouvait un soutien secret parmi ces infirmières de la zone terminale dont quatre-vingts pour cent des patients finissaient à la morgue. L'équipe assouplit donc les consignes pour elle — pour nous. Elle était autorisée à dormir à côté du lit, dans mon box.

Quand je sortis du service de réanimation, ils permirent à Rosamund de donner un petit dîner. Le Dr Bertolucci apporta la *pasta marinara* de chez lui. Je m'assis dans mon lit, avalai quelques bouchées et discourai sur le cannibalisme en Nouvelle-Guinée, où les ennemis massacrés étaient rôtis au bord de falaises d'où des fleurs tropicales cascadaient sur une centaine de mètres, comme des chutes d'eau.

Quand on me renvoya des urgences, Rosamund conserva le droit d'aller et venir sans restriction. Après dîner, elle rentrait dans la Crown Vic. Pour me rassurer, elle disait : « Elle est solide et fiable. C'est la voiture préférée des flics et je me sens en sécurité à l'arrêt aux feux. Pour tous les sales types, je dois être un officier de police en civil et avoir une arme.»

Néanmoins, une glace avait été brisée un soir sur le parking derrière notre immeuble. Elle n'aimait pas non plus voir soir après soir les rats assis en rang là où ils pouvaient regarder les fumées et sentir les odeurs du restaurant de Beacon Street. «Ils sont alignés comme les membres d'un jury à leur banc, disait-elle, et leurs yeux brillent dans le peu de lumière qu'il y a.»

Quand elle s'était traînée jusqu'au troisième étage, le chat était là pour l'accueillir, ou l'accuser de négligence. C'était un chat de la campagne, qui s'était nourri de souris, d'écureuils et d'oiseaux. Il passait à présent ses journées à observer les merles, les geais et les corbeaux géants. Ceux-ci paraissent beaucoup plus gros que les corbeaux des bois — peut-être à cause de l'échelle réduite de la végétation urbaine. Tard dans l'après midi, ils jacassent sur notre toit comme des scies à métaux.

J'imagine que cela répondait à quelque fin biologique, mais cela ne m'intéressait pas. J'étais sourd à la théorie à cette époque — tout comme je refusais de penser à ce que je faisais comme à une lutte pour la vie. Si j'avais pris le temps d'y songer, j'aurais eu conscience que j'étais sous terre et que je creusais à mains nues pour me tirer de là. Certains auraient admiré ma ténacité ou ma fidélité à la vie. Pour moi, il n'y avait rien de tel — c'était aussi fade que des patates.

Après avoir ouvert la porte du frigo vide (elle n'avait pas le temps de faire les courses), Rosamund mâchonnait quelques croûtes de fromage, puis, les cheveux protégés par un haut cône de serviettes à la turque, elle prenait une douche chaude. Au lit, elle téléphonait à ses parents et bavardait avec eux. Son réveil était réglé sur sept heures et elle était à l'hôpital tôt le matin. Elle pouvait citer **tous** les médicaments qui m'étaient prescrits et les médecins découvrirent qu'elle pouvait leur indiquer comment j'avais réagi à chacun d'entre eux, à quoi j'étais allergique ou combien j'avais eu de tension l'avant-veille. Il y avait un vaste appareil de tri dans la tête de cette jolie femme. Elle me dit, en confidence, que nous vivrions très vieux, jusque bien avant dans le siècle à venir. Elle disait que j'étais un prodige. Je me voyais plutôt comme une sorte de monstre.

On ne pouvait soulever de sujet qu'elle ne comprît immédiatement. Ravelstein aurait été enchanté d'elle. Bien sûr, il n'avait jamais eu mon avantage, l'accès privilégié dont je jouissais. Après la crise, Rosamund me dit qu'elle n'avait jamais douté que je survivrais. Et je semblais croire que je ne mourrais pas parce que j'avais des choses à faire. Ravelstein attendait de moi que j'accomplisse ma promesse d'écrire le mémoire qu'il avait commandé. Pour tenir parole, je devais vivre. Bien sûr, il y avait un corollaire évident : une fois le mémoire rédigé, je perdais ma protection et toute raison d'être particulière.

« Mais cela ne pouvait s'appliquer à toi, dit Rosamund. Une fois que tu aurais trouvé le chemin jusque-*là*, rien n'aurait pu te retenir. En outre, tu aurais survécu pour moi. »

Je me souvenais d'avoir souvent demandé à Ravelstein lesquels de ses amis avaient des chances de le suivre de près. « Pour vous tenir compagnie » était la formule que j'employais. Et, après avoir soigneusement examiné mon teint, mes rides, mon allure générale, il disait que j'étais le meilleur candidat. Il était comme ça. Si vous lui demandiez de ne pas vous ménager, il ne vous épargnait rien. Sa franchise était semblable à de l'air liquide. Voulait-il dire que je serais le premier de ses amis à le rejoindre dans l'au-delà ? Tel était ce que la tonalité de notre échange suggérait. Mais il ne croyait pas dans un au-delà. Platon, qu'il suivait sur ces questions, parlait souvent d'un au-delà, mais il était difficile de dire dans quelle mesure il était sérieux. Je n'allais pas monter sur le dojo face à ce champion de sumo représentant la métaphysique platonicienne. Un seul choc de son ventre puissant et je basculerais de l'arène pour retomber dans l'obscurité bruyante.

Il m'avait cependant demandé à quoi j'imaginais que la mort ressemblerait — et quand je répondis que les images cesseraient, il réfléchit sérieusement à ma réponse, arriva à un arrêt complet et médita ce que je pouvais vouloir dire par là. Personne ne peut renoncer aux images — les images pourraient, oui, elles *pourraient* continuer. Je me demande si quiconque pense que la tombe soit tout ce qu'il y a. Personne ne peut renoncer aux images. Les images doivent continuer et continueront. Si Ravelstein l'athée-matérialiste m'avait implicitement dit qu'il me reverrait tôt ou tard, cela signifiait qu'il n'acceptait pas que la tombe fût *la* fin. Personne ne peut accepter cela et personne ne l'accepte. Nous *jouons* seulement les durs.

Ainsi, quand j'avais fait ma remarque à propos des images, Ravelstein m'avait répondu de son explosif rire-bégaiement : «Hah-Hah!» Mais il avait eu une certaine estime — un certain respect pour la réponse.

Puis il s'était laissé aller à dire : «Vous avez l'air d'être prêt à me rejoindre d'ici peu.»

C'est l'assurance involontaire et normale, secrète, ésotérique, de l'homme de chair et de sang. La chair se ratatinerait et disparaîtrait, le sang sécherait, mais personne ne croit au plus profond de son esprit ou de son cœur que les images *vont* s'arrêter.

Environ quarante pour cent des patients de réanimation meurent dans le service. Sur le reste, quelque vingt pour cent deviennent invalides. Ces invalides sont envoyés vers ce que l'industrie de la santé appelle des « unités de soins palliatifs ». Ils ne peuvent plus jamais espérer mener une vie normale. Les autres, les rescapés, sont dits avoir « atterri ».

Ayant atterri, je n'étais plus suivi par l'équipe des médecins de réa. Épuisé par des centaines d'heures passées dans le service, deux d'entre eux passèrent dire qu'ils partaient en vacances. Comme j'étais l'un de leurs plus grands succès, ils vinrent me voir sur terre pour me dire au revoir. Le Dr Alba m'apporta une soupe de poulet de sa confection. Le présent du Dr Bertolucci fut un plat de lasagnes maison, additionné de boulettes de viandes à la sauce tomate, identique à celui que j'avais mangé en réanimation. J'étais toujours incapable de manger seul. La cuiller tremblait dans ma main et martelait l'assiette ; je ne pouvais la porter à ma bouche. Le Dr Bertolucci vint dîner avec Rosamund et moi. Loin d'être normal, je ne cessai de ramener la conversation à la question du cannibalisme. Mais le Dr Bertolucci était très content de moi, disant : « Vous êtes sur le point de sortir du tunnel. » Il m'avait sauvé la vie. J'étais assis, j'avalais un dîner que le médecin en personne avait préparé et je bavardais, je papotais. Rosamund, elle aussi, était heureuse et animée. C'était ma première nuit sur terre, et je n'allais pas gagner une unité de soins palliatifs pour entamer une vie de légume.

Quand je sortis de réanimation, l'interne en neurologie me fit passer un examen préliminaire. Mon histoire médicale, serrée dans un épais classeur, était disponible au poste des infirmières. Rosamund avait tenu son propre journal durant les semaines de crise et l'interne l'interrogea elle aussi.

Le soir même, le Dr Bakst, chef du service de neurologie, apparut à minuit et l'interrogea à son tour. Elle s'était endormie dans le fauteuil à côté du lit.

J'avais été traité pour une pneumonie et un arrêt cardiaque. Et si j'avais atterri, je n'étais pas pour autant sorti du tunnel. Pas encore. Pas tout à fait. La nature de mes problèmes n'est que partiellement pertinente ici. Disons simplement que les choses étaient loin d'être normales et que mon avenir restait incertain.

Le Dr Bakst vint avec son paquet d'aiguilles. En m'examinant — en me plantant des aiguilles dans le visage — il découvrit que ma lèvre supérieure était (pour dire les choses à ma façon) éclopée. Même quand je parlais ou riais, elle était étrangement immobile ou partiellement paralysée. Il me fit passer quelques tests élémentaires — j'y échouai. À plusieurs reprises, il me demanda de dessiner des cadrans d'horloge. J'étais incapable au départ de dessiner quoi que ce soit. Mes mains étaient inutilisables. Je n'arrivais pas du tout à les contrôler. Je ne pouvais ni manger ma soupe ni signer de mon nom. Le stylo m'échappait des doigts. Quand il me dit : « Faites-moi une horloge », un zéro raté fut tout ce que je pus dessiner. Mes symptômes semblaient lui faire penser à un empoisonnement. Bédier m'avait servi un poisson toxique à Saint-Martin. Le neurologue dit que j'avais été victime de la toxine de la cigua. J'étais dorénavant prêt à croire le pire des Caraïbes. Le médecin français que j'y avais vu avait diagnostiqué mon mal comme de la dengue. Il aurait pu, aurait simplement pu, être plus malin. Un expert australien de la toxine de la cigua en décrivit les symptômes au Dr Bakst. Certains des collègues du Dr Bakst à Boston n'acceptèrent pas son diagnostic. J'avais un faible pour le Dr Bakst, cependant, pour des raisons qui n'avaient rien à voir avec la médecine, à strictement parler.

Pour dire les choses sans détour, je devais décider s'il me fallait ou non faire l'effort de guérir. J'étais resté inconscient de longues semaines, mon corps était décharné — méconnaissable. Mes sphincters étaient perdus et je titubais plus que je ne marchais — me raccrochant à un déambulateur métallique. J'avais autrefois été le benjamin d'une vaste famille. J'avais à présent des enfants devenus adultes. Quand ils venaient me voir, ceux qui avaient hérité de mes traits me donnaient le sentiment d'être observé par mes propres yeux — encore apparenté, mais destiné à être bientôt remplacé par un modèle plus récent. Ravelstein m'aurait conseillé de garder mes esprits. Je me sentais quasiment cuit, mais je n'étais, si endommagé que je fusse, pas si malade de tout ça, pas encore remisé.

Rosamund était déterminée à ce que je continue de vivre. C'est elle, bien sûr, qui m'avait sauvé — ramené des Caraïbes juste à temps, accompagné en réanimation, dormant dans un fauteuil à côté de mon lit. Quand je luttais pour respirer, elle tirait le masque à oxygène pour m'essuyer la bouche. Ce n'est que lorsque le respirateur fut installé qu'elle rentra une heure pour se changer et mettre des habits propres.

L'unique médecin qui passait régulièrement me voir était le Dr Bakst. Il venait irrégulièrement, en plus — à des heures bizarres. Il disait : «Dessinez-moi une horloge à 10 h 47.» Ou : «Quel jour sommes-nous ? Ne me dites pas que vous vivez dans des sphères éthérées et que vous ne connaissez pas la date du jour. Je veux des réponses précises.» Ou : «Multipliez soixante-deux par quatre-vingt-treize — et maintenant... divisez cinq mille trois cent vingt-deux par quarante-six.»

Dieu merci, j'avais conservé mes tables de multiplication en bon état.

Il n'avait aucun désir de discuter de questions «plus

profondes » avec moi — ou de questions relatives à mon degré de guérison.

À l'âge de huit ans, j'avais dû me remettre d'une péritonite compliquée par une pneumonie. Revenant de l'hôpital, il me fallut décider si je voulais être un invalide à vie, avec deux frères qui me haïraient de monopoliser l'affection et l'attention de nos parents. Comment on peut prendre pareille décision étant enfant est impossible à comprendre. Je vois à présent, cependant, que j'avais choisi de ne pas être une mauviette. J'avais déniché dans une brocante un livre de Walter P. Camp sur la forme physique et je fis ce qu'avait fait le célèbre entraîneur de football — je remontais des seaux de charbon pleins de la cave en les portant à bout de bras. Je m'encourageais moi-même, je m'entraînais sur un punching-ball et avec des massues de gymnastique. J'avais étudié une brochure édifiante intitulée *Comment devenir fort et comment le rester.* Je disais à tout le monde que je suivais un entraînement. Ce n'était pas une exagération. Le fait était que je n'avais aucun don pour les sports. Néanmoins, le choix que j'avais fait à l'âge de huit ans restait valide. Quelque soixante-dix ans plus tard, je me préparais à le réitérer.

Par une rare coïncidence, le docteur avait une autre patiente victime de la toxine de la cigua. Elle avait été infectée lors d'un voyage en Floride. La toxine ravage le système nerveux, mais elle est rapidement excrétée, si bien qu'au bout de quelques jours il n'y en a plus trace. Heureusement, dans son cas, la maladie avait été soignée dès son premier stade, et, une fois le poison éliminé de son sang, elle se portait assez bien pour rentrer chez elle.

Je continuais de pousser le déambulateur à travers les couloirs sinueux, déterminé à retrouver l'usage de mes jambes. On me soutenait sous la douche et je me sentais humilié tandis que j'étais savonné et rincé par de douces infirmières qui avaient tout vu et n'étaient pas choquées par mon corps.

J'imaginais que mon neurologue en chef et ange gardien était familier de cas tels que le mien et savait exactement « où j'en étais ». Mes mains et mes jambes abîmées allaient dépérir et je perdrais tout sens de l'équilibre si je laissais les petits muscles s'atrophier. Si j'avais penché de ce côté-là, j'aurais pu décider de ne pas faire l'effort nécessaire. On se lasse de faire les exercices, de pétrir la boule de pâte à modeler et de reconstituer des puzzles, pour ne voir, en s'examinant, que les longues rides à l'intérieur de ses bras desséchés.

C'est maintenant seulement que je parviens à comprendre combien de tact il y avait dans la conduite du médecin et à voir qu'il savait parfaitement que je me désintégrerais si je n'effectuais pas les exercices qu'il me prescrivait. Je haïssais les exercices, mais je ne pouvais me permettre de tomber en pièces. Qui plus est, je devais à Rosamund de travailler à ma guérison. Oui, j'étais tenté de me laisser aller, mais elle avait concentré toute son âme sur ma survie. Mon abandon aurait été un affront pour elle. Et, enfin, vivre signifiait nécessairement de faire ce que j'avais toujours fait, et je devais être assez fort pour accomplir par moi-même les tâches qui constituaient ma vie.

Le Dr Bakst était un clinicien expert, estimais-je, mais dans mon cas son diagnostic avait été contesté. La toxine de la ciguatera est une maladie tropicale. Elle se trouve chez des poissons des récifs coralliens — des « *piscavores* », comme les appelait le médecin. Aucun degré de cuisson n'aurait pu détruire le poison contenu dans la vive déposée devant moi par Bédier, un dur qui jouait les plus français des hôtes français. Il était venu sous les Tropiques pour gagner l'argent nécessaire à l'éducation de ses petites filles — elles ne reçoivent plus une *dot**, mais une éducation. (Ravelstein, qui hante ces personnalités et ces occasions, aurait préféré m'entendre employer le terme de *dot** plutôt que *dowry*.) Hormis jouer ce rôle, Bédier ne devait rien à ses clients. Ils prenaient leurs risques avec les *piscavores* du récif corallien comme lui avec ses investissements. Ni Bédier ni le médecin qui m'avait diagnostiqué la dengue ne répondirent aux requêtes de Boston.

À mon âge, on a une expérience considérable des tenants et aboutissants, des échappatoires qui accompagnent la défense de ses propres intérêts. Toutes les considérations de ce genre sont sauvagement mélangées.

Le diagnostic de ciguatera du Dr Bakst avait été mis en doute par d'autres médecins. Il avait donc un intérêt supplémentaire à prouver qu'il avait vu juste. Il m'envoyait aux quatre coins de l'hôpital pour des scanners, des IRM et des dizaines d'autres examens ésotériques, lors desquels les forces de la planète entière sont braquées sur vous. Le malade comprend que le médecin doit faire le tri, et il reconnaît aussi un besoin particulier de s'éloigner de ses rivaux malades et mourants. Le médecin doit naturellement se protéger contre ces pulsions monopolisatrices — peut-être devrais-je dire instincts — de gens qui sont aveuglément acharnés à la guérison, qui ont l'avidité profonde et si particulière du malade quand il a décidé de ne pas mourir.

Le Dr Bakst était solidement bâti, mais avec quelque chose de bizarre au niveau de la tête, qu'il portait comme un boxeur. Il était bien sûr hors de question de lire dans ses pensées. Il allait et venait à sa convenance. Ses lunettes pouvaient être tournées vers vous quand ses yeux ne l'étaient pas. Cela m'amena à comprendre que ce serait une erreur que d'essayer de communiquer les nombreuses choses étranges que j'éprouvais. Les problèmes d'arithmétique qu'il me posait ressemblaient beaucoup aux défis lancés à David Copperfield par son cruel tyran de beau-père — «Neuf douzaines de fromages à deux livres, huit shillings, quatre pence. Ce calcul ne devrait pas te prendre plus de trois minutes.» J'avais toujours été bon en calcul à l'école, et cela me ramenait à mon enfance de les résoudre. Pour mes doigts aussi, ils constituaient une bonne thérapie, et je fus bientôt capable de signer des chèques et de payer mes factures.

Le médecin adopta alors un style plus rude avec moi.

«Quel jour de la semaine sommes-nous?

— Mardi.

— Nous ne sommes pas mardi. Tout adulte sait quel jour on est.

— Ce doit être mercredi, alors.

— Oui. Et quelle est la date?

— Je n'en ai aucune idée.

— Eh bien, préparez-vous à tenter le coup — un pari. Mais à partir de maintenant, vous allez savoir la date comme toute personne normale. Vous la vérifierez tous les matins, et vous serez prêt dorénavant à me dire le jour de la semaine et le quantième du mois.» Il punaisa alors un calendrier au mur. Le médecin avait vu que mes jour-nées étaient un bourbier de négligence et que j'étais démoralisé, sombrant et perdant courage à force de lais-ser-aller et de désordre.

Il est possible que le Dr Bakst m'ait sauvé. Je crois que je lui dois la vie, à lui et, bien sûr, à Rosamund. Bakst ne pensait pas que ç'ait été une erreur de me faire «atter-rir», car sinon j'aurais été bon pour une unité de soins palliatifs. Il pensait que je pouvais — et *devais* donc — y arriver. Il m'avait jugé capable de remonter la pente. Je me demande ce que serait la médecine si les médecins devaient écarter pareilles intuitions. Le Dr Bakst, tel un habile éclaireur indien du siècle dernier, avait posé l'oreille sur le rail et entendu la locomotive au loin. La Vie serait bientôt de retour et j'occuperais ma place dans le train de l'existence. La Mort retournerait à sa place, à la marge du paysage. Le désir du patient est de ramper ou boiter, d'accéder comme il peut à la vie qui précéda la maladie, et de se retrancher pour fortifier son ancienne position.

Si j'avais succombé, j'aurais naturellement été délivré de la promesse que j'avais faite des années auparavant de rédiger une brève description de Ravelstein et de faire un récit de sa vie. Ayant approché moi-même de la mort, je n'ai pas besoin d'éprouver le sentiment de culpabilité qu'ont souvent les vivants à propos de ceux — parents, épouses, maris, frères et amis — qui sont dans la tombe.

À ma sortie de l'Université, à la fin des années 30, j'étais assistant et j'aidais à compiler un guide géographique ; j'appris alors qu'il y avait un Athens dans presque chaque État de l'Union. C'était aussi un fait qu'A. N. Whitehead avait prophétisé lors d'un séjour à Chicago que la ville était destinée à conduire le monde moderne. L'intelligence y était à la disposition de tous et il était donc hautement possible que cette ville joue le rôle d'une nouvelle Athènes.

Quand je rapportai cela à Ravelstein, je me souviens qu'il rit démesurément et dit : «Si cela se produit ici, ce ne sera pas à cause de Whitehead. Il n'avait pas assez de philosophie en lui pour remplir un ballon de baudruche. Ce n'est pas que Russell ait valu beaucoup mieux.»

J'étais intéressé par de telles opinions, non parce que j'avais des ambitions philosophiques, mais parce que, sans grande connaissance de la philosophie politique, je m'apprêtais à écrire, avais accepté d'écrire, une notice sur Ravelstein, philosophe politique. Et je n'aurais su dire si Whitehead et Russell avaient ou non développé des idées qui méritent qu'on s'y arrête. Ravelstein me dit sèchement de ne pas me préoccuper de leurs études, essais et opinions. Mais j'avais déjà lu cinq ou six de leurs livres. Nous devrions être reconnaissants des bons conseils en ces matières car la vie est trop courte pour risquer de perdre son temps — un mois entier, disons, sur l'*Histoire de la philosophie* de Russell, livre manifestement biaisé et même tordu, très moderne en ce qu'il essaie de vous épargner l'étude de plusieurs philosophes allemands et français.

À sa propre manière, Ravelstein essayait de m'éviter de me plonger dans les œuvres des penseurs qu'il admirait le plus. Il me commanda d'écrire cette notice, oui, mais il n'estimait pas nécessaire que je potasse les classiques de la pensée occidentale. Cela étant, je le comprenais assez bien pour rédiger une courte biographie, et j'étais d'accord que cela incombait à quelqu'un de mon genre. Qui plus est, je suis de ceux qui croient en la capacité des travaux inachevés à vous maintenir en vie. Mais cette survie ne peut s'expliquer par cette simple équivalence abstraite terme à terme. Rosamund me retenait de mourir. Je ne sais pas dire cela sans l'aborder de front, et je ne peux l'aborder de front alors que mon propos reste centré sur Ravelstein. Rosamund avait étudié l'amour — l'amour rousseauiste et l'éros platonicien aussi, avec Ravelstein —, mais elle en savait bien plus sur le sujet que son professeur ou son mari.

Mais je préférerais revoir Ravelstein que d'expliquer des questions qu'il ne sert à rien d'expliquer.

Ravelstein, s'habillant pour sortir, me parle, et je fais les cent pas avec lui tout en essayant d'entendre ce qu'il me dit. La musique coule de sa chaîne hi-fi — les nombreux méplats de son crâne chauve passent devant moi dans le couloir entre son salon et sa monumentale chambre de maître. Il s'arrête devant son trumeau — pas de miroir mural ici — et enfile les lourds boutons de manchettes en or, boutonne la chemise à rayures de chez Baiseur & Culleur de Jermyn Street — le pressing American Trustworthy livre ses chemises gonflées de papier de soie. Il noue sa cravate en relevant son col craquant d'amidon. Il fait un nœud luxuriant. Les longs doigts malhabiles, mal coordonnés, nerveux jusqu'à la décadence, font un double tour. Ravelstein aime un gros nœud de cravate — après tout, c'est un grand gaillard. Puis il s'assied sur les peaux magnifiquement tannées qui couvrent son lit et enfile les bottes fauves de chez Poulsen et Skone. Son pied gauche fait plusieurs tailles de moins que le droit, mais il n'y a aucune boiterie. Il fume, bien sûr, il fume sans cesse, et écarte la tête du nuage de fumée tandis qu'il lace et ajuste son nœud de cravate. La distribution et l'orchestre déversent *L'Italienne à Alger*. C'est une musique d'habillage, une musique accessoire, d'humeur, mais Ravelstein est nietzschéen en la matière, favorable à la comédie et aux kiosques. Plutôt Bizet et *Carmen* que Wagner et le *Ring*. Il aime que le volume de sa puissante installation soit poussé au maximum. Le téléphone sonne, mais le répondeur s'en chargera. Il enfile son costume à 5 000 dollars, une laine italienne mêlée de soie. Il tire les manches de la veste du bout des doigts et lisse le sommet de son crâne. Et peut-être goûte-t-il d'avoir tant d'instruments pour lui jouer la sérénade, tant de musiciens à son service. Il correspond avec des maisons de disque derrière le rideau de fer. Il a des aides qui se rendent au bureau de poste pour payer les droits de douane à sa place.

« Qu'est-ce que vous pensez de cet enregistrement,

Chick? lance-t-il. Ils jouent sur des instruments originaux du XVIIe. »

Il s'aime dans une musique sublime, une musique dans laquelle les idées se dissolvent, se reflétant sous la forme de sentiments. Il les emporte avec lui dans la rue. Il y a une première neige sur les hauts arbustes, les mêmes arbustes qu'occupent une énorme troupe de perroquets — ceux qui se sont échappés de leurs cages et bâtissent à présent leurs nids en forme de chaussettes dans les ruelles. Ils se nourrissent de baies rouges. Ravelstein me dévisage, riant de plaisir et d'étonnement, faisant de grands gestes parce qu'il ne peut se faire entendre dans ce vacarme aviaire.

On n'abandonne pas facilement un être tel que Ravelstein à la mort.